HOMENAJE
A
ERNESTO SÁBATO

EDITOR

HELMY F. GIACOMAN

HOMENAJE
A
ERNESTO SÁBATO

Variaciones interpretativas en torno a su obra

anaya◆lasamericas

Library of Congress Catalog Card Number: 72-84388
ISBN: 0-87139-019-1
©   Helmy F. Giacoman
L.A. Publishing Company, Inc.
40-22, 23rd Street
Long Island City
New York, 11101
Producido por ANAYA
Depósito Legal: M-7498-1973
Printed in Spain
Impreso en Gráficas Rolando, S. L.
Pajaritos, 19 - Madrid-7

ÍNDICE

Prefacio
Helmy F. Giacoman

Un grupo de críticos de la nueva narrativa hispanoamericana nos hemos reunido en este tomo para rendir un cálido homenaje a uno de nuestros humanistas. Debido a que ya he editado un tomo de estudios en torno a la primera novela de Ernesto Sábato (*Los personajes de Sábato,* Emecé, 1972), estos estudios se centrarán en la segunda de nuestro autor: *Sobre héroes y tumbas.*

La obra que nos interesa ahora está estructurada en una cosmovisión que su autor ha llamado «una novela oscura... enmarcada en una realidad total que resulta del entrecruzamiento de diferentes versiones, no siempre coherentes ni unívocas... ambigua como la vida misma». Ahora bien, esta novela se rige por la ley de las tinieblas profundas del subconsciente y del inconsciente. Busca, por decir así, una especie de intrahistoria del hombre solitario y de un país que se mueve en una especie de contrapunto que se nutre de la fe en medio de la desesperación, de la lealtad y solidaridad humanas frente a la derrota y la traición, de la superposición de la vida frente a la muerte. *Sobre héroes y tumbas* se fundamenta en esa condición humana que tan a menudo se revela en la desgracia, en la redención del hombre por el hombre mismo. Ese es el mensaje humano que yo veo en esa gran obra y esa es la destacada condición de humanista que nos descubre su autor.

Fundamentada en una estructura que se apoya en cuatro tiempos diferentes, nos permite la unificación y coordinación de muy diversos materiales. De ese vasto panorama —que halla una feliz expresión en riquísimos niveles lingüísticos— emerge su país con su reciente pasado en busca de una ferviente búsqueda de las negaciones humanas, del desaliento y del sacrificio fecundador. Es la historia de un amor con diferentes variaciones trágicas. Por medio de la acausalidad junguiana, Ernesto Sábato logra re-crear la presencia de un azar objetivo de incomprensible eficacia e intencionalidad. Es, precisamente, en ese plan que el «Informe sobre ciegos» cobra su máxima significación.

Quisiera agradecer a todos los colaboradores que se hallan presentes en estas páginas su aporte definitivo a los diferentes niveles interpretativos que nos ofrece esa extraordinaria novela.

La novela total: Un diálogo con Sábato
Fernando Alegría

ALEG: A los conceptos de *novela abierta, novela cerrada, novela curva, novela romboide* y otros parecidamente geométricos, se añade hoy con cierta frecuencia el de *novela total.* Sobre esto quisiera que dialogáramos sin ceñirnos, por supuesto, a ninguna norma, y en consideración principalmente a que es un concepto planteado por ti hace varios años y que algunos novelistas de la última ola acarician cada vez con mayores ansias de posesión. Pero, vamos por partes. En alguna página de *El escritor y sus fantasmas* te refieres a la nueva novela como «oscura» y luego enumeras y defines los factores determinantes de esa oscuridad. Creo que puede hablarse en estos términos únicamente si consideramos la novela como el resultado de una compleja y dramática —léase dinámica—, colaboración entre autor y lector. En el momento en que la novela dejó de ser un libro hecho a la medida, estrictamente reforzado e inmutable, y se convirtió en una obra de arte en constante proceso de formación y desarrollo, abierta y plástica, cerróse el espacio divisorio entre novelista y lector y la novela se puso a funcionar como la vida, es decir, confusa y oscuramente.

SÁB: En tales condiciones, la obra queda como inconclusa y en rigor tiene acabamiento o por lo menos desarrollo en el lector: el proceso creador se prolonga en el espíritu del que lee. Como dice Sartre: «Lo que hará surgir ese objeto concreto e imaginario, que es la obra del espíritu, será el esfuerzo conjugado del autor y del lector. Sólo hay arte por y para los demás.»

ALEG: Pero es claro, no fue Sartre únicamente quien propuso ese esfuerzo conjugado del autor y lector. Unamuno hablaba con mucha pasión del trabajo de *re-creación* que realiza el lector mientras lee una novela, y si tomamos en consideración el hecho de que Unamuno escribía novelas como teatro —no era, en verdad, un novelista, pues manejaba a sus personajes como un apuntador solemne, pero excéntrico, desde las bambalinas—, habrá que pensar en Pirandello y, por qué no, en Benavente y hasta en Azorín, todos ellos aficionados a provocar al espectador o al lector con obras abiertas, o sea, cambiantes. Por lo demás, Sterne en *Tristram Shandy* dejó para la posteridad y sus aprovechados alumnos un modelo para armar ya en 1759-67.

SÁB: Hay varios motivos para que la novela de nuestra época sea más oscura y ofrezca más dificultades de lectura y comprensión que la de antes: el «punto de vista». No existe más aquel narrador semejante a Dios, que todo lo sabía y todo lo aclaraba. Ahora la novela se escribe desde la perspectiva de cada personaje. Y la realidad total resulta del entrecruzamiento de las diferentes versiones, no siempre coherentes ni unívocas. Tiene ambigüedad como la vida misma.

ALEG: Ambigüedad, es decir, *simultaneidad*. Las cosas que nos pasan son ambiguas porque se nos presentan en múltiples planos al mismo tiempo. No hay transición suficiente para darnos tiempo de recapacitar ni hacernos una composición de lugar, ni de discernir y definir como aprendices de dioses. No podría tomarse en serio a un narrador que pretendiera saberlo todo y aclararlo todo hoy que, mientras más sabemos, más oscuros estamos. Vemos y actuamos. Las pantallas reemplazan a la corte y los caminos. Al espectador le repugnan las transiciones explicativas porque las considera falsas. Y tiene razón. Una acción no siempre sucede a otra y es posible que juntas asuman un papel simbólico. Bien vividas, constituyen la riqueza y la complejidad y el absurdo de nuestra condición. El cine, por ejemplo, abandonó las explicaciones previas que pretendían situarnos en una época y en un problema. Los títulos siguen a varios minutos de acción. Las películas no tienen principio. El espectador las prolonga en la calle, en su casa. Las situaciones entremezcladas, sin clara definición de planos ni de tiempos son el producto de un ojo novelístico que, como el lente de la cámara, busca incesantemente la imagen de una realidad cuya condición esencial es el cambio constante, sorpresivo. Si consideramos el tiempo...

SÁB: No hay un tiempo astronómico, que es el mismo para todos, sino los diferentes tiempos interiores. La ficción por la que suspiraba Weidlé era espacial y su tiempo era el cosmológico, el de los relojes y almanaques. Al sumergirse en el «yo», el escritor debe abandonarlo, pues el «yo» no está en el espacio sino que se despliega en el tiempo anímico que corre por sus venas y que no se mide en horas ni minutos sino en esperas angustiosas, en lapsos de felicidad o de dolor, en éxtasis.

ALEG: Thomas Mann define este tiempo interior y lo aplica, al *tempo* de su narrativa en *La montaña mágica*. Virginia Woolf lo vive en *Orlando*. Joyce lo convierte en una medida de la eternidad, esa eternidad que vivimos en veinticuatro horas. Pero, yo quisiera dar al César lo que es de don Andrés Bello, en cuanto a América se refiere, porque nadie ha explicado más lúcida y rigurosamente el tiempo interior que el humanista venezolano en su peculiar gramática cuando define de un modo alucinante la nomenclatura de los tiempos verbales. Bello fue el inventor de los co-pretéritos y los pos-pretéritos, de los futuros hipotéticos, es decir, concibió la simultaneidad de una acción en un visionario presente, superpuso el tiempo subjetivo a los calendarios de la Real Academia.

SÁB: En el descenso al «yo» no sólo tenía que enfrentarse el novelista con la subjetividad a que ya nos tenía acostumbrados el romanticismo *(Werther, Adolphe)* sino con las regiones profundas del subconsciente y del inconsciente. Esa sumersión en zonas tenebrosas produce muy a menudo una tonalidad fantasmal, esa tonalidad nocturna que recuerda al sueño o la pesadilla y que revela la común raíz de novelas como *El proceso* y cuadros como los de Van Gogh, Chirico o Roualt. ¿Cómo pedirle a estas novelas aquellas figuras bien delineadas, precisas y «reales» a que nos tenía acostumbrados la vieja novelística? En ese subsuelo no rige la ley del día y la razón sino la ley de las tinieblas. En este mundo nocturno no es válido el determinismo del mundo de los objetos, ni su lógica. Desaparece la vieja y abstracta división entre el sujeto y el objeto. Y con ella el concepto de mundo y de paisaje tal como lo concebía el novelista de antes. En la novela actual, o al menos en sus manifestaciones más representativas, la escena va surgiendo desde el sujeto, junto con sus estados de alma, con sus visiones, con sus sentimientos e ideas.

ALEG: El teatro, que botó una pared primero para permitirnos espiar la «ilusión de una realidad» como por el ojo de una cerradura, y fue botando después las otras y se hizo redondo y abierto confundiendo a observantes, actuantes y narradores, mostró el camino a la novela que saca el mundo desde cada sujeto. Por lo demás la lámpara de Gide es, en realidad, el ojo del teatro, del cine y de la novela actuales. Un faro subterráneo.

SÁB: Sea por lo que sea, nuestra época ha sido la del descubrimiento del Otro. Descubrimiento de trascendencia para el pensamiento, pero de mucho más importancia para la novela, ya que su misión es la de ocuparse del «yo» en su relación con las otras conciencias que lo rodean. De este modo, a la objetividad naturalista de un Balzac, o de la pura subjetividad de los románticos, también de estirpe naturalista, la ficción avanza hacia la *intersubjetividad,* hacia una descripción de la realidad total desde los diferentes «yos». Al prescindir de un punto de vista suprahumano, al reducir la novela (como es la vida) a un conjunto de seres que viven la realidad desde su propia alma, el novelista tenía que enfrentarse con uno de los más profundos y angustiosos problemas del hombre: el de su soledad y su comunicación. Como el «yo» no existe al estado puro sino fatalmente encarnado, la comunión entre las almas es intento híbrido y por lo general catastrófico entre espíritus encarnados. Con lo que el sexo, por primera vez en la historia de las letras, adquiere una dimensión metafísica. El amor, supremo y desgarrado intento de comunión, se lleva a cabo mediante la carne; y así, a diferencia de lo que ocurría en la vieja novela, en que el amor era sentimental, mundano o pornográfico, ahora asume un carácter sagrado. Y si, como dijo Unamuno, mediante el amor sabemos cuánto de espiritual tiene la carne, también por su mediación comprendemos cuánto de carnal tiene el espíritu.

ALEG: De acuerdo. Pero, si bien es cierto que el sexo en verdad ha adquirido hoy una dimensión metafísica, no es menos cierto que a través de la historia la metafísica adquirió ya una dimensión sexual. No es justo pensar solamente en el Dante y la *Vita nuova,* también debemos recordar y releer para solazarnos la erótica *Historia de dos amantes* de Aeneas Silvius Piccolomini (el papa Pío II). Por otra parte, me parece bien decir que el espíritu puro ha sido reemplazado por el espíritu encarnado. Lo que pasa es que el Espíritu Santo, por fin, ha extendido hasta el límite sus funciones.

SÁB: En suma, la novela del siglo veinte no sólo da cuenta de una realidad más compleja y verdadera que la del siglo pasado, sino que ha adquirido una dimensión metafísica que no tenía. La soledad, el absurdo y la muerte, la esperanza y la desesperación, son temas perennes de toda gran literatura. Pero es evidente que se ha necesitado esta crisis general de la civilización para que adquieran su terrible y desnuda vigencia; del mismo modo que cuando un barco se hunde los pasajeros dejan sus juegos y sus frivolidades para enfrentarse con los grandes problemas finales de la existencia, que sin embargo estaban latentes en su vida normal. La novela de hoy, por ser la novela del hombre en crisis, es la novela de esos grandes temas pascalianos.

ALEG: Bien está la referencia a Pascal. Pensándolo bien en la llamada «nueva novela», en especial la latinoamericana, se buscan formas de narrar y actitudes creadoras que fueron desarrolladas con alto vuelo de fantasía en la novela de todos los tiempos y, muy particularmente, en los orígenes del género. Decir hoy que todo tiene cabida en la novela, y que el creador va con una vasta red a recoger lo grandioso, lo efímero, lo trágico, lo patético y lo sublime del hombre, sin desdeñar cosa alguna, y buscando en la simultaneidad de las acciones una imagen dinámica y auténtica de la vida, es repetir a Cervantes, quien en el *Quijote* dijo:

> ...la escritura desatada de estos libros (novelas) da lugar a que el autor pueda mostrarse épico, lírico, trágico, cómico, con todas aquellas partes que encierran en sí dulcísimas y agradables ciencias de la poesía y la oratoria: que la épica también puede escribirse en prosa, como en verso [1].

Hoy diríase que Cervantes alude a un realismo mágico, ese realismo que ve a trasluz y en movimiento no sólo las acciones del hombre, sino la reverberación sicológica y sociológica de tales acciones.

SÁB: La novela rompecabezas: la necesidad de dar una visión totalizadora de Dublín obliga a Joyce a presentar fragmentos que no mantienen entre sí una coherencia cronológica ni narrativa, fragmentos de un complicado y ambiguo rompecabezas: pero de un rompecabezas que nunca aparecerá completamente aclarado, pues muchas de sus partes faltarán, otras permanecerán en las tinieblas o serán apenas entrevistas. Esto no es un arbitrario juego destinado a asombrar a los lectores: es lo que sucede en la vida misma: vemos a una per-

---

[1] México, Porrúa, 1960. Citado por Ángela B. Dellepiane: *Ernesto Sábato, el hombre y su obra* (New York: Las Americas, 1968, p. 331).

sona un momento, luego a otra, contemplamos un puente, nos cuentan algo sobre un conocido o desconocido, oímos los restos dislocados de un diálogo; y a estos hechos actuales en nuestra conciencia se mezclan los recuerdos de otros hechos pasados, sueños y pensamientos deformes, proyectos del porvenir. La novela que ofrece la mostración o presentación de esta confusa realidad es *realista* en el mejor sentido de la palabra [2].

ALEG: Es realista, claro está, en un sentido que a mí me parece fascinante, pues un realismo así da la realidad y, al mismo tiempo, la irrealidad de la realidad. Me explico: aquello que en una cara, por ejemplo, no es la cara sino su particular reflejo en otra cara. Tú hablas de estos reflejos refiriéndote al rostro de padre, de amante, de profesor, con que miramos a otros seres. Recuerdo también algún cuento de Onetti en que la acción ocurre en el espacio que separa o une a dos personas, no únicamente en lo que llevan secretamente y no se tocan. Las cosas de esta realidad representan la vibración que sigue al sonido. No son la cosa misma, sino su voluntad de existir y su insistencia en perdurar. Con estas cosas se hacen las novelas que cantan. Por eso, pensando en la voz que sigue sonando después que *Sobre héroes y tumbas* ha terminado, dije una vez que se trata de una novela romántica o, si prefieres, neorromántica [3].

SÁB: De la palabra romanticismo pueden considerarse muchos significados, algunos hasta contradictorios. Su origen es la palabra *romance,* que designaba la novela en que se enaltecía a los hidalgos arrollados por la civilización mercantil. Así, desde sus mismos orígenes, la novela es la expresión por antonomasia del espíritu romántico; y no es exagerado buscar en ella los fundamentos y la expresión más vital de este levantamiento del hombre contemporáneo. Si el fenómeno no siempre resulta nítido es porque también la novelística llegó a presentarse con los atributos prestigiosos de

---

[2] Las citas de Sábato son de *El escritor y sus fantasmas* (Buenos Aires, Aguilar, 1963).

[3] En *Novelistas contemporáneos hispanoamericanos* (Boston: D. C. Heat & Company, 1964, pp. 26-27).

la mentalidad combatida (Balzac, Zola), porque no se puede combatir contra un enemigo poderoso y pertinaz sin terminar de parecerse a él; hasta que el triunfo del nuevo espíritu permitió liberarse de ese caballo de Troya, para dar por fin el gran testimonio de la condición humana en la crisis final de la civilización tecnolátrica. Motivo por el cual, y al revés de lo que piensan algunos ensayistas y filósofos, no sólo la novela del siglo veinte no está en decadencia sino que representa la época más fértil, compleja, profunda y trascendental de la novelística entera.

ALEG: Es la novela que responde a una sociedad obsesionada en procesos de enajenación, marginación y deshumanización.

SÁB: Es un arte que proviene en línea directa del romanticismo y que, a través de los *fauves,* de Gauguin y Van Gogh, de los expresionistas y surrealistas desemboca en el expresionismo no figurativo y, finalmente, en el arte neofigurativo, ése no sólo es un arte deshumanizado sino que es el baluarte levantado por los hombres más sensibles y más lúcidos (junto a la novela actual) contra una sociedad deshumanizadora.

ALEG: Deshumanizadora y, además, enferma, es decir, febril, fabricante de caos y decadencia, inventora del supremo desorden; ése en que el producto se consume a sí mismo.

SÁB: «Si nuestra vida está enferma —escribe Gauguin a Strinberg—, también ha de estarlo nuestro arte; y sólo podemos devolverle la salud empezando de nuevo, como niños o como salvajes… Vuestra civilización es vuestra enfermedad.» Toda la joven generación de 1900, las «fieras» que escandalizan los salones, provienen de Gauguin y, particularmente, del torturado espíritu de Van Gogh. Son discípulos de ese Gustave Moreau que decía: «¿Qué importa la naturaleza en sí? El arte es la persecución encarnizada de la expresión, del sentimiento interior.»

ALEG: Gauguin, lo sabemos, se refiere a la impostergable necesidad de actuar y protestar, de poner un hierro candente sobre la herida que nos muestra la sociedad burguesa,

de provocar concienzuda, violenta, permanente y creadora-
mente.

SÁB: Repitamos a Sartre:

> Así, el prosista es un hombre que ha elegido cierto modo
> de acción secundaria, que podría ser llamada acción por reve-
> lación. Es, pues, perfectamente lícito formularle esta segunda
> pregunta: ¿qué aspecto del mundo quieres revelar, qué cam-
> bios quieres producir en el mundo con esa revelación? El
> escritor 'comprometido' sabe que la palabra es acción; sabe
> que revelar es cambiar y que no es posible revelar sin propo-
> nerse el cambio. Ha abandonado el sueño imposible de hacer
> una pintura imparcial de la Sociedad y de la condición huma-
> na. El hombre es el ser frente al que ningún ser puede mante-
> ner la neutralidad; ni el mismo Dios. Porque Dios, si existiera,
> estaría, como lo han visto claramente algunos místicos, *situado*
> en relación con el hombre. Y es también el ser que no puede
> ver ni una sola situación sin cambiarla, pues su mirada coagula,
> destruye, esculpe o, como hace la eternidad, cambia el objeto
> en sí mismo. Es en el amor, en el odio, en la cólera, en el
> miedo, en la alegría, en la indignación, en la admiración, en
> la esperanza y en la desesperación como el hombre y el mundo
> se revelan *en su verdad*... Sabe que las palabras, como dice
> Brice-Parain, son pistolas cargadas. Si habla, dispara. Puede
> callarse, pero si ha optado por tirar es necesario que lo haga
> apuntando a blancos, y no como un niño al azar, cerrando los
> ojos y por el solo placer de oír las detonaciones... La función
> del escritor consiste en obrar de modo que nadie pueda igno-
> rar el mundo y que nadie pueda ante el mundo decirse inocente.

ALEG: Cuando Sartre dice «cambiar la realidad» indudablemente se refiere a la acción suprema del artista revolucionario: obramos un cambio en el arte, en la medida en que
cambiamos nosotros mismos, y nuestro cambio provoca una
transformación de la sociedad. Nos acercamos, entonces, a
una posible definición del arte —de la novela especialmente—, como instrumento de conocimiento y de expresión de
una concepción del mundo.

SÁB: El arte de cada época trasunta una visión del mundo y el concepto que esa época tiene de la *verdadera realidad;* y esa concepción, esa visión, está asentada en una metafísica y en un *ethos* que le son propios. Al irrumpir la civilización burguesa, con una clase utilitaria que sólo cree en

este mundo y sus valores materiales, nuevamente el arte
vuelve al naturalismo. Ahora, en su crepúsculo, asistimos a
la reacción violenta de los artistas contra la civilización bur-
gruesa y su *Weltanschauung*. Convulsivamente, incoherente-
mente muchas veces, revela que aquel concepto de la realidad
ha llegado a su término y no representa ya las más profundas ansiedades de la criatura humana. Y así como todavía hoy tropezamos con escritores que viven en el siglo diecinueve, Dostoievski abría en ese siglo las compuertas del siglo veinte. En las *Notas desde el subterráneo,* su héroe nos
dice: «¿De qué puede hablar con el máximo placer un hombre honrado? Respuesta: de sí mismo. Voy a hablar, pues,
de mí.» Y en las pocas páginas de esa narración revoluciona-
ria no sólo se rebela contra la trivial realidad objetiva del
burgués, sino que, al ahondar en los tenebrosos abismos del
«yo» encuentra que la intimidad del hombre nada tiene que
ver con la razón, ni con la lógica, ni con la ciencia, ni con la
prestigiosa técnica.

ALEG: No, nada tiene que ver con la razón, ni con la
lógica, la ciencia y la técnica, en cuanto ellas han contribuido
a escamotearle la realidad y le han construido, en su lugar,
una astuta jaula, cuyos peldaños ya vienen marcados para las
aves voraces y quebrados para las débiles, reservando también los emblemas que taparán con disimulo las renuncias y
los crímenes. Me parece que el narrador, así como el poeta,
el dramaturgo o el ensayista, crean y actúan arrasando esas
mentiras que fueron los ojos-de-buey por donde entra la
marea de una nueva generación activista. Si de mentiras se
trata, y yo creo sinceramente que son mentiras, ya no puede
llamársele razón ni lógica a una razón que ha mantenido al
hombre montado sobre otros hombres, ni lógica a una sociedad que para subsistir precisa *masacrar* a otras sociedades. Se
dirá que la nueva novela es irracional y caótica. Lo dirán quienes creen en el *statu quo* de la mentira. Contra la sinrazón de
los farsantes y la lógica balística de los militares, no cabe sino
el uso de una verdad sin compromisos que debe explotar cada
día como una bomba. De allí que el arte y la novela revolucio-
narios que nos conciernen vayan, una vez más, directamente

a las cosas, sin subterfugios ni retóricas, ni mecánicos alardes de preciosismo, planteando con trágica sencillez la única posición que le va quedando al auténtico creador: decir toda la verdad y nada más que la verdad a través de una bella acción sistemáticamente destructora y constructora. Si el novelista dice la verdad sobre sí mismo sabe que por él hablan las lenguas de los seres que le tocó amar, con quienes sufrió y a quienes dejó marcados para siempre con su propia lengua.

SÁB: Una novela de Faulkner se llama *Mientras yo agonizo.* Y, en general, sus ficciones son narradas desde la perspectiva de cada uno de sus personajes «yos»; y no ya esos «yos» omniscientes y divinos, sino seres defectuosos o simples idiotas. Pues la novela puede ser lo que Shakespeare dice que es la vida:

> ...a tale
> told by an idiot, full of sound and fury.

ALEG: Pienso que lo interesante en esa cita no es precisamente que el narrador sea un idiota —ocurre tan a menudo—, sino el hecho de que cuente con *sound* y con *fury.* En eso prueba que, aunque no entienda esa vida, la experimenta con furia y clamor, es decir, desgarrándose, buscándose en otros hombres, aplastado por la soledad, sintiendo cómo la esperanza lo engaña día a día y a diario renace para ayudarlo como a un dulce inválido.

SÁB: Renuncia a la razón para ir a *las cosas mismas.* Y de este modo la filosofía se acerca a la literatura. Pues la novela no abandonó nunca del todo (ni en las peores épocas del cientifismo) la realidad síquica tal como es, en su rica, variable y contradictoria condición. El poeta que contempla un árbol y que describe el estremecimiento que la brisa produce en sus hojas, no hace un análisis físico del fenómeno, no recurre a los principios de la dinámica, no razona mediante las leyes matemáticas de la propagación luminosa: se atiene al fenómeno puro, a esa impresión candorosa y vivida, al puro y hermoso brillo y temblor de las hojas mecidas por el viento. Y contrariamente al físico, no intenta ni se le ocurre separar la forma de esas hojas, sus sutiles movimientos, su

tierno color verde, el armonioso arabesco de las ramas, de
su propia conciencia, sino que vive todo simultánea e indis-
cerniblemente, en una radical co-presencia: ni su «yo» puede
prescindir del mundo, puesto que esas impresiones, esas
emociones las experimenta por el mundo; ni el mundo puede
prescindir de su «yo», ya que ni ese árbol, ni esas hojas, ni
ese estremecimiento son separables de su conciencia. Así
¿qué sino fenomenología pura es la descripción literaria?
Y esa filosofía del hombre concreto que ha producido nuestro siglo, en que el cuerpo no puede separarse del alma, ni la
conciencia del mundo externo, ni mi propio «yo» de los otros
«yos» que conviven conmigo ¿no ha sido acaso la filosofía
tácita, aunque imperfecta y perniciosamente falseada por la
mentalidad científica, del poeta y el novelista?

ALEG: Ha sido su movimiento y su ritmo, en otras palabras, su acción y ordenación de la realidad de acuerdo con
una luz que, como la de Gide, no alumbra únicamente las
superficies, sino intersticios, trasfondos, grietas, tanto en el
tiempo como en el espacio, en el individuo como en la colectividad. La novela nueva es, entonces, una imagen cambiante
de una realidad que la novela del siglo diecinueve concibió
como inmóvil y, a veces, inmutable, pero que la novela del
Renacimiento ya concebía como acción, conocimiento y fuente de magia.

SÁB: «El escribir —dice Henry Miller— como la vida
misma, es un viaje de descubrimiento. La aventura es de carácter metafísico: es una manera de aproximación indirecta
a la vida, de adquisición de una visión total del universo,
no parcial.»

ALEG: El hombre de Henry Miller actúa con un impulso de primitiva creación buscando siempre en el acto heroico del orgasmo la síntesis que comunicará el sentido secreto
de la vida. El heroísmo, no obstante, suele darse en la me-
sura de un rito. Se cultivará, entonces, y el artista caminará
llevando sobre los hombros el mito que hizo de su propia
vida, tratando de aprender a vivir sus novelas, sus poemas,
sus monumentos, porque en su creación se justifica y conquista su verdadera humanidad. En ese mito, por lo demás,

se verá encarnado el mundo que conoció. Para el novelista, en especial, este proceso de mitificación e identificación es decisivo. Es la balanza en la cual pesa su destino, es el camino que lo lleva a su lugar de origen, la identidad única y múltiple que deshace las pequeñas soledades para reemplazarlas por una soledad inmensa donde estamos todos, frente a frente, pero esquivando la mirada. En la medida en que nos hallamos solos y alimentamos nuestra soledad de la angustia y el heroísmo de otros solitarios, representamos el mundo y le damos un bello orden a la desesperación.

SÁB: El escritor consciente (de los inconscientes no me ocupo) es un *ser integral* que actúa con la plenitud de sus facultades emotivas e intelectuales para dar testimonio de la realidad humana, que también es inseparablemente emotiva e intelectual; pues si la ciencia debe prescindir del sujeto para dar la simple descripción del objeto, el arte no puede prescindir de ninguno de los dos términos. En toda gran novela, en toda gran tragedia, hay una cosmovisión inmanente. Camus, con razón, nos dice que los grandes novelistas como Balzac, Sade, Melville, Stendhal, Dostoievski, Proust, Malraux y Kafka son novelistas filósofos. En cualquiera de esos creadores capitales hay una *Weltanschauung,* aunque más justo sería decir una «visión del mundo», una intuición del mundo y de la existencia del hombre; pues a la inversa del pensador puro, que nos ofrece en sus tratados un esqueleto meramente conceptual de la realidad, el poeta nos da una imagen total, una imagen que difiere tanto de ese cuerpo conceptual como un ser viviente de su propio cerebro. En esas poderosas novelas no se demuestra nada, como en cambio hacen los filósofos o cientistas: se muestra una realidad. Pero no una realidad cualquiera sino una, elegida y estilizada por el artista, y elegida y estilizada según su visión del mundo, de modo que su obra es de alguna manera un mensaje, *significa algo,* es una forma que el artista tiene de comunicarnos una verdad sobre el cielo y el infierno, la verdad que él advierte y sufre.

ALEG: Dios me perdone acabar este diálogo hablando yo. Sea de Sábato, pues, la última palabra; de Sábato quien especuló sobre la nueva novela latinoamericana, mejor, más profundamente y antes que cualquier crítico, improvisado o profesional, de la novísima ola. Para estos críticos queda el sabor agrio de la lección aprendida a deshora. Para nosotros la alegría de rescatar verdades que no pueden, no deben olvidarse.

«Sobre héroes y tumbas»:
Interpretación literaria y análisis estructural

Ángela Dellepiane

Cuando Sábato comenzó a escribir *Sobre héroes y tumbas* pensó en una trilogía o tetralogía. Se llamaría *El desafío* y tendría como personaje central a Martín. Su continuación sería *Las memorias de un desconocido,* con Fernando como protagonista. Pero paulatinamente Fernando se desdobló en Bruno y de las *Memorias* se desgajó el «Informe sobre ciegos». La inclusión de la narración sobre Lavalle llevó, finalmente, al libro a tener las cuatro partes con que se conoce, pues la idea de escribir una serie de novelas no atraía a Sábato. Acertadamente, sintió que su libro tendría así más fuerza.

La configuración estructural de *Sobre héroes* se sostiene con muchos y diversos materiales. Pasaremos revista, en consecuencia, a los que son esenciales y que confieren su peculiaridad a la novela.

Pero es imposible iniciar un acercamiento a esta segunda novela si no se recuerdan, previamente, ciertos elementos de *El túnel*. Como Sábato mismo afirma [1], *El túnel* es un «prólogo» a *Sobre héroes*. En *El túnel* ya se dan algunos de los temas esenciales que se desarrollarán totalmente en la otra novela: la ansiedad de lo absoluto, la soledad, la necesidad y, a la vez, la imposibilidad de la comunicación, el tema de los ciegos, agigantado ahora hasta constituir la tercera parte del libro, una verdadera novela en sí misma, alucinante, obsesiva, fantástica (aunque no enteramente). Dos de los personajes protagónicos de *Sobre héroes* —*Alejandra y Fernando*— están ya en *El túnel*. Son ellos *María* y *Pablo*. Podría establecerse, pues, una ecuación de este modo: *María-Alejandra; Pablo-Fernando*.

Sin embargo, aquí terminan las semejanzas: *El túnel* es «clásico»; *Sobre héroes* es obra barroca. *El túnel* es oscuro, desesperado, nihilista; *Sobre héroes* contiene, en su cuarta parte, lo que Sábato denomina su «metafísica de la esperanza», la esperanza que, a través de sinsabores y luchas, le entregaron esos trece años de experiencia, de vida; esperanza que tiernamente se desgrana aquí y allá en la novela, en trozos de delicada resonancia.

Temática

Ahondemos un poco más en estas afirmaciones para que ellas no puedan ser tachadas de empíricas. ¿Por qué sostenemos que *Sobre héroes* es novela barroca? Lo es por su *temática:* alrededor de un *eje novelesco de interés* —la relación extraña, hecha de necesidad e inhibición para la comunicación, angustia y soledad, de Alejandra y Martín—, un sinnúmero de *subtemas:* Martín y la obsesión de su nacimiento no deseado; su relación con un padre fracasado como marido y como padre; el relato de la niñez y adoles-

[1] La cita proviene de una carta que Sábato me dirigió hacia principios de 1963.

cencia de Alejandra; la singular vida y carácter de Fernando, padre de Alejandra; la familia de Alejandra: el tío Bebe, el abuelo Pancho, la vieja sirvienta india Justina, retratados todos contra el fondo brumoso y alucinante de la vieja quinta de Barracas [2], antigua mansión de la época colonial, alrededor de la cual Sábato teje la historia de la linajuda familia Olmos desde sus comienzos, a principios del siglo XIX, historia inconexa, tartajeante, dicha por Alejandra y el abuelo Pancho, y que crea una atmósfera sobrecogedora, misteriosa, insana, que atormenta al pobre Martín y que patentiza para el lector el germen de demencia existente en la familia; la tragedia de Georgina, madre de Alejandra, y su sicopática atracción por Fernando; Bruno (un personaje singular, un poco el que mueve los hilos de estas vidas y las agita ante nosotros, en gran parte Sábato mismo, con sus ideas, sus críticas, su pensamiento existencial), su desesperanzado amor por Georgina y su reacción frente a la encarnizada personalidad de Fernando; Humberto J. D'Arcángelo, el hijo del inmigrante italiano, el «porteño de barrio», con sus manierismos, su lenguaje y frustraciones en relación con los problemas del medio que lo rodea; la historia del viejo D'Arcángelo y su afincamiento en la Argentina; Wanda y Quique, la mujer de negocios y el homosexual afrancesado, que pertenecen a ese mundillo frívolo con pretensiones de aristocrático pero que no es sino parasitario de los ricos, característico no ya de Buenos Aires, sino de cualquiera de las modernas cosmópolis; la historia de Hortensia Paz, en la cuarta parte, semilla de la que germinará la esperanza de Martín; las historias fragmentarias de Carlos, el idealista revolucionario, y Max Steinberg, el judío «blando y perezoso». Entiéndase que no hemos hecho una lista de perso-

---

[2] La casa no es totalmente imaginaria. En parte, la descripción sigue las líneas de una casona de la calle Río Cuarto, en el barrio de Barracas. El mirador, en cambio, lo tomó Sábato de un antiguo palacete en ruinas de la calle Hipólito Yrigoyen y Boedo, en el viejo barrio sur bonaerense.

najes de la novela, sino que tratamos de explicar que cada
uno de esos personajes entraña una historia subsidiaria de
la principal, una *subnovela* (un poco como en el *Quijote* y
otras ficciones renacentistas).

Empero, esto no es todo. Junto a ello aparecen dos temas más, o mejor dicho un *leit motiv* y un tema obsesio-
nante cuya importancia corre paralela a la del eje de interés
mencionado más arriba. Nos referimos al «tema de los ciegos» y al de la «épica marcha del ejército de Lavalle» con el
cadáver del general.

El «tema de los ciegos» está ya como perturbadora obsesión, aunque pequeñito y un poco perdido, en *El túnel* [3].
Mas en *Sobre héroes* forma la tercera parte íntegra, bajo el
título de «Informe sobre ciegos», consta de unas 125 páginas y constituye por sí solo una novela autónoma, pero cuya
ubicación en el conjunto no es de manera alguna inarmónica,
según se verá al discutir la estructura del libro.

La «épica marcha del ejército de Lavalle» se da en la
primera parte del libro (empezando en el capítulo XII) y no
es retomada hasta la cuarta parte (capítulo IV). Es lírica y narrativa a la vez y va creciendo como un trágico acorde
sinfónico.

No obstante lo anteriormente explicado, aún se necesita aclarar más esa temática barroca. Dentro de cada una
de las *subnovelas* indicadas, del mismo modo que inyectado
en el «Informe sobre ciegos», Sábato ha discutido, analizado y mostrado todo lo que es susceptible de ser discutido,
analizado y mostrado en una cosmópolis como Buenos Aires, en una sociedad que muestra una infección que, sólo
en parte, es producto de sus especiales bacterias socio-
políticas, pero que en realidad es el «mal de nuestra civilización occidental y de nuestro siglo» (remedando la vieja
expresión). Y así, el libro se enriquece, junto a los conflictos
entre los seres humanos, con *digresiones* —que no son tales, porque el injerto ha sido hecho en avezada operación—
sobre temas tan dispares como la manifestación del alma

---

[3] Bs. As., Cía. Gral. Fabril Editora, 1961, pp. 53-54.

en el cuerpo; la risa o el llanto grotesco como formas de
ocultación del dolor; el artista y su problema de creación,
sus angustias y frustraciones, sus luchas con la crítica y el
público; el hombre como ser solitario, desamparado, solo
ante la muerte, frente a la diversidad del mundo; el fútbol
argentino; el destino del hombre; costumbres y tipos argentinos del pasado; costumbrismo porteño actual; prostitución y pornografía; qué es nacionalidad, capitalismo, marxismo, peronismo; Roberto Arlt, Borges y la literatura
fantástica, Marcel Proust; Buenos Aires, moderna Babilonia; los celos y las mujeres frívolas; la imposibilidad de
vivir con la verdad; la realidad política argentina; los estratos sociales argentinos; qué es la Argentina; la literatura
argentina y el problema de su falta de originalidad —según
algunos—; los prejuicios contra los apellidos italianos; los
incendios de las iglesias en Buenos Aires en 1955; el *ad-
vertising* como ciencia; el *Reader's Digest;* el hombre y
la mujer; el poder del mal; el universo como un conjunto
de canallas; el descreimiento argentino; la arquitectura funcional; el *Quijote;* América como mito; la depresión del 29
en Norteamérica, junto a la caída de Yrigoyen y el panorama argentino en la «década infame»; los judíos; la anarquía; el suicidio; Dios; el cínico hombre de negocios y su
concepción del mundo; el uso por los argentinos de las
expresiones «ser un opio», «ser una monada». ¡No menos
de treinta y seis tópicos diversos! Y la lista es aún incompleta...

Súmense a ello, en el «Informe sobre ciegos», otras tres
subnovelas: la de Allende, breve paráfrasis lúdica de *El túnel;* la de la modelo ciega y la de los muertos en el ascensor,
que configuran otros tantos mundos de crimen y locura,
degeneración y perversidad, horror y abyección.

Es, pues, a este abigarramiento y diversidad temáticos
y al modo como están insertos en la novela (¿o mejor sería
llamarla *roman à tiroirs?*) a lo que aludimos con el califica-
tivo de barroco.

Novela-fresco
Novela-total

Es evidente que Sábato ha estructurado minuciosamente su novela. Ha construido su edificio ficcional con la misma precisión con que un ingeniero hace sus cálculos para levantar un puente. Pero lo curioso es que esa estructuración no fue dada a la novela *a priori,* sino que, habiendo comenzado con una idea —la de escribir una trilogía o tetralogía—, poco a poco los personajes, creciendo y adquiriendo características que el autor no pensó asignarles en el primer momento, transformaron la idea inicial, complicaron el cuadro de sus conceptos, sistemas, etc., hasta hacer de la novela un *fresco* de la vida argentina, ya que en ella no sólo desfilan tipos humanos propios de ese país, sino que se discuten los problemas que aquejan a sus habitantes, sus modos de vivir o actuar o pensar, su historia (desde el siglo XVIII hasta 1955) y el drama que ella conlleva, las esperanzas y el futuro del país. Es relevante apuntar aquí que en la actualidad, al haberse extendido y profundizado el dominio de la obra de ficción, al haberse vuelto muy seria y filosófica (en algunos casos) la actitud del escritor, se ha producido en la novelística no sólo una renovación de temas, sino también un enriquecimiento de los mismos. Esto se relaciona, por una parte, con la crisis espiritual de nuestra civilización que no puede permitirse ya más el lujo de experimentar sin pensar, sin reservas mentales, los placeres y hasta los problemas de la vida diaria y, por la otra, con el hecho de que nuestra sociedad hoy ha sido llevada a enfrentar con mayor amplitud los diversos aspectos de la condición humana.

La renovación y ampliación de los temas ha venido acompañada —entre otras cosas— de una sensible evolución de los géneros: novelas-frescos, novelas-ríos, novelas-poemas... Todo entra en la novela actual: la historia (Jules Romain, Romain Rolland), el realismo (Moravia), el lirismo (Alain-Fournier), el sicoanálisis (Proust), las disertaciones filosóficas (Sartre), la crisis de la conciencia religiosa (Mauriac, Bernanos), etc. Sábato no es excepción a esta verdad. Por el contrario, su obra, que ha absorbido todas las corrientes que nutren el mundo actual de la creación, es un buen ejemplo de estas aseveraciones.

Para las digresiones que abundan en la novela, Sábato ha usado gran parte de los temas discutidos en sus ensayos —el artista y la creación, conceptos sobre capitalismo y marxismo, discusión de Borges y la literatura argentina, hombre y mujer, los judíos, etc.—, demostrando, una vez más, la profundidad de sus obsesiones y la medida en que están constantemente presentes en su ánimo. En este sentido, *Sobre héroes* es la *novela total* del creador, en la que están todas sus preocupaciones, la suma de sus observaciones y conocimientos, su cosmovisión. Por otra parte, puesto que Sábato concibe la novela como una indagación de la condición del hombre y su existencia, como un instrumento para conocer la realidad, es por ello que se limita a «mostrar» los conflictos de sus personajes, sus sentimientos, pero también las ideas que ellos profesan. Esta es la razón por la cual antes hemos usado la palabra «fresco» para definir esta novela: por lo que tiene de totalidad —en lo que hace al autor y a la Argentina— y porque muestra la intención de probar, sino de crear conocimiento. Esta fusión de lo ensayístico (especulativo) y lo ficcional (imaginativo) en Sábato —al igual que en Camus y en Sartre, y en Musil o Tolstoi— prueba que Sábato escribe su ficción en la medida en que, al mismo tiempo, piensa; esto es, que la suya es una literatura de «lucidez», pero al mismo tiempo de «imaginación».

Realismo

Estas afirmaciones nos llevan al terreno del realismo en la novela sabatiana. No hay duda de que *Sobre héroes* es una novela *realista,* pero no con un realismo convencional, decimonónico, pintoresquista o costumbrista, sino con un nuevo realismo (neorrealismo) impuesto por la necesidad que tiene la novela actual de dar una visión totalizadora del mundo, una *Weltanschauung* («yo y los otros», «persona = individuo + comunidad»), y llevado a cabo con una técnica de «intersubjetividad», de fragmentos, de «rompecabezas», cuya síntesis deberá hacerla el mismo lector. Más adelante —al tratar el tiempo y las técnicas narrativas— volveremos sobre este punto para que, enfocado desde otros ángulos, quede debidamente aclarado. Entre tanto, transcribir uno de los artículos de *El escritor,* que es muy transparente en lo que a este tópico se refiere, puede ser de mucha utilidad. Dice así Sábato:

> La necesidad de dar una visión totalizadora de Dublín obliga a Joyce a presentar fragmentos que no mantienen entre sí una coherencia cronológica ni narrativa, fragmentos de un complicado y ambiguo rompecabezas; pero de un rompecabezas que nunca aparecerá completamente aclarado, pues muchas de sus partes faltarán, otras permanecerán en las tinieblas o serán apenas entrevistas. Esto no es un arbitrario juego destinado a asombrar a los lectores; es lo que sucede en la vida misma: vemos a una persona un momento, luego a otra, contemplamos un puente, nos cuentan algo sobre un conocido o desconocido, oímos los restos dislocados de un diálogo; y a estos hechos actuales en nuestra conciencia se mezclan los recuerdos de otros hechos pasados, sueños y pensamientos deformes, proyectos del porvenir. La novela que ofrece la mostración o presentación de esta confusa realidad es realista en el mejor sentido de la palabra [4].

Estos conceptos deben relacionarse con otros dos enunciados por Sábato en su ensayística: el de la novela como el género más adecuado para expresar la visión integral del mundo por su condición de género híbrido —lo mental y lo instintivo, lo racional y lo irracional—, y el de la gran síntesis de la realidad, única forma de lograr la salvación del hombre concreto. De ahí, el esfuerzo de Sábato por encerrar en los límites de sus 500 páginas una realidad que es infinita, y para transmitir la cual todo corte o cercenamien-

---

[4] *El escritor y sus fantasmas,* 1.ª ed. (Bs. As., Aguilar, 1963), «La novela rompecabezas», p. 158.

to hubiera destruido el efecto total y restado el valor de obra que intenta dar una imagen de la condición del hombre actual. De ahí también que él hable, junto a realismo, de *neorromanticismo* con respecto a *Sobre héroes,* puesto que ya los románticos alemanes abogaron por una semejante visión totalizadora, por una suprema síntesis del espíritu, «pero ahora apoyada en una visión existencial-fenomenológica, en una actitud que podría calificarse de neorromanticismo fenomenológico...»[5].

Otros factores que contribuyen a ese realismo de *Sobre héroes,* son los contenidos sociales en que ella abunda y que configuran el tema del libro, acentuando, en ocasiones, el dramatismo de algunas escenas. Toda la gama de estratos sociales argentinos asoma en tal o cual parte del relato, desde los extranjeros que, afincados en el país desde el siglo XVIII, echaron las bases de poderosas familias latifundistas (teniente Patrick Elmtrees), hasta el viejo inmigrante italiano que aún sueña con su inolvidable Italia, pero cuyo hijo, totalmente argentino, es el símbolo del muchacho porteño de barrio pobre, sin educación al igual que el camionero Bucich y que Hortensia Paz, otros ejemplares de un proletariado al que le sobra corazón. Frente a ellos, los aristocráticos representantes de la familia Vidal Olmos muestran una alta burguesía en total descomposición, con cierto barniz cultural, sin normas de moral, una aristocracia basada en la tradicional posesión de la tierra y que hoy tiene que respaldarse en la oligarquía adinerada, en el cinismo de las altas finanzas en manos de *parvenus* sociales —y espirituales—. La gran clase media argentina, la que posee moderados recursos económicos y cultura, encarnada en Bruno Bassán y la clase media baja en Martín, los parásitos de la burguesía —la mujer de negocios y el afeminado que quieren darse tono—, el intelectual idealista, el judío, el revolucionario, las hordas anarquistas de la Semana Trágica, los incendiarios del 55, los millones de rostros heterogéneos

---

[5] Ernesto Sábato, «Por una novelesca y metafísica», en *Mundo Nuevo,* número 5 (noviembre 1966), p. 21.

que deambulan por Buenos Aires, los viejecitos de las plazas, el «hincha» de fútbol, todos encuentran cabida en la novela.

Literatura problemática

Sábato es hombre de observación y el resultado de tal actividad mental es esta pluralidad de gentes y de ambientes y de planos de su novela. Sábato es también un argentino preocupado con su realidad nacional y con la indagación del «ser» argentino, preocupación e indagación que son el punto de partida de su necesidad de expresión. Por donde se puede afirmar la justificación de *Sobre héroes* como *resultado* de la realidad social argentina y como *documento* de ella. ¿Es, pues, esta novela —podría preguntársenos— una obra de literatura comprometida? Sábato tiene una posición bien definida al respecto, y no hay razón para parafrasearlo cuando él mismo puede explicarse:

> Hay probablemente dos actitudes básicas que dan origen a los dos tipos fundamentales de ficción: o se escribe por juego..., o se escribe para bucear la condición del hombre...
> Si denominamos *gratuito* aquel primer género de ficción que sólo está hecho para procurar esparcimiento o placer, este segundo podemos llamarlo *problemático,* palabra que a mi juicio es más acertada que la de comprometida; pues la palabra compromiso suscita una cantidad de discusiones y de equívocos entre los extremos del simple compromiso con un partido o una iglesia (actitud, por otra parte, indefendible) y el extremo de eso que podemos llamar problematicidad.
> Esta clase de ficción repudia el ingenio y la superficial intriga que precisamente caracterizan al género lúdico. A esa superficial intriga se opone el apasionado interés que suscita la complicación problemática del ser humano...; y el trivial misterio de la novela policial o del relato fantástico es reemplazado aquí por el misterio esencial de la existencia, por la dualidad del espíritu y por la opacidad que inevitablemente tienen los seres vivientes [6].

---

6 *El escritor,* «Exploradores, más que inventores», pp. 93-94.

Sobre héroes es, pues, literatura problemática y no comprometida. Es importante aclarar este concepto con respecto a la obra de Sábato y en el contexto de la literatura argentina contemporánea. Lo es en el caso de Sábato, pues —como es bien sabido— él disolvió sus lazos con el comunismo para adoptar una actitud de absoluta libertad, sin ataduras a ningún sistema o ideología. Y quienes hacen literatura comprometida en la Argentina son precisamente los que están atados a una filosofía social específica. Son los que achican la obra de arte al nivel del libelo proselitista, catequizante o, a lo sumo, al de crónica periodística interesada. Muchos hablan de literatura social, eufemismo con el que, con frecuencia, se pretende disimular el objetivo exclusivamente político, pero no caen en la cuenta de que la literatura es la más social de las artes, es «...una institución social que utiliza como medio propio el lenguaje, creación social... 'representa' 'la vida'; y 'la vida' es, en gran medida, una realidad social... En rigor, la literatura ha nacido, por lo común, en íntimo contacto con determinadas instituciones sociales; ...[y] tiene también una función o 'uso' social...»[7]. Sábato se incluye en esta corriente de pensamiento cuando afirma que «...toda novela es social... Y lo que esos críticos llaman 'novela social' es una manera externa y superficial de la novelística. No sabemos qué escritores 'sociales' hubo en la época de Tolstoi, porque si los hubo no tuvieron la suficiente importancia como para que trascendieran y los conozcamos. En cambio, los grandes escritores que no se propusieron describir los fenómenos sociales, *además* de indagar implacablemente el corazón del hombre ruso de su tiempo, nos han dejado la más admirable pintura de su sociedad»[8]. En el panorama literario argentino, Sábato está solo en esta postura problemática, en esta corriente literaria existencialista-fenomenológica. Quizá el de Arlt sea el único nombre que pudiera aducirse, aunque con reservas.

---

[7] R. Wellek y A. Warren, *Teoría literaria,* 3.ª ed. (Madrid, Gredos, 1962), página 112.

[8] *El escritor,* p. 34. El subrayado es del autor.

La *universalidad* y *lo argentino*

El abigarramiento temático tiene, además, otra razón de ser: nos referimos a la universalidad. En esa concreta expresión de las muchas fases de la vida argentina que *Sobre héroes* muestra, Sábato ha exasperado, por así decirlo, lo individual argentino y mediante ello ha alcanzado valores universales, porque los tipos humanos y los conflictos de los personajes sabatianos son los de hoy en cualquier parte del mundo. Tan sólo algunas circunstancias históricas son particularmente argentinas, pero ¿es ajena a cualquier nacionalidad la existencia de tiranos, o las luchas por la libertad, o el incendio de templos? Entiéndase que en *Sobre héroes* la idea central, el pensamiento vertebrador de donde mana su misteriosa vida, es el examen de la condición humana «hoy» y «aquí», en virtud de esa dialéctica existencial que ha enseñado a Sábato a aprehender lo universal a través de lo particular. Obsérvese que esa machacona insistencia en discutir el país deja siempre al lector —no importa de qué latitud sea— con la sensación de que también él en su sociedad, en su «aquí» y en su «hoy», vive problemas semejantes a los de los argentinos:

En medio de continuos relámpagos comenzaron a caer algunas gotas, vacilantemente, tanto como para dividir a los porteños —sostenía Bruno— en esos dos bandos que siempre se forman en los días bochornosos de verano: los que con la expresión escéptica y amarga que ya tienen medio estereotipada por la historia de cincuenta años, afirman que *nada* pasará, que las imponentes nubes terminarán por disolverse y que el calor del día siguiente será aún peor...; y los que, esperanzados y candorosos, aquellos a quienes les basta un invierno para olvidar el agobio de esos días atroces, sostienen que «esas nubes darán agua esta misma noche» o, en el peor de los casos, «no pasará de mañana». Bandos tan irreductibles y tan apriorísticos como los que sostienen que «este país está liquidado» y los que dicen que «saldremos adelante porque siempre aquí hay grandes reservas».

En resumen: las tormentas de Buenos Aires dividen a sus habitantes como las tormentas de verano en cualquier otra gran ciudad actual del mundo: en pesimistas y optimistas. División

que... existe *a priori,* haya o no tormentas de verano, haya o
no calamidades telúricas o políticas... Y..., aunque eso es válido para cualquier región del mundo donde haya seres humanos, es indudable que en la Argentina, y sobre todo en Buenos
Aires, la proporción de pesimistas es mucho mayor, por la misma razón que el tango es más triste que la tarantela o la polca
o cualquier otro baile de no importa qué parte del mundo [9].

Algunos críticos, tanto en la Argentina como en Italia,
Francia y Alemania, ven en *Sobre héroes* la *novela de Buenos Aires,* esto es, ven la ciudad como protagonista del libro. En verdad, hay algo de eso: el drama de la ciudad está
allí, pero también el del país. Porque si bien los acontecimientos están centrados en Buenos Aires, el peronismo, las
luchas de la Semana Trágica del 19 y, sobre todo, el episodio
de Lavalle, están apuntando al ámbito todo de la República.
No obstante, insistimos en que no se debe perder nunca
de vista la subyacente estética novelística sabatiana, es decir,
no debe olvidarse que, a través de elementos y problemas
locales, él quiere plantear problemas universales de tipo
metafísico: el sentido de la existencia (que es, en términos
de argentinidad, un problema muy concreto), la soledad
(que ha determinado muy especiales rasgos del carácter argentino), la muerte. Otra vez —como en los ensayos— el
arco parabólico es la línea geométrica con que la obra de
Sábato mejor se entiende.

Títulos

Todo el análisis anterior puede ayudarnos a encontrar
una satisfactoria explicación para el título que Sábato ha
conferido a su novela: *Sobre héroes y tumbas.* Las «tumbas» pueden entenderse, obviamente, como referencia a
Lavalle y, a través de él, a todos los forjadores de la nación
argentina que yacen en la posteridad, en el olimpo de la
tradición. Los «héroes» pueden ser el otro extremo de esa
misma referencia, ya que como tales se venera hoy a esos

---

[9] *Sobre héroes y tumbas,* en *Obras de ficción* (Buenos Aires, Losada, 1966),
páginas 331-332. Todas las citas se hacen por esta edición que es la definitiva.

próceres. Sin embargo, nos parece más justo pensar en términos más genéricos, más amplios y, en cierto sentido, más metafísicos. Creemos, así, que «héroes» debe significar «hombre», «ser humano» vivo, viviente y «tumbas» = «muerte»: «Del ser y la muerte». No es ajena al pensamiento de Sábato esta polarización de conceptos, su antítesis. Pero a más de casar con su peculiar manera de expresión, lo más importante es que esos dos términos —ser, muerte— reflejan dos constantes temáticas sabatianas.

Otra explicación válida podría hallar en ese título una pizca de la ironía tan connatural en Sábato, y entonces «héroes» apuntaría simplemente a la heroicidad necesaria para sobrevivir las peripecias de la vida aquí arriba, y «tumbas» se abriría como el inevitable fin del accidentado camino, señalando así aún más la inutilidad de los esfuerzos del hombre.

Una cuarta explicación es la que surge en la conversación entre Sábato, el crítico Emir Rodríguez Monegal y Severo Sarduy en una entrevista publicada en la revista *Mundo Nuevo*. Se discute allí en cierto momento la calidad «uterina» del tema de las dos novelas sabatianas (Sábato no lo cree, pero tampoco lo niega rotundamente) y R. Monegal observa entonces que tumba «designa un útero al revés. También es una suerte de túnel» [10]. Para aceptar esta explicación debiéramos plantear la cuestión del freudiano complejo de Edipo que Fred Petersen ve como básico en *El túnel*, por ejemplo [11]. Personalmente no creo que todo en la creación litera-

---

[10] P. 15.

[11] «Sábato's *El túnel*: More Freud than Sartre», *Hispania*, L, número 2 (may 1967). El autor sostiene lo siguiente «While in no way attempting to discredit nor to discount the truly fine work done to date on *El únel*, my purpose on these paragraphs is to attempt to relate the content of the novel to a much more essential human problem. In my opinion, the focus of the novel falls not solely on human isolation but rather on something far more obvious, the universally valid fact of human psychology: the Oedipus complex» (p. 271). Y al final agrega: «While conceding that Castel may be viewed as an isolated, existentialist, radical typical twentieth century protagonist... it is equally valid to suggest that Sábato has rather effectively fused Sophocles and Freud, as it were, and produced a work of fiction that bridges, conceptually, an inmense span of time. The continuing appel of *Oedipus Rex* is underscored for us in *El túnel*. Sábato's fascination with this theme has resulted in a novel that will undoubtedly remain 'contemporary' for a long time» (p. 276).

ria de Ernesto Sábato pueda reducirse a términos de perturbaciones sicológicas, pues si así fuera no se explicaría la presencia de toda una estética y de una metafísica como base de sostén de su novelística. Y precisamente en el pensamiento existencial-fenomenológico de Sábato (de donde nace esa estética) es donde creemos que debe buscarse la razón para el título. La fascinación de Sábato con el complejo de Edipo, si es que de tal fascinación es lícito hablar, deja huellas más bien en la forma que en la idea central del libro, y no se puede dudar —no sólo por éste, sino por todos los libros de Sábato— que los títulos en este autor se dirigen siempre al conjunto del significado espiritual, esto es, al fondo (Gehalt) de la obra.

Es lo mismo que sucede con los títulos de las cuatro partes en que se divide la novela: «El dragón y la princesa», «Los rostros invisibles», «Informe sobre ciegos» y «Un Dios desconocido». El «Informe» difícilmente necesita clarificación y casi podría decirse lo mismo del título de la IV parte: «Un Dios desconocido», ya que ese Dios es el de la esperanza que jamás antes Martín había experimentado y que ahora viene a rescatarlo y a mostrarle el ancho horizonte blanco de la Patagonia. Esa IV parte de Sobre héroes es la que Sábato denomina su «metafísica de la esperanza», y el Dios es desconocido no sólo para el atribulado Martín, sino que lo fue para Juan Pablo Castel en su túnel y para el mismo Sábato, allá en sus años de «angry young man».

Quizá el título menos transparente es el de la I parte. Porque si lo de «princesa» parecería, indudablemente, referirse a Alejandra, ¿quién es, pues, el «dragón»? No por cierto el frágil Martín. No obstante, hacia el fin de esa I parte, el autor mismo explica cuál es ese dragón que acompaña a la princesa. Cuando, por fin, la relación entre Alejandra y Martín llega a su consumación total, el muchachito, empero, se siente invadido por una angustia atroz. Él es algo así como el príncipe que vela el sueño de la princesa, y está a su lado para protegerla de un dragón, de un peligro que la amenaza. Pero, para su sorpresa, Martín se da cuenta de que «...el dragón no vigila a su lado amenazante como lo

imaginamos en los mitos infantiles, sino, lo que era más
angustioso, dentro de ella misma: como si fuera una *princesa
dragón,* un *indescernible monstruo, casto y llameante a la
vez, candoroso y repelente al mismo tiempo: como si una
purísima niña vestida de comunión tuviese pesadillas de
reptil o de murciélago»* [12]. Y más adelante: «Como si en
medio de *excrementos y barro,* entre tinieblas, hubiese una
rosa blanca y delicada..., él [Martín] quería a ese *monstruo
equívoco: dragónprincesa, rosafango, niñamurciélago»* [13]. La
simbología usada por Sábato es fácil de comprender. El carácter de Alejandra ha ido perfilándose desde distintos ángulos, fragmentariamente, a través de variadas situaciones
y escenas, por medio de diálogos directamente adelantados
hasta el lector, o a través de los recuerdos de Martín o de
Bruno, pero cuando al final de esta parte el lector puede
empezar a ver un diseño en esta tan compleja trama, cuando
el rompecabezas va tomando alguna forma por más piezas
que aún le falten, es evidente la condición dual de Alejandra, la lucha en que ella agoniza *para librarse de los demonios* [14] que destrozan su alma, su ser todo: esa lucha entre
lo demoníaco que ha heredado de su padre, y lo sano, racional, lo bueno que existe en ella, entre su cuerpo y su espíritu, entre la Alejandra dulce y comprensiva y la áspera y
sarcástica. Obsérvese, además, en el trozo arriba transcripto, que cuando Sábato opone por primera vez los términos
princesa y *dragón* los mantiene separados, esto es, están individualizados, pero luego aparecen fundidos (al igual que
rosa y *fango* y *niña* y *murciélago),* como para subrayar el
proceso del pensamiento de Martín desde un momento inicial —cuando él todavía no ve claro— hasta el instante en
que la certeza de esa dualidad de ella es ya totalmente aparente para el enamorado muchacho. Es decir, que el recurso
tipográfico es allí —como en otros muchos pasajes del libro— de primera importancia para la comprensión del sig-

---

12   Pp. 282-283. El subrayado es nuestro.
13   P. 284. El subrayado es nuestro.
14   P. 292. El subrayado es del autor.

nificado. Sábato echa mano constantemente de estas formas
de relieve para hacer obviamente patente a su lector la
significación de lo que quiere expresar. Por otra parte, ya
en *Heterodoxia* y en *El escritor y sus fantasmas,* Sábato ha
hecho hincapié en la dualidad del ser humano. Por ello es
que insistimos en que la clave para los títulos sabatianos (y
para el sentido de su obra) hay que hallarla en su estética
y en su metafísica, y en que no debe olvidarse que dicha estética es alimentada por una filosofía existencial-fenomenológica, última fuente en que hay que ir a buscar las premisas que sustentan las criaturas de Sábato. Claro que como
ellas no son muñecos, ni tipos, ni arquetipos, tampoco es
posible separarlas de Sábato-el-hombre ni de lo que él mismo, su personalidad, tiene de dual o de lo que él conoce de
la sicología humana, ya sea por su propia experiencia o por
lecturas de Jung y Freud, particularmente. Mas, insistimos,
sólo uniendo la experiencia y observación a lo sicológico y
a un sistema de valores filosóficos se podrá comprender la
construcción sabatiana. Reducirla a lo empírico, o a lo sicológico, o a lo filosófico tan sólo, sería fragmentar una construcción, un pensamiento que es fundamentalmente integralista, totalizador.

Volviendo a la interpretación de los títulos de las cuatro
partes, «El dragón y la princesa» transparenta (como los
otros) que lo más importante en esta I parte es Alejandra,
su personalidad, su conflicto interno y, subsidiariamente, su
relación con Martín, que la llevará al desenlace fatal de su
lucha. De ahí que el autor nos coloque ese título tan ruti-
lante frente a los ojos. Sábato siempre se empeña en darnos
claves para que al internarnos en el laberinto de su creación
no nos perdamos. Aunque al mismo tiempo nos llena de
dudas y de símbolos misteriosos acerca de los cuales nos
deja en tinieblas. Doble juego que obedece, por un lado, a
esa ley de incoherencia y de azar de la vida, esto es, al contenido y, por otro, a reglas formales para suscitar, despertar,
atraer y mantener la atención del lector.

En lo que hace al título de la II parte «Los rostros invisibles», creo que la explicación hay que hacerla desde dos

planos distintos, pero convergentes, y que, por tanto, el título tiene una doble significación. Creo que la Argentina,
sus problemas, su ser, es lo nuclear en *Sobre héroes*. El romance de Alejandra y Martín es el pretexto, digamos así,
que hace posible el desarrollo del otro tema. Pero a momentos (y esto es particularmente cierto para esta parte), los
dos temas de la novela —el nacional y el individual— se
funden, como bien lo muestra este pasaje:

> Fueron tiempos de tristeza meditativa... Parecía el ánimo
> adecuado a aquel otoño de Buenos Aires, otoño no sólo de
> hojas secas..., sino también de desconcierto, de neblinoso des-
> contento. Todos estaban recelosos de todos, las gentes habla-
> ban lenguajes diferentes, los corazones no latían al mismo tiem-
> po...: había dos naciones en el mismo país, y esas naciones
> eran mortales enemigas, se observaban torvamente, estaban re-
> sentidas entre sí. Y Martín, que se sentía solo, se interrogaba
> sobre todo: sobre la vida y la muerte, sobre el amor y el abso-
> luto, sobre su país, sobre el destino del hombre en general. Pero
> ninguna de estas reflexiones era pura, sino que inevitablemente
> se hacía sobre palabras y recuerdos de Alejandra... Y de pron-
> to parecía como si ella fuera la patria, no aquella mujer her-
> mosa, pero convencional, de los grabados simbólicos. Patria
> era infancia y madre, era hogar y ternura...; pero ella [Alejan-
> dra] era un territorio oscuro y tumultuoso, sacudido por terre-
> motos, barrido por huracanes. Todo se mezclaba en su mente
> ansiosa y como mareada, y todo giraba vertiginosamente en
> torno de la figura de Alejandra, hasta cuando pensaba en Pe-
> rón y en Rosas, pues en aquella muchacha descendiente de uni-
> tarios y, sin embargo, partidaria de los federales, en aquella
> contradictoria y viviente conclusión de la historia argentina,
> parecía sintetizarse, ante sus ojos, todo lo que había de caótico
> y de encontrado, de endemoniado y desgarrado, de equívoco y
> opaco... Y también Bruno, al que se aferraba..., parecía estar
> carcomido por las dudas, preguntándose perpetuamente sobre
> el sentido de la existencia en general y sobre el ser y el no ser
> de aquella oscura región del mundo en que vivían y sufrían:
> él, Martín, Alejandra y los millones de habitantes que parecían
> ambular por Buenos Aires como en un caos, sin que nadie su-
> piese dónde estaba la verdad, sin que nadie creyese firmemente
> en nada; los viejos, como don Pancho, viviendo en el sueño del
> pasado; los aventureros haciendo fortuna sin importárseles de
> nada ni de nadie; los cínicos profesores, que se adaptaban al
> nuevo orden, enseñando lo que antes habían repudiado; los

estudiantes luchando contra Perón y aliándose de hecho con hipócritas y aprovechadores defensores de la libertad, y los viejos inmigrantes soñando (también ellos) con otra realidad... [15]

El pobre muchachito atribulado está rodeado, la noche del incedio de las iglesias, por cientos de «rostros invisibles» que se agitan a su alrededor: *el muchacho* obrero aindiado (el «cabecita negra», como lo designan más adelante), *un* agente de policía, *una mujer* rubia y alta, *una mujer* aindiada, *los muchachos* de la murga, *un hombre* de chambergo, *un grupo* de muchachos y mujeres, *un hombre* que arrastraba un Cristo, *la mujer* impasible, *la mucama, uno* que tenía casullas bajo el brazo, *un viejo* de pelo blanco, *alguien* con chambergo, *una mujer* con un cuchillo... También son otros tantos rostros invisibles, esto es, seres peregrinos que se acercan un instante a la vida de Martín para luego desaparecer: el ordenanza español de la oficina de Molinari, su secretaria, el «hombre con papeles», un «hombre importante» amigo de Molinari, los «seis millones de argentinos, españoles, italianos, vascos, alemanes...» que se mueven en Buenos Aires, el muchacho que besa a la chica, el vendedor de helados, la mujer «cargada de joyas y de colorinches» que sale de la *boutique,* el italiano recién llegado que discute con D'Arcángelo, un desfile de sombras —«los otros»—, en suma, de que Sábato nos ha hablado en *El escritor.* Ésta sería, pues, la interpretación del título desde el plano argentino de la novela: el libro es una vasta sinfonía verbal, un intento de dar la mente colectiva y lo inconsciente colectivo.

Desde la vertiente del conflicto humano, los rostros invisibles son las muchas «máscaras» de que cada ser humano está provisto y bajo las cuales protege su íntimo ser. Pensamiento que acude a la mente de Martín cuando ve a Alejandra en la *boutique* transformada en otro ser tan distante y ajeno del que él ama:

> ¡Cómo detestaba aquel rostro suyo, el rostro-*boutique,* el que parecía ponerse para actuar en aquel mundo frívolo; ros-

---

[15] Pp. 361-363.

tro que parecía perdurar todavía cuando se encontraba a solas
con él, desdibujándose lentamente, surgiendo de entre sus tra-
zos abominables, a medida que se borraban, *algunos de los rostros que le pertenecían a él* y que él esperaba como a un pasajero ansiado y querido en medio de una multitud repelente.
Pues, como decía Bruno, «*persona*» *quería decir máscara y cada
uno tenía muchas máscaras: la del padre, la del profesor, la
del amante.* Pero ¿cuál era la verdadera? ¿Y había realmente
una que fuese la verdadera? [16]

Personajes

Es indudable que al intentar una interpretación de los
personajes de *Sobre héroes,* habremos de aceptar que no tiene un protagonista, sino dos, y que en ciertas partes del libro el número se eleva hasta tres. Y que, si se toma en consideración el «Informe sobre ciegos», hasta se puede hablar
de cuatro. Pero por el momento, y a los efectos de la claridad expositiva, sólo nos referiremos a la I, II y IV partes,
que tienen personajes comunes y luego, en particular, al
«Informe», centrado en la figura de Fernando.

Los *protagonistas* incuestionables de la novela son *Alejandra* y *Martín.* Su presencia e interés se sostienen a lo largo de todo el libro. Pero junto a ellos, casi constantemente,
se oye a *Bruno,* a quien calificaremos de *personaje central,*
que sólo en la IV parte asume el papel de *protagonista* [17]. El
libro, estructurado como está desde diferentes puntos de
vista, mezclándolos a veces, no puede tratarse como un todo
uniforme, sino que es preciso analizarlo parte por parte,
dados los desplazamientos de ese punto de vista que hacen
variar la distancia a que se colocan los personajes del lector.
Por ello es que vemos a Bruno en este plano dual. Del mis-

---

[16] P. 337. El subrayado es nuestro.
[17] W. Kayser, *Interpretación y análisis de la obra literaria,* 3.ª ed. (Madrid,
Gredos, 1961), p. 472, llama protagonista al «personaje literario más percepti-
ble». Bruno resulta, en las dos primeras partes, especialmente, un personaje constante, pero casi invisible o tan sólo bosquejado, que entrevemos y que suele
proporcionar el material que completa o da forma a las reflexiones de Martín.
Es, por tanto, protagonista —según Kayser— en el momento en que se adelanta
a primer plano y el interés se centra en él.

mo modo, Fernando —*protagonista* del «Informe»— pasa a ser *personaje principal* del capítulo III de la IV parte.

Como no es posible hacer aquí el análisis detallado de cada uno de los personajes sabatianos, me limitaré a observaciones acerca del tratamiento que el autor ha dado a sus criaturas.

Sábato caracteriza a sus personajes por diversas maneras: haciéndolos obrar y hablar directamente, mostrándolos tal como otros los ven, autoexpresándose (como en el caso de Bruno y, no siempre, de Martín), o siendo explicados por un autor-testigo o protagonista. El personaje no está nunca, desde el principio, entregado en su totalidad espiritual (y en algún caso, física) y hasta temporal, sino que, fragmentado como las piezas de un rompecabezas, dislocada su continuidad temporal y la de sus acciones, demanda la activa colaboración del lector, quien debe construirlo poco a poco, enderezando la secuencia cronológica y poniendo las piezas en orden para estar en condiciones de ver la silueta íntegra y, por ende, comprender al personaje y sus actos, empezando así a vislumbrar la idea central del libro y su propósito. Sus personajes obedecen a distintas razones de ser en el libro, excluido el interés netamente novelesco. O son símbolos, o son tipos, o son instrumentos para dar lugar a una digresión, esto es, a la expresión de los temas que obsesionan al autor y que, hechos vivos en la ficción, alcanzan más dramático impacto y llegan a un más amplio sector del público. Los personajes, asimismo, avanzan o retroceden en las páginas del libro, manteniendo distancias variables con respecto al lector. Por ello es que su tamaño varía y por ello es que pueden ser el protagonista de una parte y desaparecer en la siguiente. Ello está íntimamente unido al *punto de vista* que asume el autor y que luego discutiremos. Otro elemento —y muy importante— de caracterización de los personajes en Sábato es el léxico. Pero el uso de ciertos adjetivos —negativos, oscuros, desagradables—, junto al sistemático empleo de comparaciones explícitas y de metáforas con iguales elementos peyorativos, es lo que fundamentalmente crea la atmósfera en que se mueve el personaje, o pone énfasis en los abismos de su maldad (Fernando), o de su desgarramiento interno (Alejandra), o de su tribulación sentimental (Martín). Hay una tendencia en Sábato, hasta podría decirse un regodeo, por la utilización de palabras «fuertes» de gran sugerencia, por metáforas de morbosa resonancia. Y hay, asimismo, un amoroso cuidado por el detalle, por deslizar aquí y allá palabras que son clave de los personajes o de sus actos, pero que huyen inadvertidas en una primera lectura porque están muy naturalmente engastadas en la frase. Obliga, así, a una lectura pausada, cuidada. Igual cosa sucede con esos «le diría Bruno», «agregó Martín, mirando a Bruno», «según Bruno», «usted», que toman desprevenido al lector, pero que resultan en el cambio del punto de vista y, por ende, del ángulo desde el que se está viendo el personaje.

Los personajes en Sábato son flexibles y están usados con múltiples objetivos, que logran cumplir. El autor se esconde en más de una de sus criaturas, y junto a lo autobiográfico corre lo puramente inventado como máscara de pudor. El elemento onírico, a semejanza de *El túnel,* cumple la función de ampliar al personaje desde dentro de él, sin recurrir a los recursos del realismo tradicional. Lo mismo que la mostración de traumas síquicos en la niñez de los protagonistas. Todos estos elementos juntos y el cuidado con que Sábato ha trazado sus personajes no es óbice para que el lector cierre el libro con su mente llena de dudas, de porqués y de cómos y cuándos. Ambigüedad, personajes ambiguos, inacabados, inquietantes, son las palabras que acuden a la mente. Y son exactas, pero no como crítica o como mengua del escritor sino como aceptación de una nueva manera de novelar en que se respeta la libertad del ser. Enteramente buscada por el autor, esa ambigüedad de sus criaturas ficcionales responde a una estética que, en el caso particular de Sábato, ha sido enunciada en *El escritor y sus fantasmas* y que, a su vez, arranca de James y Sartre, entre otros. El mismo Sábato ha transcrito en su ensayo un largo párrafo del filósofo y novelista francés que, por ser tan ajustadamente aplicable a los personajes de *Sobre héroes,* creemos que vale la pena repetir:

¿Cómo podíamos contemplar el conjunto si estábamos dentro? Puesto que estábamos *situados,* las únicas novelas que podíamos pensar en escribir eran novelas de *situación,* sin narradores internos ni testigos al tanto de todo; en otras palabras, si queríamos reseñar nuestra época, nos era necesario pasar de la técnica novelística de la mecánica newtoniana a la relatividad generalizada, poblar nuestros libros de conciencias medio lúcidas y medio en sombras, por algunas de las cuales mostraremos quizá más simpatías que por otras, pero sin atribuir a ninguna, ni sobre el acontecimiento ni sobre ella misma, un punto de vista privilegiado; presentar seres cuya realidad será la embrollada y contradictoria trama de las apreciaciones que cada uno hará sobre todos —comprendido él mismo— y todos harán sobre cada uno; seres que no podrán decidir jamás desde dentro si los cambios de sus destinos son consecuencia de sus esfuerzos, de sus faltas o del curso del universo. Nos era necesario, al fin, dejar por todas partes dudas, esperas, cosas sin acabar, y obligar al lector a elaborarse sus propias conjeturas... Nos persuadíamos de que ningún arte sería verdaderamente nuestro si no reseñaba el suceso con su vital lozanía, su ambigüedad, su carácter imprevisible; si no daba al tiempo su curso, al mundo su opacidad amenazadora y suntuosa, al hombre su larga paciencia... Que cada personaje sea una trampa, que el lector quede atrapado en ella, que sea lanzado de una conciencia a otra como de un universo absoluto e irremediable a otro universo igualmente absoluto, que se muestre incierto con la incertidumbre misma de los héroes, que se inquiete con sus inquietudes, que sea desbordado por su presente, que se doble bajo el peso de su porvenir, que quede cercado por sus percepciones y sus sentimientos como por altos e inaccesibles farallones, que sienta, en fin, que cada uno de sus estados de ánimo y cada movimiento de su espíritu encierran a la humanidad entera, están en el tiempo y el lugar respectivo, en el seno de la historia y son, a pesar del escamoteo perpetuo del presente por el porvenir, un descenso sin apelación hacia el mal o una ascensión hacia el bien que ningún futuro podrá impugnar [18].

---

[18] *El Escritor,* «Novelas desde los personajes», p. 130.

De una manera general puede decirse que la *descripción*
es muy abundante en esta novela. Hay precisión al describir la vieja quinta de Barracas, por ejemplo, el Mirador de
Alejandra, la oficina de Molinari, la habitación de Hortensia Paz, y en el «Informe», Fernando describe con detalle
la casa de la recova, la habitación en la que cae prisionero
de la Ciega, el estudio de Domínguez en París y los túneles
de los desagües cloacales [19]. Tomemos un ejemplo, el de la
quinta, que constituye una descripción hecha con minucia:

> Se sentía el intenso perfume a jazmín del país. La verja era
> muy vieja y estaba a medias cubierta con una glicina. La puerta,
> herrumbrada, se movía dificultosamente, con chirridos.
> ...Bordearon un jardín abandonado, cubierto de yuyos, por
> una veredita que había al costado de una galería lateral, soste-
> nida por columnas de hierro. La casa era viejísima, sus venta-
> nas daban a la galería y aún conservaban sus rejas coloniales;
> las grandes baldosas eran seguramente de aquel tiempo, pues se
> sentían hundidas, gastadas y rotas... Atravesaron un estrecho
> pasillo entre árboles muy viejos (Martín sentía ahora un inten-
> so perfume de magnolia) y siguieron por un sendero de ladri-
> llos que terminaba en una escalera de caracol... Subían lenta-
> mente, con muchas precauciones, la escalera metálica, rota en
> muchas partes y vacilante en otras por la herrumbre... Y cuan-
> do llegaron a lo alto, mientras Alejandra intentaba abrir una
> dificultosa cerradura, dijo «esto es el antiguo mirador».
> Por fin, con grandes esfuerzos, logró abrir la vieja puerta.
> Levantó su mano y encendió la luz.
> ...Martín recorrió con su mirada la pieza como si recorrie-
> ra parte del alma desconocida de Alejandra. El techo no tenía
> cielo raso y se veían los grandes tirantes de madera. Había una
> cama turca recubierta con un poncho y un conjunto de mue-
> bles que parecían sacados de un remate: de diferentes épocas y
> estilos, pero todos rotosos y a punto de derrumbarse.
> ...Sobre una pared había un espejo, casi opaco, del tiempo
> veneciano, con una pintura en la parte superior. Había también
> restos de una cómoda y un bargueño. Había también un gra-
> bado o litografía mantenido con cuatro chinches en sus pun-
> tas (pp. 195-197).

---

[19] Estas no son las únicas descripciones del libro, pero sí las más completas y significativas.

Más adelante (p. 233), la imagen del caserón se completa cuando descienden a la habitación del abuelo Pancho y cuando, a la mañana siguiente, al salir Martín de la casa, se vuelve a mirarla (pp. 253-254) [20]. Fácil es comprender la razón por la cual Sábato ha dedicado tanto espacio a la pintura de la quinta, por qué tiene interés en dar una imagen completa y singular. La casa de Barracas es el símbolo de un pasado argentino en proceso de completa extinción. No es sólo lo que significa para Alejandra o su familia, es lo que debe representar para el lector. El Mirador, por otra parte, es el símbolo de la personalidad de Alejandra, como ella «solitario y misterioso» (p. 254), poblado —como el alma de la muchacha— de despojos, de sombras antepasadas. La habitación «expresa» a su dueña y es la atmósfera que, rodeándola, la afecta con la sugestión que de ella emana.

Por casi idénticas razones, Martín registra los objetos que contiene el escritorio de Molinari, porque en ese mástil con la bandera argentina, en esas «carpetas de cuero», en ese «enorme» retrato de Perón, en los «varios Diplomas», en el «poema SI, de Rudyard Kipling» (p. 302), está encarnada toda la falsía, la dualidad, el cinismo de ese hombre, que íntimamente desprecia todo aquello que simula reverenciar.

Fernando tiene necesariamente que describir lo que va descubriendo en la casa de la recova, porque no hay otra luz que la de su linterna y no «ve» sino que palpa y descubre. También se justifica su descripción del *atelier* de Domínguez, porque él debe esconderse para ser capaz de ver y oír lo que pasará debajo de la plataforma, en la que permanece durante la visita de Louise. Y el rápido inventario que levanta en su memoria de la habitación en que está prisionero de la Ciega va sin decir que lo necesita para calcular sus posibilidades de escape. La descripción pormenorizada de los túneles subterráneos —mientras Fernando se mantiene lúcido— es completamente romántica, porque

---

[20] En la última parte de la novela, la quinta vuelve a ser descrita, esta vez por Bruno, tal como él la conoció en su adolescencia. La descripción está hecha desde otro ángulo, pero confirma —y completa— lo que el lector ya conoce.

está enderezada a crear y mantener un estado de ánimo y porque todo —trama y personaje— está dominado en ese momento por el tono de la descripción, por los efectos que así se logran.

Al describir la habitación en que vive Hortensia Paz con su hijo, el propósito es contraponer su sordidez y pobreza a la generosidad del alma de la muchacha, al amor que es capaz de sentir por seres o cosas en medio de su indigencia. Es decir, todas estas descripciones están hechas no con una intención realista, sino en función del contenido que se persigue, de la simbología que se quiere subrayar, de la lógica interna del personaje o de la acción. Son descripciones «operantes», «funcionales» pero no realistas, por ello no es lícito hablar de escenarios ni mucho menos de paisajes en esta novela. Cabe puntualizar que las descripciones están concentradas, en general, en las dos primeras partes de la novela y en los capítulos correspondientes al descenso de Fernando en el «Informe».

En la descripción de la naturaleza se da esa misma fusión con los estados de ánimo que es característica del tratamiento espacial en *El túnel*. El fondo contra el que se destacan los personajes —en la ciudad, en la playa—, el cielo que miran, o anuncia o acompaña sus estados de ánimo, sus sentimientos, o produce en esos seres particulares sensaciones. La naturaleza es, pues, siempre un «estado de alma». Veamos algunos ejemplos:

> *El calor es insoportable y pesado. La luna, casi llena, está rodeada de un halo amarillento como de pus. El aire está cargado de electricidad y no se mueve ni una hoja: todo anuncia la tormenta. Alejandra da vueltas y vueltas en la cama, desnuda y sofocada, tensa por el calor, la electricidad y el odio..., el aire está impregnado de un perfume casi insoportable de jazmines y magnolias. Los perros están inquietos... Hay algo malsano en aquella luz amarillenta y pesada, algo como radioactivo y perverso. Alejandra tiene dificultad en respirar y siente que el cuarto la agobia. Va al jardín... La luna le da de pleno sobre su cuerpo desnudo y siente su piel estremecida por la hierba..., está como borracha...* [21] (pp. 222-223).

---

[21]   El subrayado es del autor.

La vio alejarse con tristeza.

Era un día de comienzos de abril, pero el otoño empezaba ya a anunciarse con signos premonitorios, como esos nostálgicos ecos de trompa... que se oyen en el tema todavía fuerte de una sinfonía, pero que... ya nos están advirtiendo que aquel tema está llegando a su fin... Alguna hoja seca, el cielo ya como preparándose para los largos días nublados de mayo y de junio, anunciaban que la estación más hermosa de Buenos Aires se acercaba en silencio. Como si después de la pesada estridencia del verano, el cielo y los árboles empezaran a asumir ese aire de recogimiento de las cosas que se preparan para un extenso letargo (pp. 351-352).

Los diferentes lugares de la ciudad por los que deambulan los personajes o a donde van llevados por la acción están claramente individualizados en el libro. Se nombran plazas, calles, bares conocidos, avenidas principales de la ciudad, el puerto, el paseo costanero. Es como si por medio de una cámara fotográfica recorriéramos esa gran metrópoli que es Buenos Aires. Y a tal punto hemos tenido esta sensación que no creemos demasiado arriesgado hablar de los «itinerarios» de algunos personajes: Martín y Alejandra un día bajan por Almirante Brown, doblan por Arzobispo Espinosa hacia abajo y por Pedro de Mendoza llegan al puerto (p. 269). Fernando persigue al «ciego de las ballenitas» por la calle Cangallo hasta Leandro N. Alem, doblan por Bouchard hacia el norte y luego se dirigen hacia el puerto (pp. 431-432). Cuando vienen a buscar a Iglesias, Fernando sube con ellos a un ómnibus y descienden en la calle Sucre, en el barrio Belgrano, caminando hasta Obligado y por ésta hacia el norte, hasta Juramento. Allí doblan hasta llegar a Cuba y en Monroe vuelven a doblar en Obligado, regresando así a la placita de la Inmaculada Concepción que está en la intersección con Echeverría (p. 500). Los ejemplos podrían multiplicarse porque, además, los protagonistas se encuentran en diversos lugares de la ciudad: en el Parque Lezama, la Dársena Sur, la Boca, un bar en la calle Independencia —cerca del bajo—, otro en Corrientes y San Martín, o en Esmeralda y Charcas, o en Florida y Viamonte; caminan por la avenida Belgrano hacia el

este o el oeste, por la calle Perú, por la avenida de Mayo;
se ven en Retiro, pasean por la plaza Británica o toman cerveza en el «Adam»; recorren la avenida Santa Fe hasta Callao, la recova de Leandro N. Alem, la plaza Once, la avenida
Rivadavia hacia Mitre; cruzan el puente en dirección a la
provincia, hacia Avellaneda, o por la avenida General Paz
circundan la ciudad, para finalmente, por la ruta Tres, marcharse hacia el sur. Se aprecia cómo esta somera recorrida
nos lleva hacia todo el ámbito de la ciudad, hacia sus cuatro
puntos cardinales. Aquí otra vez la intención del autor es la
que ha determinado esos itinerarios, ese desplazarse de un
extremo a otro de la gran ciudad. Sábato siente un profundo
afecto por Buenos Aires y a toda ella abraza en su novela,
así como todo el país y a todas sus gentes, y su presente y
su pasado y la esperanza del porvenir. Es un solo y mismo
afán totalizador, desparramado en los distintos aspectos de
su novela.

Aparte esta mención de lugares de la ciudad o esos itinerarios que destacamos, Buenos Aires —y su río— palpita viva y con faz de urbe moderna, caótica, populosa,
aterradora, en diversas páginas del libro, en párrafos como
éstos:

> ...ciudad de desamparados. Porque Buenos Aires era una
> ciudad en que pululaban, como por otra parte sucedía en todas
> las gigantescas y espantosas babilonias (p. 178).

> ...ciudad implacable (p. 273).

> ...aquella ciudad terrible, de... miserias y fealdades, de...
> millones de hombres y mujeres y chicos que hablaban, sufrían,
> disputaban, odiaban, comían (p. 288).

> *Oh, Babilonia.*
> La ciudad gallega más grande del mundo. La ciudad italiana más grande del mundo... Más *pizzerías* que en Nápoles y
> Roma juntos [22] (p. 325).

---

[22] El subrayado es del autor.

Tiempo

Sobre héroes es novela que muestra la realidad desde el sujeto como algo complejo, inherente, absurdo, inesperado, profundamente metido en el «yo». En términos de tema, esto implica que debemos acercarnos a la coordenada temporal sobre la que el tema se desenvuelve.

En *Sobre héroes* no se da un suceder cronológico natural, con natural avance del tiempo a medida que se desarrolla la acción, capítulo tras capítulo. No hay secuencia normal del tiempo. Lo que hay es una distancia interior, un tiempo subjetivo que presupone la ubicuidad imaginativa del novelista y su lector. La acción de la novela y los conflictos de sus personajes están presentados a través de relatos, o de diálogos, o de evocaciones, o de monólogos interiores, que nos empujan hacia el pasado, nos proyectan hacia el futuro, nos traen mansamente al presente de los distintos personajes o nos echan muy atrás en la nebulosa de los tiempos históricos. La noticia preliminar (que reproduce una supuesta crónica periodística) nos sitúa frente a la muerte de Alejandra y Fernando, acaecida a fines de junio de 1955. Ésta será la fecha central para el lector, alrededor de la cual —como en una movediza rueda de la fortuna— van a girar todos los otros tiempos, pasados remotos y próximos, futuros y el presente. La sola porción del libro que transcurre únicamente en el presente (a partir de mayo de 1953, pero luego sin indicaciones precisas) y pareciera extenderse hasta poco antes de la tragedia, en 1955, es la segunda parte. La suposición de que estamos en 1955 se desprende del relato del incendio de las iglesias bonaerenses, que ocurrió, efectivamente, en junio de ese año. En las tres partes restantes es casi imposible dar un «itinerario» de los tiempos recorridos; tantas son las marchas y contramarchas. Esquemáticamente, puede decirse que la primera parte nos retrotrae a mayo de 1953, fecha en que Alejandra y Martín se conocen. Pero el hilo temporal no es sostenido, porque la relación entre ambos está mostrada desde distintos ángulos, que son a veces del futuro o co-

rresponden al pasado, como todo el relato que Alejandra
hace de su niñez o la historia de la familia Olmos, con la
que recorremos el siglo xix por completo. Es indudable, no
obstante, que el drama de los amores de Alejandra y Martín puede encerrarse entre dos fechas: mayo de 1953-24 de
junio de 1955. Éste sería el que la escuela de Günter Mü-
ller denomina *tiempo narrado* (Erzählte Zeit), esto es, el
tiempo exterior en que transcurren los hechos presentados
en la novela.

En la tercera parte, los hechos que Fernando narra de-
bieron suceder hacia 1954-1955. Pero, además, en maraña
difícil de desbrozar, viajamos de 1947 a 1911, 1929, 1938,
1954, 1935... La última parte del libro se abre después de
los acontecimientos de junio de 1955, y la línea parabólica
se cerrará —con el desenlace—, meses (¿o años?) después
de esa fecha, no sin que entre tanto hayamos leído las historias de Fernando, Georgina y Bruno —contadas por este
último—, todo lo cual supone un regreso a las décadas del 20
y 30. Hay, pues, una aparente confusión narrativa; pero,
poco a poco, a través del libro, todos los *disjecta membra* van
encajando unos con otros como en un rompecabezas, y en el
lector hay, al final, una visión total. Proceso que, critíqueselo
lo que se quiera, no hace sino repetir el fragmentarismo con
que la naturaleza nos descubre sus secretos. Por otra parte, a
este proceso se debe el hecho de que no todo se nos explica,
que nunca sabremos por qué Alejandra y su padre se ma-
taron, que los personajes no estén totalmente descritos. No
hay interés en hacer realismo novecentista. Como Bergson,
Sábato piensa que los hechos sólo se refieren a la superficie
de las cosas y que su trasfondo queda al criterio de las interpretaciones intuitivas. Para comprender esta forma de
novelar hay que pensar que, a fin de dar las impresiones y
recolecciones del pasado, el presente y el futuro, debe usar-
se un estilo de digresiones y retardaciones, un estilo complejo que refleje un complejo mundo de realidad y sueño.

No obstante, esta falta de secuencia temporal es, en
cierta medida, todavía tiempo cronológico. Hay, sin embargo, otro tiempo en *Sobre héroes* extremadamente sub-

jetivo, absolutamente atemporal, que es el que se da única
y exclusivamente en el espíritu del personaje y que no puede ser relacionado con hechos o seres fuera de él —como
el otro tiempo—, sino con los íntimos procesos síquicos
del personaje, con sus sufrimientos, sus angustias, sus necesidades; un tiempo un tanto onírico (y hay varios sueños
en el libro), como la sensación que experimentamos al despertar después de la anestesia y advertimos que toda la
dimensión temporal se nos ha huido. Es éste un tiempo
sicológico, vivido que, a diferencia del de los almanaques
o relojes, no es necesariamente continuo ni lineal, homo-
géneo ni rígido. Es un tiempo cuya velocidad es desigual:
se acelera de pronto o se detiene súbitamente; es rápido
o se demora al compás de emociones, sensaciones, pensamientos, ensueños, en suma, de factores subjetivos que nada
externo puede controlar. El novelista es dueño de la temporalidad que narra y no tiene por qué atenerse a un sentido prospectivo en el desarrollo de una historia, con
hechos causalmente eslabonados, con uso de nítidas seña-
lizaciones temporales. Lo único que el escritor debe hacer
es respetar la libertad de su personaje, el orden con que las
imágenes o pensamientos se presentan en su conciencia por
el trabajo de la memoria, que vuelve sobre gestos, palabras, actitudes. Porque, en verdad, jamás vivimos en el
presente aunque tampoco en el pasado, ya que todo instante conscientemente vivido es una mezcla de pasado y
de presente. Y esa ordenación es fundamentalmente distinta de la de la vida real, adquiere diferentes proyecciones
y nuevos significados y hasta se une —y atrae— a otros
instantes, seres o situaciones con los que tuvo relación en
el momento real [23]. Éste es un *tiempo circular,* hecho de presente pero, sobre todo, de un pasado que amonesta ese presente o que revive súbitamente para comenzar ese presente
o para mostrarle sus raíces (que así se vuelven contemporáneas), y también hecho del futuro en que la conciencia

---

[23] Esto obliga a Sábato, frecuentemente, a largos párrafos con interpolacio-
nes retrospectivas que, permanentemente, actualizan el pasado.

del individuo vive. Es el viejo tiempo existencial que la
novela actual ha recuperado para el hombre. Véanse estos
ejemplos en Sábato:

> ...un tiempo enorme —pensaba Bruno—, porque no se me-
> día por meses y ni siquiera por años, sino, como es propio de
> esa clase de seres, por catástrofes espirituales y por días de ab-
> soluta soledad y de inenarrable tristeza; días que se alargan y
> se deforman como tenebrosos fantasmas sobre las paredes del
> tiempo (p. 161).

> Así caminé durante un tiempo que me pareció un año
> (página 518).

> Inmóvil, con su rostro abstracto dirigido hacia mí, y yo pa-
> ralizado como por una aparición infernal, pero frígida, queda-
> mos así durante esos instantes que no forman parte del tiempo,
> sino que dan acceso a la eternidad. Y luego, cuando mi con-
> ciencia volvió a entrar en el torrente de tiempo, salí huyendo
> (página 428).

Ahora bien, todos estos desplazamientos temporales y
esta dimensión interior del tiempo, que dan una forma
circular a la novela, no aparecen en Sábato —como en Car-
pentier [24] o en Rulfo y tantos otros— por una mera voluntad
de estilo, sino por la auténtica necesidad de exponer al ser
humano en su más intrínseca realidad, de acuerdo con la
concepción que este autor lleva a su quehacer literario. Funde pasado, presente y porvenir para captar al personaje en
su totalidad, en su indestructible unidad.

Composición musical

El barroquismo señalado, como característico de la temática de *Sobre héroes* no se detiene allí. En la estructura
de la novela hay otra vez igual abigarramiento y diversidad.
El libro está levantado sobre cuatro pilares que forman
otras tantas partes [25], cada una de las cuales se subdivide en

---

[24] *El acoso* es una de las novelas hispanoamericanas de mayor complejidad
debido, precisamente, al manejo del tiempo.

[25] I parte «El dragón y la princesa»; II «Los rostros invisibles»; III «Informe sobre ciegos»; IV «Un Dios desconocido».

lo que convencionalmente llamaríamos capítulos, designados con números y de desigual extensión, porque ella está regulada por las necesidades internas de la acción y los conflictos, y no por las externas de las preceptivas. Sin embargo, esto es lo puramente exterior de la estructura. Lo interesante es que, seguro ya de su técnica y siendo por temperamento propenso a lo barroco, Sábato no se ha contenido en *Sobre héroes,* como lo hizo en *El túnel,* sino que, tendiendo a una composición «no sólo más vasta, sino más compleja», ha armado su libro sobre una estructura musical de sonata. Y cada una de las partes antes mencionadas constituye un movimiento, exponiendo los dos primeros temas contrastantes —contrapuntuales— [26], alcanzando en el tercer movimiento, el «Informe sobre ciegos», la máxima disonancia, para volver en el último a la tonalidad melancólica del que abre la composición. Y obsérvese que, no por casualidad, la sonata es un producto del barroco italiano... O sea, que toda la novela descansa sobre una concepción «contrapuntual» (y uso este término precisamente a causa de sus connotaciones musicales), con oposición de elementos «clásicos a barrocos», «ásperos a líricos», de consonancias a disonancias, de horror e inmundicias a delicadeza y ternura, de cruda realidad a total fantasía.

Sábato ha sido llevado a concebir su libro de esta manera porque —como lo vemos en su explicación citada arriba— la composición polifónica se le impuso desde la novela misma, a partir de la necesidad de obtener un todo que reflejase esa cosmovisión que para él —como para muchos otros autores— es la novela. No tratará de seguir una intriga, sino un entrecruzamiento de destinos. A la melodía única se superponen así y mezclan otras melodías; todo se recorta, se interrumpe, se junta y se funde; armonía, fuga y contrapunto. Novela = composición armónica, no desarrollo lineal de una seca línea dramática o melódica. Se

---

[26] Alejandra, Martín, Bruno... Los individuos y su circunstancia en la Primera parte. «Los rostros invisibles», es decir, «los otros» en su relación con los personajes centrales en la II parte. Las soledades de los diferentes «yos» y la multiplicidad infinita y cambiante del mundo que los envuelve.

extiende el tema central, se lo diversifica, se lo armoniza (en
el sentido técnico del vocablo tal como se usa en el dominio
musical y tal como Proust lo usó) [27]. Al hacer que se entre-
crucen evolución histórica y destinos individuales se obtiene ya, de por sí, una composición musical, como el
mismo Sábato lo explica: «Por motivos sinfónicos y de contrastes rítmicos y estilísticos, concluí que era mejor imbri-
car los relatos de Bruno y de Lavalle con el resto del drama; y así, finalmente, la novela fue estructurada en cuatro
movimientos, con temas y contrapuntos...» [28]. Todo *Sobre
héroes* se funda sobre esos efectos: pasar de un punto de
vista al otro, de un plano al otro.

El punto de vista

Acabamos de mencionar el *punto de vista*. Veamos
cómo Sábato lo ha manejado. Pero previamente especifique-
mos una caraterística de esta clase de «nueva» novela que
es *Sobre héroes*. El hombre contemporáneo, por influjo
mayormente de los modernos sistemas filosóficos, siente
—confusa o precisamente— que en todos los dominios
—social, físico y en el de las experiencias vividas o soña-
das— la realidad es mucho más compleja de lo que nuestra
civilización humanista lo sospechó. Con similar inquietud
el novelista del siglo xx trata de presentar la realidad —la
vida o el sueño— no como una serie de hechos que se
pueden catalogar y analizar, sino como un conjunto de
experiencias simbólicas que hay que desentrañar. De esta
manera, la novela se convierte en una especie de *rompecabezas* para el lector y sugiere, por medio de una cronolo-
gía confusa, una cierta profundidad de los destinos de sus
héroes. El lector va conociendo la historia por etapas, va

---

[27] John W. Kneller fue el primero en abordar satisfactoriamente el problema de las relaciones músico-literarias. Kneller señaló un entrelazamiento de
motivos y del renunciamiento final del amor que corresponde al esquema del
allegro de la sonata, con su expresión, desarrollo, recapitulación y coda. («The
Musical Structure of Proust's *Un amour de Swann*», *Yale French Studies*, II,
4 [1949], pp. 55-62.)
[28] *Obras de ficción*, «Apéndice», pp. 718-719.

«reconstituyendo» la novela por sí mismo, del mismo modo que cuando repensamos nuestra vida procedemos por sondeos fragmentarios y no en un orden cronológico perfecto. De ahí esa «dislocación» temporal que ya discutimos. Pero esta mutilación del tiempo, por sí sola, no sería bastante a dar esa impresión de profundidad vivida que transmite Faulkner, por ejemplo; esa profundidad se obtiene (y el caso de este autor es bien claro) mediante el hecho de que la novela es vivida, simultáneamente, por varias conciencias, con las cuales el lector tiene una comunicación directa. Un ejemplo clásico también, lo constituye la trilogía de Dos Passos, *USA,* que da la impresión de vida colectiva debido a la fragmentación de los puntos de vista y no sólo a la dislocación del tiempo. La vida múltiple, ambigua, multiforme, pues, exige una técnica novelística diferente de la de «contar», que en puridad no tiene otro objeto que el de retener la atención del lector. Y no es sólo el volumen de la vida el que demanda esa técnica nueva, sino la sutileza y complejidad de lo vital. Hay necesidad de dislocar la técnica unilateral de la narración y reemplazarla por una urdimbre. Es decir, que las consecuencias de esta actitud son dos: el especial tratamiento del tiempo —ya analizado— y la yuxtaposición de varios puntos de vista.

¿A qué llamamos punto de vista? Las definiciones de este tecnicismo difieren, pero con F. B. Millett podemos convenir en que es «la posición desde la cual el relato es presentado» [29], y, aclarando un poco más, puede agregarse que «es [el] criterio para organizar el material narrativo desde dentro de la ficción o desde fuera de ella; es la especial iluminación de especiales ángulos del relato...» [30]. En la forma exterior de la novela, el punto de vista se traduce en cuatro perspectivas distintas: narrador omnisciente, narrador-observador, narrador-testigo y narrador-protagonis-

---

[29] *Reading Fiction,* Nueva York, Harper, 1950.
[30] Raúl H. Castagnino, *El análisis literario,* 4.ª ed. (Buenos Aires, Nova, 1965), p. 158.

5

ta [31]. En su segunda novela, Sábato alterna, mezcla estas perspectivas, eligiendo siempre el punto de vista o más oportuno o el más conveniente, dramáticamente hablando. Ese punto de vista no es el de un sólo personaje: salta de Martín a Bruno casi constantemente, y luego por ratos a Tito, a Molinari, a Bordenave, a Hortensia Paz, a Quique. El «Informe» está entregado desde el punto de vista de Fernando. O, como en la narración de la infancia de Alejandra, pasa de ella a un ser impersonal y privilegiado —el autor— que nos explica lo que pasaba dentro de la chiquilla. A veces, un personaje está mostrado por un momento desde fuera (prosopografía de Tito) y un poco desde lejos (como lo hace Bruno con Fernando, en partes). De esta técnica nace el contraste con que se ven los personajes —lo que ellos nos dicen o hacen, lo que se nos dice de ellos—. Esto también contribuye al misterio que es la atmósfera propia de este libro, reforzado por las fórmulas dubitativas, ambiguas, por el adelantársenos indicios o comentarios de hechos futuros que, sin embargo, no se explican en su totalidad. De las cuatro perspectivas citadas, Sábato usa casi constantemente dos: *narrador-testigo* y *narrador-protagonista,* lo que le impone la primera persona narrativa. Y por un corto espacio —el episodio de la niñez de Alejandra— es narrador omnisciente (capítulo X de la primera parte) en tercera persona. Pero para no desvirtuar su novela usa esta perspectiva como un contrapunto, como un comentario coral (al modo de la tragedia griega) de lo que el personaje relata, y así, junto a la experiencia vivida de Alejandra, se dan los móviles secretos, los sutiles mecanismos de la sique que mueven a la adolescente y de los que ella no tiene conciencia. Se evita de este modo la sabiduría todopoderosa del narrador omnisciente tradicional, para el que no hay cabida en este tipo de novela, y se obtiene otra vez un efecto musical siempre en base a la oposición, al contrapunto. Es decir, la novela va cambiando

---

[31] E. Anderson Imbert, «Formas en la novela contemporánea», en *Crítica Interna* (Madrid, Taurus, 1960), pp. 261 y ss.

como un paisaje visto desde un vehículo que asciende una montaña. El punto de vista único, que definía al narrador del relato tradicional, es sustituido por la *multiplicidad* de los puntos de vista. Gide se lo explica genialmente a Martin Du Gard, cuando le dice: «'Moi, voilà comment je veux composer mes *Faux-Monnayeurs*...' Il retourne la feuille, y dessine un grand demicercle, pose la lampe au milieu et, la faisant virer sur place, il promène le rayon tout au long de la courbe, en maintenant la lampe au point central: 'Comprenez-vous, cher? Ce sont deux esthétiques. Vous, vous exposez les faits en historiographe, dans leur succession chronologique. C'est comme un panorama, qui se déroule devant le lecteur. Vous ne racontez jamais un événement passé à travers un événement présent...'»[32]. Esa multiplicidad de los puntos de vista se halla, asimismo, perfectamente ejemplificada en las novelas del *Cuarteto de Alejandría (Justine, Balthazar, Mountolive y Clea)* a la que *Sobre héroes* se parece en muchos aspectos. Lawrence Durrell crea una combinación de hechos, aventuras, encantos, una atmósfera llena de sensualidad e imbrica cuatro historias de amor, con lo que crea un rompecabezas a través del cual el lector debe sentir una especie de realidad superhumana.

Intersubjetividad

Relacionada con estos desplazamientos del punto de vista se encuentra una técnica de la que Faulkner es el modelo típico. Nos referimos a la *intersubjetividad,* esto es, la novela resulta de la «...interferencia de varios relatos hechos desde diferentes personajes, cada uno de los cuales tiene una versión parcial y ambigua de los mismos hechos»[33], conceptos que Sábato destina a Faulkner. Y agrega: «Y el propio autor de pronto parece ser un personaje

---

[32] En *Roger Martin Du Gard, Oeuvres complètes,* t. II, París, Gallimard, 1955, p. 1371.
[33] *El escritor y sus fantasmas,* p. 129.

más, que comenta lo que ha oído de otros labios o lo que piensa de algunos hechos o personajes. Pero todo eso de manera confusa y asistemática...»[34], lo cual se aplica con igual exactitud a la novela de Sábato, hasta el punto de poder afirmar que toda la novela es el resultado de la interferencia de varios relatos. Veamos, pues, algunos ejemplos. No hay sino abrir el libro y ya podemos constatarlo. En tercera persona se narran los movimientos de Martín: «...se sentó en un banco... y permaneció sin hacer nada...»[35]. Pero dos renglones después aparece un «pensó Bruno» que nos confronta con un nuevo narrador cuyos pensamientos seguiremos en el resto de la página. Al darla vuelta estamos de regreso en el banco del parque Lezama con Martín y *su* realidad, a la que se mezclan las noticias de un diario del día, las frases que Bruno le dirá *años después* y la imagen de su madre con una de las palabras-clave ya anotadas: *madrecloaca*. A esto sigue el relato de su primer encuentro con Alejandra y el diálogo sostenido con ella, no en ese momento, sino dos años más tarde; pero todo mezclado con más narración en tercera persona, o sea explicaciones del autor acerca de las reacciones del muchachito ante la extraña Alejandra. Poco antes de cerrarse el capítulo, Martín nos sorprende dirigiéndose otra vez a Bruno: «Usted, Bruno, me lo ha dicho muchas veces»[36], tirada hecha en primera persona, pero que de pronto, justamente cuando se roza el problema del tiempo, se transforma en tercera sin que uno lo advierta casi, blandamente. Hay que releer el párrafo para percibir la «trampa»[37].

---

[34] *Ibid.,* p. 129. En otro lugar dice Sábato lo mismo: «Faulkner no sólo interviene a cada instante, sino que también lo hace desde la situación de una especie de personaje que, sin embargo, es muy problemático distinguirlo del mismo autor, siendo imposible saber dónde terminan las ideas del misterioso personaje y dónde empiezan las del mero autor.» (*Op. cit.,* p. 128.)

[35] P. 159.

[36] P. 163.

[37] Cuando redacté esta parte de mi trabajo lo hice utilizando la primera edición de *Sobre héroes*. A partir de la segunda (y hasta la última, que es la que adopté finalmente), Sábato ha formado párrafo aparte con las observaciones en tercera persona a que me refiero. No creo que el cambio resulte favorable desde el punto de vista estilístico. Todo lo contrario.

Otro ejemplo: en el capítulo II, por medio de la técnica intersubjetiva, se nos da el retrato físico y el carácter de Alejandra, desde dos «yos» distintos: desde Martín y desde Bruno. ¿Cómo lo logra sin caer en la redundancia? Por superposición de versiones parciales: Martín piensa en Alejandra, en su figura, en su ropa y en que «le parece» que sus ojos eran negros. Bruno, incrédulo, comenta: «¿Los ojos negros?» [38]. Martín continúa con el hilo de sus pensamientos, pero también Bruno, pues al conjuro de la mención de los ojos negros ha comenzado a evocar a Alejandra, su físico, los detalles de su rostro y de su personalidad, y estas observaciones de Bruno completan el cuadro que había comenzado Martín. De esta manera, el personaje Alejandra cobra perfiles claros en la imaginación del lector, o sea, la técnica sirve para la delineación de los personajes. Además, en el párrafo que contiene los pensamientos de Bruno, nos encontramos de pronto arrollados por una disquisición filosófica sobre el alma y su manifestación material a través del cuerpo, lo que viene a confirmar la otra afirmación que mencionamos sobre la intervención del autor en la técnica intersubjetiva. Porque, evidentemente, la preocupación por el alma allí, en ese momento, sólo suena natural en un ser como Bruno (más tarde, en la novela, esto se comprueba), de mente filosófica, de preocupaciones metafísicas, angustiado por el destino del hombre. Y así es Sábato. Pues a poco que se lea su producción —o se charle con él— esa mente, esas preocupaciones y esa angustia son absolutamente resaltantes en su personalidad. A esto es a lo que nos referimos antes, pero enfocado desde el punto de vista de la temática, cuando enumeramos no menos de treinta y seis tópicos distintos injertados en toda la obra. Lo que no puntualizamos entonces (porque no era el lugar apropiado) es que esas digresiones acompañan siempre los diálogos entre personajes: Martín frente a Molinari, que le describe su concepción del mundo; Tito en el café disertando con sus amigos sobre el fútbol argentino en una

---

[38] P. 165.

ocasión, y en otra, sobre política argentina; los conceptos
de Bruno y el padre Castellani sobre Borges, Güiraldes,
Arlt y la literatura argentina. En algunas ocasiones, las digresiones aparecen en los monólogos silentes a que se entrega Bruno, con especulaciones sobre la nada, el todo, la
verdad, o en Fernando cuando nos explica sus particulares ideas sobre Dios o la publicidad, etc., pero en los diálogos es donde se da el mayor número de estas digresiones.
Cabe notar, asimismo, que las ideas que son fundamentales en Sábato, las mismas que se encuentran sistemáticamente expresadas en sus ensayos y que aparecen repetidas
en *Sobre héroes,* lo están en boca de los dos personajes importantes, entre los que la personalidad del autor se reparte: Bruno y Fernando, aunque también Martín expresa
ciertas ideas —las más cándidas—, y Alejandra, en ciertos
instantes, parece compartir algunos rasgos de Sábato, pero
ella no hace declaración explícita de ideas concretas. Las
enuncia, las esboza.

Volviendo al segundo capítulo que analizábamos, la
línea parabólica del estilo va a cerrarse con la pregunta de
Bruno a Martín: «¿Cómo, cómo?» que es una suerte de
vuelta a la realidad concreta, desde esa otra realidad de los
pensamientos de Bruno. La línea siguiente: «Vine para
verte, *dijo* Martín que *dijo* Alejandra», con esos dos *dijos*
martilleando, pone un poco de orden en este aparente caos
narrativo, y en esta forma el lector sabe de nuevo dónde
debe situarse en este tiempo extraño en que se le están entregando los hechos.

Una consecuencia del uso de la técnica intersubjetiva
descrita es el fragmentarismo con que están construidos
los personajes. No los llegamos a conocer íntegramente;
los vemos, sí, pero en la penumbra; tan sólo disponemos
de los datos que ellos quieren darnos o de sus pensamientos, o no se los ve e interpreta sino a través de los pensamientos y las reacciones de otros personajes. Es un entrecruzamiento de testigos que se pueden equivocar de buena
fe, y cuya presencia evita toda suposición de predestinación
impuesta por el creador literario. Por eso algunos críticos

han acusado a las criaturas de Sábato de ambiguas. Mas tal
afirmación se debe a incomprensión. Quizá los que tienen
tal opinión están aún solazándose en la lectura de las novelas naturalistas del siglo pasado en las que (sea esto dicho
con todo el respeto que esa escuela nos merece), detrás de
cada personaje, hay un autor todopoderoso que nos explica
no sólo todos los repliegues morales del individuo, sino
hasta los de su piel. Ese autor omnisciente no es el que
hace este tipo de novela existencial. Este otro autor está
metido dentro del personaje y es éste quien lo maneja (lo
cual implica un profundo don de identificación con la criatura literaria, un gran conocimiento del alma humana y un
raro poder de observación). No obstante, lo interesante es
que esos caracteres así trabajados resultan más humanos,
más «reales» que los del mismo realismo tradicional. Y esto
es algo que muchos —de entre el público y la crítica—
no alcanzan a comprender. No estamos frente a una novela
cuya atracción provenga de sus situaciones dramáticas, de
problemas derivados de la conducta de sus personajes fic-
ticios. No. Aquí los personajes son reales, son como deben
ser. Actúan de acuerdo con la ineluctable condición de su
propia existencia. Comprender la técnica con que el libro
ha sido construido es comprender su significado. Ambas
cosas están estrechamente vinculadas.

Simultaneísmo

La presentación en doble plano de actitudes sicológicas
de personajes o de lo dicho y lo pensado en que los recuerdos apuntalan a los pensamientos, éste es el simultaneísmo
de que Sábato se vale en numerosas ocasiones en *Sobre
héroes,* simultaneísmo que desemboca en una dialéctica entre el mundo exterior y el interior, entre los hechos y las
emociones que ellos suscitan, entre el pasado y el presente.
Con esta técnica, Sábato subraya, de modo enfático e in-
dubitable, la dualidad de mundos en que se desenvuelve la
existencia del ser humano, y ella le permite conseguir esa

atmósfera de fresco, de totalidad dinámica que la novela
deja en el lector al dar vuelta a la última página. Ejemplos
característicos de este recurso son los siguientes:

¿Lloviznaba? Era más bien una neblina de finísimas goti-
tas impalpables y flotantes. El camionero caminaba a grandes
trancos a su lado. Era candoroso y fuerte: acaso el símbolo de
lo que Martín buscaba en aquel éxodo hacia el sur. Se sintió
protegido y se abandonó a sus pensamientos. Aquí es, dijo
Bucich. CHICHÍN *pizza fainá despacho de bebidas.* Salú, dijo
Bucich. Salú, dijo Chichín, poniendo la botella de ginebra
LLAVE. Do copita; este pibe e un amigo. Mucho gusto, el gusto e mío, dijo Chichín, que tenía gorra y tiradores colorados
sobre camisa tornasol. ¿La vieja?, preguntó Bucich. Regular,
dijo Chichín. ¿L'hicieron l'análisis? Sí. ¿Y? Chichín se encogió
de hombros. Vo sabé cómo son esa cosa. *Irse lejos; el sur frío
y nítido,* pensaba Martín mirando el retrato de Gardel en frac,
sonriendo con la sonrisa medio de costado de muchacho pierna
pero capaz de gauchadas, y la escarapela azul y blanca sobre
la Masseratti de Fangio, muchachas desnudas rodeadas por Le-
guisamo y Américo Tesorieri, de gorra, apoyado contra el arco,
al amigo Chichín con aprecio y muchas fotos del Boca con la
palabra ¡CAMPEONES! y también el Torito de Mataderos con
malla de entrenamiento en su clásica guardia. *Salto a la cuerda,
todo menos raspajes, como los boxeadores, hasta me golpeaba
el vientre, por eso saliste medio tarado seguro, riéndose con
rencor y desprecio, hice todo, no me iba a deformar el cuerpo
por vos le dijo, y él tendría once años.* ¿Y Tito? preguntó Bucich. Ahora viene, dijo Chichín, *y decidió irse a vivir al altillo.*
¿Y el domingo? preguntó Bucich. Ma qué sé yo, respondió
Chichín con rabia, te juro que yo no me hago ma mala sangre
*mientras ella seguía oyendo boleros, depilándose, comiendo
caramelos, dejando papeles pegajosos por todas partes,* mala
sangre por nada, decía Chichín, lo que se dice propio nada de
nada *un mundo sucio y pegajoso* mientras repasaba con rabia
callada un vaso cualquiera y repetía, haceme el favor *huir hacia un mundo limpio, frío, cristalino* hasta que dejando el vaso
y encarándose con Bucich exclamó: perder con semejante
bagayo, mientras el camionero parpadeaba, considerando el problema con la debida atención y comentando la pucha, verdaderamente *mientras Martín seguía oyendo aquellos boleros, sintiendo aquella atmósfera pesada de baño y cremas desodorantes,
aire caliente y turbio, baño caliente, cuerpo caliente, cama caliente, madre caliente, madre-cama, canastacama, piernas lecho-
sas hacia arriba como en un horrendo circo casi en la misma*

*forma en que él había salido de la cloaca y hacia la cloaca o
casi* mientras entraba el hombre flaquito y nervioso que decía,
Salú y Chinchín decía; Humberto J. D'Arcángelo se lo saluda,
salú Puchito, el muchacho e un amigo, mucho gusto el gusto e
mío dijo *escrutándolo con esos ojitos de pájaro, con aquella
expresión de ansiedad que siempre Martín le veía a Tito, como
si se le hubiese perdido algo muy valioso y lo buscara por todas partes, observando todo con rapidez e inquietud* [39].

—¡Je! La cabeza de ese individuo está repleta de cuestiones
rusas. ¡Conjunto de nacionalidades! Todo el tiempo está pensando en kirguises, en caucasianos, en bielorrusos *el país (pensaba Martín), el país, el hogar, buscar la cueva en las tinieblas,
el hogar, el fuego caliente, el tierno y luminoso refugio en medio de la oscuridad* y como Bruno levantara los ojos, acaso du-
dando *esos ojos que habían visto a Alejandra de niña, esos ojos
melancólicos y dulcemente irónicos, mientras veía emerger la
figura de Wanda junto a la frase «ganar dinero con algo que
uno desprecia», ignorando en aquel momento, sin embargo,
qué monstruoso alcance iba a tener un día la frase de Alejandra, pero ya con un alcance lo suficientemente sombrío como
para angustiarlo* para toda la cipayería de acá, Bassán, Panamá
también es una nación, aunque hasta los niños de pecho saben
que la inventó la Fruit Co. *mientras veía a Wanda...* [40].

En ambos ejemplos Sábato ha usado un recurso tipográfico para subrayar los dos planos en que simultáneamente transcurre lo narrado. En los dos casos Martín está «físicamente» presente —en el bar de Chichín con Bucich; en
otro bar es Bruno y Méndez—, pero su mente sigue dándole vueltas a lo que lo preocupa: en un caso, su madre;
en el otro, el hogar, Alejandra, Wanda y ese hombre que
acaba de conocer, que tiene allí delante —Bruno—. Eso
que su subjetividad está evocando *al mismo tiempo* en que
los otros hablan, ese monólogo interior va en cursiva y sin
puntuación o separación alguna; de ella se pasa a la redon-
da para reproducir la conversación de los otros. Esa re-
donda implica, además, que en ciertos instantes las pala-

[39] Pp. 185-186.
[40] P. 316.

bras llegan a Martín (en ambos casos el punto de vista es
el de Martín), que lo sacuden de su marasmo y que toma
conciencia de lo que ocurre a su alrededor. Pero una nueva
inmersión en su mundo interior trae la cursiva otra vez,
y así sucesivamente. Es un flujo y reflujo del ser hacia adentro o hacia afuera hecho patente por la diferente tipografía,
del mismo modo que al comienzo del primer ejemplo, cuando llegan al bar, hay mayúsculas para el nombre del lugar,
seguramente pintado con gruesos caracteres en la muestra
a la entrada, y cursiva para el resto de las palabras del le-
trero, todo ello metido (por así decirlo) en la narración tal
como Martín los vio y lo impresionaron. Al fin de ese primer ejemplo, al entrar Tito, Sábato usa cursiva, no para el
monólogo interior indirecto de Martín, sino para el *comentario de la impresión* que en la conciencia del muchacho
producen los «ojitos» de D'Arcángelo.

El fluir de la conciencia y el monólogo interior

El tipo de novela que analizamos es eminentemente subjetivo y ha demandado una forma especial para presentar
los procesos internos de sus criaturas. Nos referimos al
fluir de la conciencia o de *pensamiento* (o fluir síquico,
para A. Imbert), la famosa *stream-of-consciousness* de Wil-
liam James [41]. Su ventaja es permitir que el lector se ponga
en comunicación directa con la conciencia del personaje;
lo lleva, asimismo, a «sentir» en tres planos a la vez (como
lo hace con frecuencia, aunque confusamente, la conciencia) y no siguiendo la fácil y cómoda línea de un ordenado
análisis. A la expresión objetiva (descripción, narración) se
mezcla la transcripción *directa* de la conciencia del personaje, mas no bajo la forma del análisis sino bajo la forma
del lenguaje interior. Al registro de los hechos se mezcla
el oscuro lirismo de la conciencia.

---

[41] *Principles of Psychology,* 2 vols. (Nueva York, H. Holt & Co., 1891),
cap. IX, «The Stream of Thought».

Una de las técnicas en que este fluir síquico se plasma, una de las más generalizadas —y abusadas—, es la del *monólogo interior* (o *silente*). Desde que Dujardin, en 1887, nos situó frente a los pensamientos que atravesaban la mente de su protagonista en un restaurante, hasta la culminación del uso del monólogo silente por Molly Bloom en *Ulysses,* treinta y siete años más tarde, la técnica del monólogo interior ha sido usada por casi todos los novelistas modernos, no ya sólo los que tratan de representar la *stream of consciousness.* La técnica en sí no es invento de los escritores del siglo xx. Desde Platón a Shakespeare, pasando por Calderón, Racine y Corneille, se podrían hallar numerosos ejemplos del uso literario de esta técnica. Pero lo que sí es nuevo es el afán de representar —aportado por los novelistas de nuestro siglo— los movimientos que se producen dentro de los confines de la conciencia individual. El ser humano sostiene un perpetuo monólogo consigo mismo (al nivel consciente), monólogo que está hecho de imágenes, palabras y emociones. Esos contenidos síquicos y los procesos también síquicos que existen al nivel consciente antes de su formación en el habla, es lo que novelistas tales como Joyce, Henry James, Faulkner, Joseph Conrad, Virginia Woolf y Dorothy Richardson han tratado de «fotografiar» y transmitir en sus obras, ideando para ello nuevas técnicas y recursos estilísticos apropiados al material *sui generis* con que trabajan. Sábato es buen conocedor de esa literatura y sus métodos. No es novedad lo que él busca porque difícil sería hallar algo que no haya sido usado anteriormente. La originalidad hay que buscarla en el «qué» y no en el «cómo». Él, pues, se ha limitado a buscar la técnica que satisficiera su necesidad de transmisión, y en esa búsqueda, naturalmente, sus lecturas y su intelección de la época en que vive han marcado fuertemente sus elecciones. Ningún escritor que se sitúe hoy en el sujeto puede desconocer ese tratado de estilística que es el *Ulysses.* Y no por copiar o inspirarse en él —o en otros— su originalidad y méritos se achicarán.

De acuerdo con la clasificación hecha por el profesor Robert Humphrey [42], existen cuatro técnicas básicas para representar la «corriente de lo consciente»: el monólogo interior directo, el indirecto, el soliloquio y la descripción omnisciente. De éstas sólo nos detendremos en las dos primeras. En el *monólogo interior directo* la intervención del autor es prácticamente nula y no hay oyente; puede ser más o menos incoherente, lo que estará destacado por la falta de puntuación, será en primera persona, y los tiempos del verbo muy variados: presente, pasado, condicional, etc. El *monólogo interior indirecto* va en tercera persona, y hace amplio uso de métodos descriptivos y expositivos para presentar los estados de conciencia como si fluyeran directamente de la conciencia del personaje. El autor *guía* al lector a través de esos contenidos y procesos síquicos, mas es tan real en la pintura de los mismos como el monólogo interior directo, pero resulta más articulado, más coherente por la más adecuada elección de los materiales que se presentan al lector. Téngase en cuenta, sin embargo, que en ambos casos lo que se trata de comunicar es la identidad síquica del personaje.

Ahora bien, ¿qué hay de esto en *Sobre héroes y tumbas?* Un análisis de los diferentes capítulos revela el uso del monólogo interior indirecto por parte de Bruno, casi invariablemente, y, con menos frecuencia, por parte de Martín. Pero el uso del monólogo interior indirecto en Sábato ofrece varias facetas. En los de Bruno, un acontecimiento o la mención de un personaje principal en el argumento pone en acción sus pensamientos. Mas muy pronto ese acontecimiento o personaje se transforma en nada más que un trampolín desde el que Bruno salta a la corriente incesante de sus preocupaciones filosóficas. Véanse (sería muy largo citarlos aquí) el capítulo II de la primera parte o el IV y XVII de la segunda en los que se discute la manifestación del alma en la carne, la nada y el todo, la esperanza, respec-

[42] *Stream of consciousness in the modern novel* (Berkeley and Los Angeles, University of California Press, 1954), p. 127.

tivamente. Es decir que Sábato, cuando usa el monólogo interior indirecto a través de Bruno, no hace sino dar rienda suelta a sus preocupaciones metafísicas de las que Bruno es su vocero.

En Martín esa técnica está usada algo diferentemente. Estamos en el plano de las imágenes y los sentimientos, en el plano síquico propiamente dicho, mientras que con Bruno estamos en el mental, en lo intelectual (más Henry James que James Joyce), y hasta hay una ocasión en que el proceso está muy claramente patentizado, puesto que se nos da la versión simultánea de los dos planos: el exterior al protagonista y el de sus contenidos síquicos —pp. 317-318— y el uso de la bastardilla allí es recurso que marca la separación de los dos planos.

Sobre héroes ofrece también, profundamente metidos en la narración, pequeños monólogos interiores directos [43], pero sin llegar nunca al uso intensivo de un Joyce o de un Faulkner. Cabe agregar que, en su búsqueda de la técnica que mejor tradujese a sus personajes, Sábato ha enriquecido la textura de su narración, manejando todas las técnicas apuntadas con un movimiento cinematográfico y usando el montaje del séptimo arte en dos direcciones desiguales: haciendo un «montaje espacial» [44] en que el tiempo se detiene pero el espacio cambia [45], y un «montaje temporal» [46], en que el personaje está fijo en el espacio pero su conciencia se traslada en el tiempo [47] Ésta es su técnica básica, a la que se

---

[43] Especialmente en los capítulos I a XI, XX y XV de la I parte; capítulos IV y XXV de la II parte, etc.

[44] *Space-montage* o también *multiple view*.

[45] Léanse los capítulos XXIV a XXXI del «Informe sobre ciegos».

[46] *Time-montage*.

[47] Es lo que ocurre la noche en que Martín va por primera vez al Mirador de Alejandra y charlan sobre la familia de ella (primera parte, capítulo IX). Cuando los dos jóvenes están en la terraza, acodados sobre la balaustrada, Alejandra, fumando —como siempre— en la oscuridad y el silencio, comienza a hablar de su padre: «Mi madre murió cuando yo tenía cinco años. Y cuando tuve once lo encontré a mi padre aquí con una mujer... Entonces me escapé de mi casa...» Hasta allí el primer plano cinematográfico, la escena enfocada en el rostro de la protagonista y en su nervioso fumar. Y de inmediato, al abrirse el capítulo siguiente, el desplazamiento temporal, el retroceso a la Alejandra de once años y su escapatoria.

superponen monólogos interiores, narraciones, descripciones, diálogos directos e indirectos.

Todas estas técnicas que Sábato utiliza en *Sobre héroes* han sido impuestas a la novela desde que, con Dostoievski, se sumergió en el «yo» (aunque sin olvidar la realidad exterior). No puede afirmarse que Sábato haya dado exclusiva preferencia a una de estas técnicas, sino más bien podría decirse que él las ha fundido todas y las ha usado allí donde le eran estrictamente indispensables. Cabe, no obstante, preguntarse cuál es la razón que ha guiado sus elecciones. Sábato ha edificado su novela —como lo explica en *El escritor*— de acuerdo con una precisa y particular concepción de lo que debe entenderse por novelar en el siglo xx, de la importancia de la novelística en esta hora y de las características de la novela moderna. Recordemos que, dado su pensamiento existencial y fenomenológico, él parte del «yo» para obtener la visión total (fenomenológica) del mundo. Para él, la novela es fundamentalmente «dialéctica existencial», búsqueda de las esencias humanas, cosmovisión. De ahí la necesidad de un «tiempo interior» (que ya señalamos), puesto que el «yo» no se mide con relojes sino a través de procesos puramente síquicos, atemporales. De ahí también que lo que sucede en la novela nos vaya siendo entregado desde un «yo» que piensa y siente, a veces sin trascender a los otros *(monólogo interior);* un «yo» en que la actividad mental continúa o es despertada por las acciones o palabras de los otros *(simultaneidad);* un «yo» que ve una porción de la realidad tal como se la entregan sus sentidos o su inteligencia, visión que es siempre distinta de la que otros tienen *(intersubjetividad);* un «yo» que recibe o comunica impresiones. Consecuencia de esta concepción de la novela es la falta de claridad en el desarrollo de los acontecimientos, una especie de sostenida incoherencia, una atmósfera imprecisa, ambigua, porque no se están barajando ideas puras sino encarnadas en sujetos que no saben —o no pueden y a veces ni quieren— separar esas ideas de sus pasiones. Es decir, las técnicas están porque la novela, concebida como «indagación» de la condición humana, así lo

exige, ya que se está tratando de comunicar la visión que el
hombre tiene, tal como él la tiene, con todas sus fracturas,
absurdos e incoherencias. Tal como en la vida real sucede.
De lo que inferiríamos que la novela de nuestro siglo es
«realista» por un modo diferente al tradicional, pero realista a la postre. No hay en Sábato (como no lo hay en Rulfo
o Vargas Llosa) afán tecnicista, sino «necesidad de encontrar procedimientos expresivos para conseguir *formalmente*
una visión adecuada del hombre de nuestro tiempo y de sus
problemas. Posiblemente los más ilustres casos, dentro de
la novela actual, en que ésta se caracteriza por su fragmentarismo, por sus plurívocos simbolismos y oscuridades, por
su no sumisión a la linealidad, orden y sentido de las narraciones tradicionales, puedan ser explicados como resultado
natural de esa necesidad, de esa nueva visión del mundo que
no parece encajar adecuadamente en las estructuras nove-
lescas clásicas», dice con todo acierto Baquero Goyanes [48].

Procedimientos

El punto de vista exhibe una perspectiva de lo narrado
y la configura a través de diversos procedimientos, o, con
otras palabras, el punto de vista varía por medio de ellos
su manifestación en la forma exterior. Esos procedimientos
son innúmeros en la novela, pero a los efectos de nuestra
novela sólo nos interesan cuatro de ellos: la narración, el
diálogo, la descripción [49] y la exposición.

La *narración* es el procedimiento básico de Sábato en
Sobre héroes, narración que fluctúa entre la primera y tercera personas. La primera acorta la distancia entre público
y autor, es subjetiva, confiere realidad a lo narrado, envuelve fuertemente al lector en el punto de vista del narrador.
En primera persona está escrito el «Informe» de Fernando

---

[48] *Proceso de la novela actual* (Madrid, Ediciones Rialp, S. A., 1963), p. 303.
El subrayado es del autor.
[49] Del uso que Sábato hace de la descripción nos hemos ocupado en su
tratamiento del espacio.

y también el relato de Bruno en el capítulo III de la última parte. En ambos casos estamos ante un narrador-protagonista. Pero mientras Fernando escribe para un público al que quiere impresionar con su sinceridad y cinismo, Bruno parece tener un interlocutor a quien de cuando en cuando se dirige, tratándole de «usted» o con frases como «ya le dije», «le contaré», «no está de más que le diga», «como usted puede suponer», «ah, pero claro, usted no lo sabe», «le confieso». Al comienzo de este capítulo, Sábato desconcierta a su lector. El «me dijo Bruno», con que se abre el capítulo, hace suponer por un instante que hay otro narrador, pero es que esa frase da paso a un discurso directo y no a uno indirecto, como puede creerse, de modo que ese invisible interlocutor desaparece de inmediato. Es una manera indirecta de transformar a Bruno en narrador-protagonista sin necesidad de hacerle declarar quién es —como sucede con Fernando—, puesto que en verdad ya es un viejo conocido. Pero además, el tener a este oyente cerca, confiere a todo el relato de Bruno un aire de intimidad, de confesión, que nos adelanta una sensación de que por fin podremos obtener las piezas que nos faltan en este rompecabezas. Parece lógico, además, que Bruno hable de su relación con los Olmos cuando la tragedia acaba de epilogarse. Si el interlocutor es Martín o no, sólo podemos suponerlo, pues no hay indicio alguno acerca de su identidad. El escritor deja allí abierta la puerta al lector para que llene ese rostro vacío con los rasgos que desee.

El haber puesto el relato en boca de Fernando es la razón del fuerte impacto que produce el «Informe». Ese estilo directo («Este Informe está destinado, después de mi muerte, que sé próxima...»), irónico a más no poder («Hecho curioso que es frecuente entre los anarquistas: un ser angelical como Iglesias podía, sin embargo, dedicarse a la falsificación de dinero»), cínico («me considero un canalla y no tengo el menor respeto por mi persona. Soy un individuo que ha profundizado en su propia conciencia. ¿Y quién que ahonde en los pliegues de su conciencia puede respetarse?»), humorístico («...se apareció... con un ser epiceno llamado Inés González Iturrat. Enorme y fortísima, con visibles bigotes... A no ser por sus pechos eminentes, vista de golpe podía cometerse el error de llamarla «señor»), alucinante («Esqueletos de altas hayas, cuyas espectrales siluetas cenicientas contrastaban sobre el rojo sangre de aquellas nubes...»), es fiel reflejo de la personalidad de Fernando. Al influjo de sus palabras —de lo que dice y como lo dice— se debe que la obsesión que lo domina se nos comunique y que suframos con él las peripecias de su descenso. La primera persona también es la que emplea Alejandra para narrar a Martín su adolescencia solitaria y su relación con Marcos Molina. Expresiones como «¿comprendés?», «Bueno, te decía», «como te dije», «te imaginarás», recuerdan la presencia atenta de Martín. Esa narración, con el contrapunto —destacado en cursiva—, del narrador omnisciente, es interrumpida por un ataque epiléptico de Alejandra, narrado por medio de diálogo directo matizado. Es ésta quizá la única parte que resulta, en cierta medida, falsa en la novela, porque parece innatural que Alejandra recuerde el más mínimo detalle de los gestos de Marcos o de la naturaleza que los rodeaba y que, a tan pocos años de distancia, y a su edad, ella sea capaz de racionalizar (para usar el término de la sicodinámica) tan agudamente sus emociones.

La narración en tercera persona, más libre, pero en la que el autor se coloca entre el personaje y el lector, más objetiva y omnisciente, es empleada en muy contadas ocasiones en *Sobre héroes:* en los dos capítulos finales de la segunda parte y en el I y IV de la última. Sólo en estas ocasiones puede señalarse la presencia de un narrador al modo tradicional que, desde fuera y desde lejos, va registrando las acciones del personaje, sus conversaciones con otros y acotándolas. En el resto del libro, la tercera persona es la del monólogo interior indirecto, tal como lo mostramos antes. Fuerza es decir, sin embargo, que la línea de separación entre ambos tipos narrativos, en tercera persona, es singularmente delgada en ocasiones. Veamos algunos ejemplos que necesitan especial comentario. Dice el narrador omnisciente: «La noche estaba fría y nublada; el silencio de la madrugada

era profundo. Se oyó el eco lejano de una sirena de barco y
luego nuevamente la nada. Durante un rato Martín permaneció inmóvil, pero agitado. Entonces (pero no podía ser
sino el resultado de su imaginación tensa) oyó...» (pp. 665-
666). Esa frase entre paréntesis no proviene del autor, sino
que es transcripción de un pensamiento del propio Martín,
lo que hace más comprensible precisamente el paréntesis ya
que el narrador pudo prescindir de él si hubiese sido un
dato más, proporcionado por su todopoderosa sabiduría.
Otro caso: «Una vieja que vive en un conventillo lindero
declaró: 'Duermo poco..., sentí el olor..., le avisé a mi
hijo..., pero me dijo que lo dejara en paz', agregando con
ese orgullo —pensaba Bruno— que la mayor parte de los
seres humanos... ponen en el vaticinio...» (p. 586). Nada
hacía sospechar que Bruno estaba oyendo la declaración de
la pobre mujer (o leyéndola). Todos los acontecimientos,
desde que Martín se desvela y corre a Barracas hasta que se
nos resume lo sucedido esa noche, han sido narrados por alguien que está fuera. No obstante, ese «pensaba Bruno»
cambia el panorama: o asumimos que Bruno es el narrador
omnisciente que por momentos quiere inyectar sus pensamientos, o que es un breve monólogo interior indirecto en-
tretejido en la narración objetiva. Del mismo modo nos hacen dudar trozos de narración como el siguiente, en que hay
más bien «impresiones» de acciones, tal como Martín las
debía de estar recibiendo (hay sensaciones auditivas, visua-
les, térmicas): «Ahora estaba frente a la Iglesia, arrastrado
por gente enloquecida y confusa. Algunos llevaban revólve-
res y pistolas. 'Son de la alianza', dijo alguien. Pronto ardió
la nafta que habían echado sobre las puertas. Entraron en
tumulto, gritando. Arrastraron bancos contra las puertas...
Otros llevaban reclinatorios... La llovizna caía indiferente
y frígida... Gritaron, sonaron tiros por ahí, algunos corrían,
otros se refugiaban en los zaguanes...» (p. 417). El cuadro
es borroso, las gentes más parecen sombras, indefinición que
acentúan voces como «algunos», «alguien», «otros», «por
ahí», los verbos en tercera persona plural, sin sujetos y la
lluvia «indiferente» a ambos dramas —el de Martín y el

del país—. Todo parecería la impresión de Martín más que la narración del autor.

Sábato usa, además, y profusamente, otro procedimiento: el *dialogal,* encaminado a aumentar su intimidad con el lector. El *diálogo directo y el matizado* [50] están abundantemente utilizados. El criterio que ha determinado el uso de estas diversas formas dialogales, obedece a necesidades internas de la acción. El procedimiento dialogal en su forma directa es absolutamente necesario cuando se quiere transmitir al personaje sin artificios, vivaz, dinámicamente; cuando, además, se quiere enfrentar a los protagonistas, entregándolos directamente en un dramático primer plano. Así, resultan especialmente importantes para la delineación de los personajes y su conflictualidad interna, por ejemplo, los diálogos de Alejandra y Martín en la segunda parte (capítulos XXI y XXIV), el de Martín y Bucich que cierra el libro y el de Fernando con la profesora de Norma (capítulo XI, «Informe») que, además del sarcasmo y los sofismas, provee una jugosa escena humorística.

Imbricado con la narración —bajo cualquiera de sus formas— y en los diálogos aparece el procedimiento *expositivo* (las digresiones), en que se acercan al lector las ideas de los personajes —sean ellas serias, cómicas, sarcásticas o cínicas— y en que de una manera persuasiva, nada erudita, con metáforas o comparaciones que concretan los temas más abstractos, se agrega una dimensión más y se trascienden los límites de la trama novelesca en un esfuerzo por abarcar todos los niveles de la vida humana, de darlo todo junto, tal como en la impresión que nosotros tenemos de la vida misma.

Otra vez, pues, apreciamos la elasticidad en el empleo de procedimientos (como lo vimos en el de las técnicas), la mezcla permanente de situaciones narrativas. Pero nuevamente no hay alarde formal, sino esfuerzo por revelar la heterogeneidad del ser y su universo.

---

[50] Llamo *diálogo matizado,* siguiendo la clasificación del Dr. R. H. Castagnino (*Op. cit.,* pp. 176 y ss), a aquél en que se consigna no sólo el diálogo entre los interlocutores sino también las observaciones del narrador.

Secuencia narrativa

El análisis del manejo del tiempo y de la multiplicidad
de los puntos de vista desde los que se narra, como asimismo la diversidad de las técnicas que se emplean, hace ya
evidente para nuestro lector que la secuencia narrativa de
Sobre héroes, esto es, el proceso narrativo por el que se dis-
ponen y articulan hechos, personajes, episodios, cruza planos, se interrumpe con restrospección o se adelanta hasta el
futuro, obliterando así el suceder temporal y la causalidad
natural.

Sin embargo, bajo una aparente intrincada maraña de
marchas y contramarchas, se puede hallar una línea racional
de la que el escritor se ha apartado para crear un diseño ex-
clusivo mediante el manejo especial de los hilos de la acción
con los que urde la trama.

Hay en *Sobre héroes* una acción novelesca centrada en
el romance de Martín y Alejandra que se desarrolla cronológicamente de febrero de 1953 a junio de 1955, desde el
día en que se conocen en el Parque Lezama hasta que ella
se suicida en su Mirador de Barracas. En la primera parte
asistimos a esa primera entrevista, a un segundo fugaz encuentro y al comienzo definitivo de la relación en febrero
de 1955, cuando por primera vez Alejandra le hace conocer
la quinta de Barracas y sus habitantes. Esta parte culmina
con la unión de los amantes. En la segunda se continúa con
el relato de los altibajos de esa difícil relación, que día a día
va muriendo, hasta terminar abruptamente cuando Martín
descubre, por boca de Alejandra, quién es aquel extraño
hombre al que parece unirla singular pasión, y en la cuarta
parte ya todo ha terminado: Alejandra y Fernando yacen
muertos, y Martín, enloquecido, buscará destruirse, aunque,
finalmente, reaccionará y se marchará al sur.

Junto a este tronco central, subiéndose por él, adhirién-
dose a él como liana, están los pensamientos de Martín y
de Bruno, que arrancan al lector del presente cronológico
de la narración y lo empujan hacia el futuro, a lo que con-
versarán o pensarán años después de la tragedia Bruno y

Martín, o al pasado de Alejandra, de Bruno, del mismo Martín, de Fernando y de Georgina, de toda la familia Olmos, todo esto de tal modo entremezclado con esa línea central, que el lector tiene que releer a veces para descubrir el plan de composición de la novela a través de repeticiones, contrastes, *leit motiv,* anticipaciones, contrapuntos, desplazamientos temporales y narración. Y así surge el diseño, la figura unitaria de la novela. Monólogos interiores, intersubjetividad, el doble plano subjetivo y objetivo, el tiempo interior, los distintos puntos de vista —el narrador omnisciente, o testigo, o protagonista—, permiten ir rellenando el esqueleto estructural, ya que hay una concordancia, un punto de unión de todos esos *disjecta membra,* un instante en que todo se integra, en que se *ve* el diseño, como sucede con ese juego para niños en que hay que ir uniendo puntos numerados para que del montón informe surja una silueta. El «Informe» es la gran metáfora disonante sobre la condición del género humano, condición que las otras tres partes ejemplifican. Es la contraparte poética, fantástica, del mundo real, un símbolo terrible de una dimensión no más real que la palpable. Y su inserción como tercera parte era necesaria para que cuando se nos confronte con la muerte de padre e hija, podamos forjar nuestra propia explicación, ayudados por Bruno y por Martín. Es, además, el ritmo novelesco, que ha ido intensificándose, acelerándose, el que llega en ese «Informe» a su mayor tensión hasta que estalla en los últimos capítulos, volviendo en la parte final a esa lentitud, opacidad y melancolía, a ese estatismo del principio. Nótese que los desplazamientos de los personajes son más notables en la segunda parte y los acontecimientos más numerosos también: pasan más cosas, hay más gente, se mueven más.

Las transiciones de un capítulo a otro en cada parte son generalmente lógicas, naturales o bruscas, aunque nunca forzadas. Hay capítulos de transición (XIV de la primera parte) que son un compás de espera, un hiato en la atmósfera de angustia. La narración de lo que se pensó o conversó años después es usada como pie para regresar al presente de la narración, pero habiendo agregado una nota que ese presente no podía ver [51]. Otras veces es la última frase de un capítulo que se retoma en el siguiente o la atmósfera espiritual del personaje lo que suaviza una transición, aparentemente desconcertante.

El Informe sobre ciegos

El «Informe» es una de las partes de *Sobre héroes* que atrae más al lector y que ha desatado toda suerte de interpretaciones, críticas, ponderaciones. Cada cual tiene su propia teoría pero hasta el momento, todas son generalizaciones sin directo asidero en el texto, fuente única en la que hay que ir a buscar todas las respuestas. Intentemos, pues, indagar en las páginas de esta tercera parte para ver si el autor ha puesto algún indicio de su propósito.

Cuando ya Fernando está dentro de la casa de la recova, vislumbra que la exploración del universo de los ciegos no es más que la exploración de su «propio y tenebroso mundo» interior (p. 507), pero también y, a partir de ello, Fernando, *héroe al revés* (p. 559) al descender dentro de sí, ha arribado a los orígenes de la humanidad (p. 562), allí donde puede ver sus dos caras simultáneamente —la diurna y la nocturna, la que se muestra y la de los desechos que se ocultan— (p. 559). Por esta razón él es uno de esos *exploradores de la Inmundicia, testimonios de la Basura y de los Malos Pensamientos (ibidem)*, un *héroe negro y repugnante (ibidem)*, un anti-héroe que llega a una deidad protegida por veintiuna torres y en cuyo vientre fulgura un «Ojo Fosforescente» que lo atrae, llamándolo «con siniestra majestad» (página 571) y diciéndole que entre en él, porque ése es su comienzo y su fin (p. 573). Así lo hace, y al subir por ese túnel sofocante va convirtiéndose en pez hasta que, al desmayarse, ve en vertiginoso caleidoscopio «muchedumbre de rostros, catástrofes y países. Vi seres que parecían con-

---

[51]	Es el caso del cap. III y VIII —primera parte— y del II de la segunda parte.

templarme horrorizados, nítidamente vi escenas de mi infancia, montañas de Asia y África de mi errabunda existencia, pájaros y animales vengativos e irónicos, atardeceres en el trópico, ratas en un granero del capitán Olmos, sombríos prostíbulos, locos que gritaban palabras decisivas, pero desdichadamente incomprensibles; mujeres que mostraban lúbricamente su sexo abierto, caranchos merodeando sobre hinchados cadáveres en la pampa, molinos de viento en la estancia de mis padres, borrachos que urgaban en un tacho de basura y grandes pájaros negros que se lanzaban con sus picos filosos sobre mis ojos aterrados» (pp. 574-575). Entra, por fin, en la gran caverna, a la que había estado tratando de llegar, y se hunde en «aguas cálidas, gelatinosas y fosforescentes» (p. 575). Al despertar está nuevamente en el cuarto de la Ciega, su cancerbera, sabiendo que aquel sueño suyo era un vaticinio sobre su futuro: «Y así, en aquel viaje [de su alma por los territorios de la eternidad] supe, como Edipo lo supo de labios de Tiresias, cuál era el fatal fin que me estaba reservado». (p. 577). Las tenebrosas cópulas con la Ciega (atraída por un «oscuro, pero tenaz llamamiento» del propio Fernando) representan el castigo de la secta, esto es, el fin de esa persecución que él, por su «propia voluntad», se había decretado. Al terminar el «Informe», Fernando *sabe* que dispone de poco tiempo, como también que será él mismo quien vaya, «quien *deba ir*», hasta el lugar en que el vaticinio se cumplirá. Porque «¿cómo nadie puede escapar a su propia fatalidad?» (p. 583).

Sábato ha cosido una buena cantidad de elementos de procedencia diversa en la elaboración del «Informe». Pero no hay que olvidar que estamos en presencia de un ejemplar de literatura fantástica, en la que todo cabe: las visiones oníricas como las enumeraciones caóticas surrealistas, lo edípico sofocleo como lo freudiano, el infierno dantesco como el paraíso miltoniano. No obstante, la simbología, a pesar de la aparente confusión de las señales, es clara: Fernando ha descendido, en vida, al infierno de su propia conciencia para buscar *su* verdad, su «yo», y ha encontrado eso y más: en su conciencia individual se refleja la de la humanidad íntegra. Todo lo que hay en él de horrible está en la humanidad también. En él sólo hay corrupción, fetidez, incesto, como en millones de otros seres, en otros climas y en otros tiempos. Pero esto porque él representa tan sólo una faz de esa humanidad: la desagradable, la demoníaca, la que debe perecer, ya que para ella no hay esperanza. La otra está encarnada en Martín, que es puro, inocente y que se salvará, porque él y sólo los que son como él tienen derecho a la esperanza. Todo en *Sobre héroes* es dual y opuesto —Fernando y Bruno, Alejandra y Georgina, la marcha de Lavalle hacia el norte, la de Martín hacia el sur, el oligarca y el proletario, la locura y la cordura, el amor y el odio—, y sobre esas oposiciones está estructurado el libro y sus personajes.

Fernando *desciende,* es decir, va hacia abajo, hacia donde tienen su morada los desperdicios, los malos instintos, el sexo. El «Ojo Fosforescente» está en el vientre de la deidad, y para llegar a él Fernando entra por debajo (por la entrada vaginal) y se encuentra ante una escalinata por la que asciende hasta el ojo, esto es, el vientre. Al entrar en él se encuentra en un túnel cálido y resbaladizo, cuyas paredes, «como de caucho», lo aprietan y lo llevan con «fuerza de succión» (p. 574) porque palpitan, se mueven, son cosa viviente. Fernando está otra vez en el útero materno, su principio y su fin. Pero ha recorrido el camino a la inversa —no desde el nacimiento, sino hacia la muerte— y ha podido ver todos los cadáveres, toda la inmundicia de *su* vida de hombre individual que refleja la del mundo.

Ahora bien: preguntémonos por qué Fernando (y Alejandra) deben morir, por qué Fernando realiza ese descenso, qué es lo que busca en sí mismo y por qué. Para empezar a encontrar las respuestas tenemos que recordar esa «ruptura catastrófica» de su personalidad que sufría Fernando, esos períodos en que le «costaba vivir» (p. 452), esa confusión que se apoderaba de su espíritu, ese sufrimiento, en suma, de que su prima habla. Y casi lo mismo en su hija Alejandra: su lucha entre lo bueno y lo malo que lleva en sí, sus terrores nocturnos, sus abstracciones. Fernando y

Alejandra aparecen entonces como dos seres desamparados y débiles, a merced de fuerzas oscuras (¿las de la herencia?, ¿las de los instintos?, ¿parasicológicas?) que los conducen, inexorablemente, al incesto y a la muerte. Pero ellos no lo saben, aunque hay señales en sus vidas (la lectura del *Edipo Rey* para Fernando, los sueños con fuego siempre para Alejandra, un fuego que, nótese, era para ella «enigmático»). Fernando amó a su madre, lo que sabemos por los celos con que acomete en una ocasión a Bruno. Convirtió a Georgina en su manceba a causa de su parecido con Ana María —esto lo presumimos—, aunque la simple explicación de una chica que, enamoradísima de su primo, se entrega a él, favorecida por la libertad de que gozan, resulta igualmente (si no más) plausible. Cuál fue la relación con Alejandra. Sólo tenemos la palabra de Martín y la visión de una mano que revela pasión. Nada de parte del mismo Fernando. Alejandra dice a Martín que ella, a los once años, encontró a su padre con una mujer en la misma habitación del Mirador que ella usa ahora. Bruno sostiene que Georgina abandonó a Alejandra cuando ésta tenía diez años. Tal coincidencia parecería apuntar a un acontecimiento fundamental en la vida de Georgina, tan espantoso que la obliga a privarse de su hija por el resto de su vida. ¿Quién es la «mujer» que Alejandra ve? ¿Quizá su propia madre, a quien odia a causa de la pasión que ella misma siente por su padre? ¿O quizá fue Georgina quien halló a Fernando y su hija en el Mirador y, espantada por su comprobación, huyó para no volver? Si el incesto se consumó o no, no tenemos el menor indicio. De modo que nada impide que interpretemos las fugas de Fernando y su deambular por el mundo como huidas de una tentación que apenas puede dominar [52] y que, en igualdad de condiciones, Alejandra también huya, hundiéndose en la prostitución y el alcohol. Pero un día las barreras se rompen —después de la última escena con Martín, en que ella ve que hasta los de fuera comprenden su pasión—, y Alejan-

---

[52] Su investigación del mundo de los ciegos sería, pues, la indagación que él hace dentro de sí de esa fuerza ciega que lo arrastra hacia su hija.

dra, como hipnotizada, va a la cita con su padre en la casa
de Belgrano, con su padre que, tan torturado como ella, está
decidido a no huir más de su sino. Y allí y entonces, la incestuosa unión se produce: la Ciega, que irradia igual luz
que la del ojo fosforescente (= vientre = madre), de cuya
desnudez se desprende un «fluido eléctrico» que despierta
la lujuria de Fernando, no es otra que Alejandra. De ahí
que él exclame que esa mujer es «el Castigo» y que hable
de su «diabólico ayuntamiento», de su «obsesiva, monstruosa, fascinadora y lúbrica» unión. Pero aún más significativas
son estas palabras de Fernando instantes antes de la cópula fatal:

> Un poderoso relámpago me deslumbró y por un instante
> tuve la vertiginosa y ahora *inequívoca revelación:* ¡ERA ELLA!
> En aquel instante fugaz mi mente era un torbellino, pero aho-
> ra, mientras espero la muerte, medito sobre el misterio de
> aquella *encarnación,* quizá semejante al que convocado por un
> deseo imperioso se apodera del cuerpo de una médium; con la
> diferencia de que no sólo el espíritu, sino el propio cuerpo
> adquiría los *caracteres invocados.* Y también pienso si era mi
> oscura e *indeliberada voluntad* la que pacientemente había
> suscitado aquella *encarnación que la Ciega perversamente me
> facilitaba* o si la Ciega y todo aquel Universo de Ciegos... era,
> al revés, una formidable organización a mi servicio *para mi
> voluptuosidad, mi pasión y finalmente mi castigo* [53].

¿Por qué decir «era ella» si se hubiera tratado de la Ciega? [54]. Ella era la única que estaba con él, la veía acercársele.
Nada de sorprendente; entonces, ¿cuál es la razón para la
exclamación? Pero, además, ¿por qué se usan las palabras
revelación y *encarnación?* ¿En qué consiste la revelación?
No lo sabemos. Parece evidente que la Ciega ha dejado de
ser ella para *encarnar* a alguien. ¿Quién? No hay respuesta.
La Ciega = médium ha invocado esa encarnación. Si se in-
terpretan los ciegos como el destino, el hado del que nadie
puede escapar, y si la Ciega es quien ha hecho la invocación,
Fernando es inocente. Pero él duda, de ahí lo de «también

---

53   P. 579. El subrayado es nuestro.
54   Las mayúsculas, por lo demás, parecen conferir un sentido especial a ese
pronombre.

pienso si era mi... indeliberada voluntad» o si los ciegos no eran más que sirvientes de su lujuria y, al mismo tiempo, ejecutores de su destino, ya que él deseaba la encarnación, esto es, la cópula incestuosa y, por tanto, debía ser castigado. Que éste es el descubrimiento de ambos, padre e hija, parece confirmarlo su fin: ambos buscaron la unión, ambos deben pagar su crimen.

Estamos así en un clima totalmente edípico. Y lo que conviene aclarar es si se trata del Edipo de Sófocles o del de Freud.

Toda esa gran metáfora que es el «Informe» está sostenida por este personaje de urdimbre netamente sofoclea que es Fernando. Hay que releer el *Edipo Rey* para mejor comprender esta creación de Sábato. Pero, ateniéndonos al personaje, notemos estos paralelos entre Fernando y el Edipo de Sófocles: sobre la estirpe de Edipo pesa una maldición como también sobre esa trágica y desdichada familia Olmos. En la tragedia griega no hay insinuación de erotismo en la relación entre Edipo y Yocasta; Sábato tampoco lo ha hecho con Fernando y Alejandra. No obstante, Sófocles parece sugerir que ya está la culpa en la raíz de la relación entre marido y mujer, puesto que muestra una Yocasta maternalmente cariñosa con Edipo. Parecería llegar, pues, muy hondo descubriendo que la esposa perfecta es la madre —para el hombre inmaduro, claro—. Piénsese en *El túnel,* en Castel y su complejo, y recuérdese el amor de Fernando por su madre, el trato maternal que Georgina da a Fernando, a quien ama y cuya mujer y prima es, y se habrá de convenir que Sábato está trabajando en la misma dirección que lo hizo Sófocles. Pero aún hay más similitudes. Edipo es, míticamente, una criatura *(daimon,* esto es, demonio) contradictoria: impura, mas purificadora. De Fernando, Bruno dice: «Aunque sin duda era un canalla..., había en él cierta especie de pureza, aunque fuera una pureza infernal» (página 598). Mientras los oráculos y los adivinos son los voceros del aciago destino de Edipo, Fernando «conoce» su destino con toda certeza (p. 555) y se deja caer hasta él. Edipo sólo al final dice: «Pero corra mi destino, adonde-

quiera corra»[55]. Como Edipo, Fernando despierta en su
lector piedad y terror; sin embargo, lo que lleva al primero
a matar a su padre, Layo, es su naturaleza colérica. Fernando no mata a su padre, pero lo odia y lo rechaza y suele ser
dominado por tremendos accesos de ira (p. 613). En tanto
que en *Edipo Rey* la tragedia es desatada por la peste que
contamina a Tebas, en *Sobre héroes* el clímax de la tragedia
de Fernando y Alejandra se produce simultáneamente casi
con la del país (incendio de las iglesias): en ambas obras se
toman hechos reales —la peste, los incendios— y el simbolismo es el mismo: peste e incendios son la faz física de un
pecado que no es individual sino social, porque lo que destruye a Edipo (como a Fernando) no son los hechos, sino la
relación entre ellos, relación que está prefijada, determinada —y castigada— por la sociedad. Yocasta comprende, antes que nadie, su incesto, e incapaz de afrontar esa verdad,
se suicida. Alejandra, en el instante en que, junto con su
padre, alcanza toda la profundidad de su drama, lo mata y
se mata. Afrontar la sanción del mundo y su propio juicio
hubiera sido superior a sus fuerzas. Cuando el Mensajero
anuncia el castigo que se ha infligido Edipo, dice: «Los
sangrientos ojos empapaban la barba, y no manaban gotas
de sangre fresca, sino que a un mismo tiempo corría *negra
lluvia* y *sangriento granizo*»[56]. Y en Fernando hay igual
división de los líquidos que manan de sus cuencas después
que el gigantesco pájaro le ha destrozado los ojos: «Y volví
a percibir..., una vez más, el deslizarse hacia mi mejilla del
líquido cristalino y *de la sangre:* líquido que perfectamente
diferenciaba por ser *el cristalino tenue* y *helado,* y el otro,
la sangre, caliente y *viscoso*»[57]. Edipo se arranca los ojos
porque le son innecesarios, ya que el hombre está ciego
frente a las fuerzas del azar, que lo arrastran inexorablemente. El hombre no hace su fortuna, la recibe, indefensa
criatura frente a los decretos de los dioses. Fernando, pre-

---

[55] *Edipo Rey,* vs. 1451 y ss. (De la traducción de María Rosa Lida en
Introducción al teatro de Sófocles, Buenos Aires: Losada, 1944, 205 pp.)
[56] *Op. cit.,* vs. 1268-1279. El subrayado es nuestro.
[57] Pp. 520-521. El subrayado es nuestro.

cisamente, repite un «axioma maniático» (p. 638) al decir de Bruno: «No hay casualidad, sino destino» (*ibidem* y también p. 554), y empieza a ver claro cuanto más se sume en la negrura y tinieblas del mundo subterráneo de los ciegos. Junto a la contradición con que Sófocles ha amasado su personaje (al igual que Sábato), la ironía es otro factor fundamental en su drama, y ya sabemos en qué medida la usa Sábato y hasta qué punto Fernando es irónico. Pero en esto Sábato se aparta del dramaturgo griego, ya que en él es más lícito hablar de sarcasmo despiadado que de la clásica ironía.

A diferencia de Juan Pablo Castel, completamente explicado por sus actos, pensamientos y sueños[58], Fernando resulta al final un enigma, como lo es también todo el «Informe». De allí que ambos puedan dar lugar a tantas conjeturas y que su simbología resulte un tanto distinta para cada crítico o lector. Pero es evidente que si una de las mayores objeciones que pudieran hacérsele al protagonista de *El túnel* es su condición de personaje de clínica siquiátrica, lo que limita su ejemplaridad humana, no sucede enteramente lo mismo con Fernando. Además, mientras que *El túnel* puede, sí, adscribirse en su totalidad a complejos sicoanalíticos (no sólo freudianos), en *Sobre héroes* (como en la tragedia sofoclea, para retomar el paralelo) esas perturbaciones constituyen *uno* de los elementos del libro. Por esto es que insisto en una interpretación más atenida a Sófocles que al clásico complejo sexual freudiano. Aclaremos: el complejo sexual existe en Alejandra y Fernando. Hemos subrayado sus símbolos, pero contra lo que estamos es contra la actitud de reducir todo el «Informe» al conflicto sexual, que es lo que hizo O'Neill, por ejemplo, en

---

[58] Los tres sueños que Fernando relata (pp. 442-443; 516 y ss., 563) contienen gran porción de elementos fantásticos, por lo que su interpretación sólo puede ser muy general: indican un peligro que pende sobre Fernando, un destino aciago: están llenos de afectos negativos —miedo, ansiedad sobre todo—. Son la trayectoria de su vida que termina en las tinieblas o, si volvemos al complejo edípico, en el útero materno. El significado de los ojos: el más importante o quizá el único elemento —la visión, esto es, la comprensión— que le permitiría escapar a su destino.

Mourning Becomes Electra: la tragedia de los atridas reducida a lo sexual. En el «Informe», el incesto constituye, como el «complejo de Edipo» en cierta medida en cualquier ser humano normal, *uno* de sus elementos, pero no el todo. Porque si hubiéramos de reducir la búsqueda de Fernando a términos freudianos, tendríamos un caso patológico en el que habría que admirar la maestría para describir una personalidad enferma. En su lugar, lo que esa búsqueda hurga son las esencias últimas del hombre, y el incesto es un vehículo para llegar a ellas, como pudo serlo cualquiera otra aberración síquica o física. Se podrá argüir que hay una reiteración de lo edípico en Sábato y no lo negaremos. Mas no creemos —y nos apoyamos en el texto para ello— que lo edípico freudiano sea lo más operante en Sábato. Ya dimos una buena lista de situaciones paralelas entre *Sobre héroes* y el *Edipo Rey*. Cabe agregar unas pocas consideraciones más en apoyo de esto. Lo que Fernando ha hecho en el pasado no nos interesa en demasía. El mismo personaje parece decírnoslo al desconectarse de familia y hechos pretéritos. Pero lo que sí es importante es su investigación (que en ocasiones le hará rememorar hechos de su pasado), porque sólo mediante ella conocerá la verdad que busca, aunque le cueste la vida. En *Edipo Rey,* la tragedia de Edipo consiste, precisamente, en tener que sondear su pasado, salir de su engaño y someterse al castigo. Ese sondeo y el descendimiento de Fernando son, pues, equivalentes. Otra semejanza es que en ambas piezas parece decirse que en las peripecias, complejas e inesperadas, de la vida se puede percibir un diseño, sin sentido mientras se ejecuta, claro hacia el fin de la vida, y que ese diseño sugiere la presencia de una fuerza no humana que lo va dibujando, fuerza que es despiadada e invencible. Por fin, ese Edipo que obliga a que se le arroje la verdad, como ese Fernando que tercamente insiste en su investigación, simbolizan la conciencia que se asoma a la revelación de la subconsciencia.

Queda por aclarar el problema de por qué Sábato ha elegido los ciegos como centro de esa gran metáfora que es el «Informe». Sábato ha afirmado muchas veces que el problema de los ojos lo obsesionó siempre [59], lo mismo que el problema de la ceguera. En *El túnel,* recuérdese, Allende es ciego. Pero lo que Sábato no puede contestar es por qué ese tema lo obsede o cuál es su significación [60]. No cree que una interpretación sicoanalítica sea suficiente. En *El escritor y sus fantasmas* declara que sí, que le pasa algo con los ciegos: «Debo confesar que siento ante ellos un extraño y ambiguo sentimiento, como si estuviera ante un abismo en medio de la oscuridad. Sí, siento algo en la misma piel, algo que no puedo precisar ni explicar» (p. 18). Y esa misma experiencia personal, desarrollada «hasta el delirio» *(ibidem)* en Fernando, resultó en el «Informe». Discutiendo personalmente este problema, una amiga común expresó una hipótesis que dio que pensar a Sábato y que, en cierta medida, le pareció exacta: esa elección es la encarnación de prejuicios discriminatorios contra minorías indefensas. ¿Por qué los ciegos? (¿Por qué los judíos o los negros?) Se toma una minoría, se le atribuye el origen de todos los males que padece la humanidad —o la comunidad— y se la persigue hasta el fin. Esto es una expiación. Es totalmente irracional, y sólo rastreando el origen —síquico y físico, mental— de tal prejuicio podríamos estar en condiciones de dar una explicación satisfactoria. Pero esa tarea parece más apta para el sicólogo o el siquiatra que para una modesta profesora de letras...

Contrapunto histórico: La Marcha de Lavalle

Al comenzar nuestra interpretación de *Sobre héroes* nos referimos a este tema histórico que Sábato ha introducido, llamándolo *leit motiv.* Dijimos entonces que esta épica marcha aparece en la primera parte (capítulo XII) y es retoma-

---

[59] Véase, entre otros, la entrevista —ya citada— en *Mundo Nuevo,* p. 17.
[60] *Ibid.,* p. 18.

da en la cuarta parte (capítulos IV a VII). Tratemos de explicar ahora el motivo por el cual se ha insertado esta narración lírica en esos dos específicos capítulos y cuál es su significación.

Recordemos que el capítulo XII es aquel en que Martín desciende a los cuartos de la planta baja de la casa de Barracas y allí conoce al abuelo Pancho. Recordemos también que el pobre anciano no hace sino rememorar el destino de la trágica legión de Lavalle, en la que perecieron tres de sus antepasados. En sus momentos más lúcidos, el patriarcal viejo habla desordenadamente de episodios de la vida de la República que están unidos para siempre a la historia familiar, pero una y otra vez reaparece en su discurso la obsesión con Lavalle. Si Sábato se hubiera limitado a esto, el episodio habría resultado más o menos anodino. El abuelo Pancho se hubiera diluido —como personaje—, y todo el episodio habría acentuado el ambiente lunático e insano en que vivía Alejandra. Pero Sábato intercala la visión de la ininterrumpida marcha de la legión, en un doble escorzo simultáneo y contrapuntual: no sólo el hoy sino el ayer, ligados, inseparables; no sólo lo que es, sino también lo que fue. Crea así una atmósfera épica que envuelve al lector y le transmite la impresión de una conciencia colectiva. Ha dado vida, ha dinamizado esa visión que el abuelo Pancho tiene en su cabeza, contraponiendo el pasado al presente de una manera casi poética.

Son ocho párrafos, singularizados en bastardilla para mostrar, hasta visualmente, el contrapunto. Cada párrafo se apoya en un «pie», proporcionado por los seres actuales —Alejandra, el abuelo Pancho— y hay estrecha relación entre ese «pie» y el contenido del contrapunto. Se inicia al evocar Alejandra la guerra civil, y por medio de repeticiones, de parejas de adjetivos, de simetrías, de polisíndeton, se crea un ritmo, una atmósfera angustiante y se da una imagen total de esos «ciento setenta y cinco hombres» y «una mujer» que huyen «hacia el norte» (pp. 235-236).

El segundo párrafo —cortado en dos partes—, atraído también por una observación de Alejandra acerca del coronel Acevedo, nos pone este personaje viviente frente a nosotros, nos mete en sus pensamientos y nos anuncia su futuro aciago (pp. 239-240).

El carácter épico de este «canto» se aprecia bien en el tercer párrafo, hecho a base de fuertes pinceladas y de los versos de una vidalita que canta la muerte del general (páginas 241-242).

El anciano calla. Martín no sabe si duerme o piensa. Y el contrapunto se renueva con uno de aquellos jinetes del pasado —Pedernera— que «piensa» (p. 243). De la tercera persona se ha pasado a la primera singular y ahora a la primera plural. Pedernera sobrelleva los sufrimientos de todos; es la conciencia de los ciento setenta y cinco hombre que piensa y se interroga.

Cuando el abuelo vuelve a hablar, es para asegurar las cualidades excepcionales de Lavalle. Así invocada, la sombra del general se hace presente en un soliloquio (p. 244) en que pasa revista a su vida y ve su cuerpo reduciéndose a la nada y volviendo a la tierra.

«Había que salvar el cuerpo del general a toda costa», dice el viejo Olmos, y al conjuro de esas palabras se adelanta el comandante Danel, inseparable de Lavalle en vida y ahora en la muerte, evocándolo tal como lo conoció (páginas 246-247).

«—Nada más que treinta y cinco leguas —murmuró de pronto el viejo.» Y la respuesta contrapuntual afirma: *«Sí, quedan treinta y cinco leguas»* (p. 248). El número de leguas y el de los días, el ruido de los cascos de las caballerías, animan la simple afirmación, la vuelven corpórea, vívida.

Llegamos de este modo al último cuadro. «La descomposición del cadáver —dice el abuelo— obliga a descarnarlo.» Así, la alegoría se reinicia por última vez, y Danel permanece en nuestra retina hundiendo el cuchillo en la carne podrida de Lavalle, junto al arroyo Huacalera (página 249).

Éste es, pues, el primer ciclo del contrapunto histórico. Conciso, sobrio en las emociones que desea comunicar,

el escritor, disimulando en sus criaturas, desde diferentes
ángulos, ha conseguido componer una alegoría sugestiva
precisamente, como iluminación de la obsesión histórica de
su personaje. La tragedia del coronel Acevedo y la de los
Olmos se entronca con la del país para ser una sola.

Pasemos al segundo ciclo. En el capítulo IV de la última parte regresamos a la odisea de Martín, enloquecido
por la muerte de Alejandra. Ronda lo que ha quedado del
Mirador, entra en la casa, ahora definitivamente abandonada, e ingresa en la atmósfera intemporal de la habitación
del abuelo, poblada de sombras del pasado, de susurros de
historias envejecidas y olvidadas. Por medio de Celedonio
Olmos —tatarabuelo de Alejandra—, Sábato vuelve a la
visión épica, pero de hechos anteriores a la muerte de Lavalle, los del comienzo del fin del general, después de la
derrota de Famaillá. El Lavalle que se anima ante el lector
es un ser vencido y solitario, de esperanzada tozudez, in-
genuo y resignado, cuya escarapela y poncho —subraya
Sábato— ya no son celestes sino que han tomado el *color*
de esa *tierra* que Lavalle tanto ama y por la que muy pronto morirá. En una mezcla de narración omnisciente y monólogo interior indirecto se van mostrando las preocupaciones y reacciones de los hombres que acompañan al general,
en especial las del joven alférez Celedonio Olmos. Es de
destacar que el muchacho —herido y taciturno como sus
otros compañeros— se aferra a los restos de aquellos ideales que le fueron inculcados desde su niñez. Para expresar
esta idea Sábato se vale de una metáfora: Olmos está luchando por defender las «claras y altivas torres de su adolescencia, aquellas palabras refulgentes que con sus grandes mayúsculas señalan las fronteras del bien y del mal,
aquellas guardias orgullosas del absoluto» (p. 667). Es de
observar que, en el descenso de Fernando, la deidad también está rodeada por torres. Son las mismas de Olmos, ya
entonces «ensuciadas por la sangre y la mentira, por la
derrota y la duda» (p. 668), y en Fernando definitivamente
hundidas en la escoria.

La visión se esfuma cuando la última esperanza de Lavalle —Salta— se hace añicos y cuando Hornos y Paz lo abandonan. Los ciento setenta y cinco hombres se pierden en su inútil marcha hacia Jujuy. De igual modo, Martín corre infructuosamente hacia Bordenave para saber, para tratar de desentrañar una verdad que presiente, pero que necesita palpar. Y así como se marcha de casa de aquel hombre más desolado que nunca, así también prosigue, en una nueva viñeta (p. 674), la marcha de la trágica legión, en la que Celedonio Olmos —como Martín— vive el caos de un mundo al que trata de ordenar en función de lo que le enseñaron allá en su infancia, pero sin conseguirlo. Preguntas retóricas, suspensión, repetición, son los elementos que agudizan la sensación de total impotencia que embarga al joven alférez.

Martín, entre tanto, ha continuado recorriendo sin sentido la ciudad y ahora yace en su camastro, preguntándose —como Pedernera en el reiniciado contrapunto histórico (páginas 676-677)— por el secreto del tiempo. Es interesante observar que mientras al principio de esta parte era Lavalle mismo el que se explicaba, ahora es uno de sus hombres quien, desde fuera, nos comunica su imagen. Al final de este párrafo Sábato consigue dar una melancólica visión del panorama en que aquella tragedia se desarrolla: «Pedernera mira sombríamente hacia los cerros gigantes, con lentitud su mirada recorre el desolado valle, parece preguntar a la guerra cuál es el secreto del tiempo...» (p. 677). Son tres oraciones independientes yuxtapuestas más una subordinada sustantiva (interrogativa indirecta) que, en sucesión rítmica cada vez más breve, reúnen lo exterior y lo mental para sintetizarlo en la emocionada inquisición final.

Martín continúa su peripecia, desafía a Dios a que salve su vida, de la que está dispuesto a prescindir ya que nada tiene sentido. En idéntico caos de traiciones y abandonos, la vida de Lavalle se extingue, y el próximo párrafo del contrapunto (pp. 681-683) es de una suave y serena poesía que exalta al héroe desahuciado. La visión es a la vez dinámica —«siguen con sus ojos»— y estática —«piensa Frías, piensa Acevedo, piensa Pedernera, Damasita Boedo piensa, el general piensa»— para volver a lo dinámico cuando «ven» la cúpula y las torres de Jujuy. Martín echa su vida por la ventana, como la ha echado el general por una patria que lo desconoce, y mientras el muchacho increpa a Dios, el hombre maduro se vuelve hacia el amor que dio calor a su vida.

Pero mientras Martín despierta de su pesadilla al amparo de Hortensia Paz, Lavalle es asesinado (p. 684). Y mientras el muchacho lucha con el sueño, que resume su frustración y su angustia, los hombres de Lavalle comienzan su huida hacia Bolivia para salvar el cadáver del amado jefe (página 685).

Martín ha encontrado fuerzas para volver a vivir: él no puede desertar del pelotón —como le dijo Bruno una vez— de seres como Bucich o Tito o Bruno y Hortensia. En la vida hay siempre algo, no importa cuán insignificante, que justifica y apuntala nuestra lucha. Él también, al igual que Celedonio Olmos (pp. 689-690), acaba de descubrir una torre «refulgente, indestructible» por la que vale la pena vivir. Se marcha entonces a esa Patagonia blanca, fría, pura, en tanto que los fieles oficiales de Lavalle corren hacia el norte (página 692), en una carrera contra el tiempo y la descomposición de la carne (p. 693): «treinta y cinco leguas», «tres días de marcha», «galope tendido», «cadáver que hiede», «tiradores que cubren las espaldas», «treinta y cinco leguas», «cuatro o cinco días de marcha» *(ibidem),* son las fórmulas de esa urgencia desesperada, de ese ritmo apresurado con el que huyen los hombres de Lavalle.

El contrapunto llega a su clímax al repetirse la misma esecena que sirvió de cuadro final al primer ciclo: el coronel Danel descarnando el cadáver putrefacto de Lavalle. Pero aquí el alma del general habla a las lágrimas de su subordinado, desahoga su tribulación por la muerte de Dorrego, hace la apología del sargento Sosa. Esto es, se muestran los errores y crímenes de la patria y se rinde homenaje al hombre del montón, al rostro invisible que conforma el visible de la Argentina, al representante verdadero de la nacionalidad que en un *tachito* —diminutivo de afecto—, es decir, en su mo-

desto corazón, guardará para siempre la reliquia del héroe.
Sábato ha hecho en este párrafo (pp. 695-698) un contrapunto dentro de otro, ya que al soliloquio del alma del general se opone —entre paréntesis— lo que va sucediendo a
sus despojos físicos: «(Los huesos ya han sido envueltos...)»,
«(Los fugitivos han colocado ahora el bulto...)», «(Pedernera da orden de montar...)», con lo que acentúa la división
del plano real, prosaico, pedestre y la del espiritual, imponderable.

En el último cuadro (pp. 699-700), los ciento setenta y
cinco hombres y una mujer están ya en la frontera, mirando
tristemente hacia el sur de su esperanza, de su pasado y quizá
de su porvenir; hacia el sur hacia el que las aguas arrastran la
pobre carne de Lavalle, que ayudará a germinar una nueva
vida en ese ciclo perennemente renovado de la naturaleza.
Hacia ese sur al que también se dirigen Martín y su custodio
Bucich con iguales esperanzas e inquietudes [61]. Sábato cierra
esta epopeya con la evocación mítica —que pone en boca
de un indio— de la sombra del general, evocación que trae
a nuestra mente otra sombra argentina, la de Don Segundo
alejándose tras una lomada.

Nos parece evidente que Sábato ha querido hacer un
llamado de atención a su pueblo ante el riesgo de olvidar su
antigua lucha por la libertad y sus ideales y de caer en el cinismo y la indiferencia. Pero, a través de ello, Sábato se ha
esforzado por hacer evidente «la contradición y a la vez la
síntesis que en todo hombre hay entre lo histórico y lo atemporal» [62]. Es explicativo al respecto el siguiente fragmento del
contrapunto:

> Los huesos ya han sido envueltos en el poncho que alguna
> vez fue celeste pero que hoy, como el espíritu de esos hom
> bres, es poco más que un trapo sucio; un trapo que no se sabe
> bien qué representa; esos símbolos de los sentimientos y pa-

---

[61] Bucich y Martín, al iniciar su marcha miran el cielo y admiran la grandeza del país que tanto quieren mientras sus orincs fecundan la tierra en un
contrapunto con aquellas aguas del arroyo Huacalera que, enriquecidas con la
carne de Lavalle, darán savia nueva a las raíces.
[62] El escritor, p. 21.

siones de los hombres —celeste, rojo— que terminan finalmen-
te por volver al color inmortal de la tierra, ese color que es
más y menos que el color de la suciedad, porque es el color
de nuestra vejez y del destino final de todos los hombres, cua-
lesquiera sean sus ideas (p. 696).

Es decir, Sábato quiere trascender el *uno* para asir lo *uni-*
versal, ahonda su circunstancia —pasada, presente— para
descubrir la eternidad. Compone un contrapunto épico argentino que subraya la condición humana, la vuelta al polvo
y el ciclo que recomienza una vez más.

En la polarización norte-sur de los dos héroes (Lavalle-
Martín) hay otra prueba de ese afán totalizador del novelista,
esa necesidad de abarcar el ámbito total de su patria. Hay,
además, razones históricas: el norte fue el escenario de las
más cruentas luchas por la independencia; el sur es todavía
hoy la tierra del futuro, la de la esperanza. Obsérvese que
los héroes del pasado vuelven sus miradas insistentemente
hacia el sur, no sólo en virtud de lo que dejan allí, es decir,
de los afectos, sino en razón de lo por venir.

Estas dos partes de la novela (la primera y la cuarta), en
que aparece el contrapunto histórico, son las que tienen como
figura central a Martín. Opuesto a él, en el contrapunto, se
yergue Celedonio, tan joven como Martín y tan confundido
como él; pero mientras el muchacho de hoy no tiene nada
en qué afirmarse (su familia está desquiciada, su nación en
tumulto, su sociedad en crisis), el alférez de una Argentina
naciente busca refugio en los principios con que se nutrió, en
el orden anterior que ahora ha sido desquiciado, y la síntesis
entre ambos personajes va a realizarla un mismo movimiento
espiritual: la esperanza, tan propia del ser humano en cualquier tiempo y lugar y a despecho de cualquier circunstancia.

Otro detalle que debe señalarse aquí es la presencia de
los jefes que desertan a Lavalle, hombres mezquinos y pequeños, políticos que, como los de hoy, no quieren arriesgar
su seguridad, no tienen lealtad a nadie que no sea ellos mis-

mos. La patria en la Argentina, parece decírsenos, es cosa secundaria. Entre esos hombres que traicionan y se venden y estos otros que delante de las iglesias blasfeman y queman y se solazan en un infame trueque de objetos del culto, no hay una distancia de un siglo y medio, sino una permanencia de humanidad, un algo inmanente a la raza humana.

*La teoría del ser nacional argentino
en «Sobre héroes y tumbas»*

Marcelo Coddou

El planteamiento central de la obra se nos proporciona desde una bipolaridad que intenta la reconciliación entre los extremos. Por una lado una faceta oscura, de simbología compleja y multívoca, de ambigüedad y misterio. Por el otro, claridad meridiana de un pretendido realismo, en una línea de concreciones más o menos absolutas.

La intencionalidad última de *Sobre héroes y tumbas* se nos ofrece como un acercamiento testimonial a la problematización de la realidad argentina y como una dilucidación de los aspectos más profundos de la existencia. Novela que pretende ser señalización y toma de conciencia de una circunstancia histórico-ambiental y novela que se realiza, de un modo más logrado, en una búsqueda de las esencialidades del existir humano y de su condición.

A este género ficticio, que es al que pertenece *Sobre héroes y tumbas,* Sábato lo denomina «problemático» y lo define afirmando que «repudia el ingenio y la superficial intriga» y, por el contrario, «ofrece el apasionado interés que suscita la complicación problemática del ser humano, ese ser que se debate en medio de una tremenda crisis» *(El escritor y sus fantasmas,* p. 94). Concibiendo a la existencia en último término como inaprehensible, Sábato ve al novelista como un explorador de los estratos más ocultos de la hominidad.

La primera cuestión grave que *Sobre héroes y tumbas* plantea al lector-crítico radica en el hecho de que falta en ella un centro de orientación preciso que esté suficientemente explícito. Esto ocurre tanto en relación con lo medular de su «idea» como con respecto a los elementos secundarios de la fábula y es lo que ha originado, precisamente, la desorientación de gran parte de la crítica referida a la obra de Sábato, la cual, pretendiendo encontrar solución racional definitiva y unívoca a los problemas interpretativos que la novela ofrece, se desespera por garantizar hasta un grado absoluto sus propias consideraciones.

Si nuestra actitud como lectores la integramos al proceso interpretativo con el que *Sobre héroes y tumbas* nos exige cumplir, podemos observar que el autor nos proporciona un mundo que, con ser concluso en sí mismo, posee una riqueza tal que permite la multiplicidad de puntos de análisis. Su capacidad de resonancia es enorme y, sin embargo, no pierde por ello su esencial identidad.

Sobre héroes y tumbas tiende a un valor intencionadamente perseguido: en ella Sábato quiere que el lector goce, de un modo siempre diverso, un mensaje que de por sí es plurívoco. Esto lo logra por la esencial morfología con que ha realizado su novela, en la que no nos narra un solo asunto y una sola intriga, sino que ellos se entretejen en un complejísimo y logrado diseño que resulta eficaz al propósito.

Si bien es cierto que *Sobre héroes y tumbas* no es una novela de tesis en el sentido estricto del término, las afirmaciones que sobre el mundo podemos llegar a determinar en su modalidad estructural nos permiten concluir que ella obedece a una cosmovisión asumida en todos sus grados por el creador.

Hacemos nuestra la afirmación de Umberto Eco que toda forma artística puede verse como metáfora epistemológica: «en cada siglo, el modo de estructurar la obra de arte refleja —en sentido lato, a guisa de semejanza, de metaforización, precisamente, resolución del concepto en figura— el modo cómo la ciencia, o sin más, la cultura de la época, ven la realidad». Es en este sentido que nosotros consideramos la obra de Sábato como reflejo estético de una *concepción cósmica existencialista,* por un lado —el fundamental, estimamos— y como imagen plasmadora de la noción filosófica de *posibilidad,* por otro, que manifiesta un dejar de lado el racionalismo silogístico que concibe un orden absoluto como rector del mundo. Debido a esto último aparece *lo indeterminado* como elemento cognoscitivo de la realidad. En *Sobre héroes y tumbas* se nos da todo un clima de imperfección que va constituyéndose en ese lenguaje de *sugerencia* o *insinuación* que para la obra ha estudiado agudamente Ortega Peña. Así nos explicamos también las superposiciones temporales y aun espaciales en que se entremezclan, retuercen y diluyen seres y situaciones de modo que el tiempo múltiple se teje y desteje en la estructura de la novela para adherir mejor al objeto y su vigencia, según podríamos comprobar.

La descripción de las estructuras comunicativas de *Sobre héroes y tumbas* permite demostrar las relaciones que éstas tienen con el *background* de la obra como hecho inserto en un recurso histórico. La novela ha venido a significar un intento —veremos hasta qué punto logrado o frustrado— de aprehensión del ser enmarañado y contradictorio de la Argentina profunda.

Sábato ha defendido en reiteradas oportunidades el carácter auténtico que según él tiene la *preocupación metafísica* que impregna toda la narrativa del Plata. Ella ha venido a ser —en opinión del autor— un testimonio del trance angustioso del existir americano que exige, de todo creador responsable, una actitud denunciatoria y dilucidatoria. Siendo la obra literaria un modo de formar un cierto material, un mundo ideológico, puede ella «llevar su discurso sobre el mundo, reaccionar a la historia de la cual nace, interpretarla, juzgarla, hacer proyectos de ella a través de este modo de formar» (Eco). Será a través de la fisonomía específica de *Sobre héroes y tumbas* como podríamos encontrar la historia de la cual ha nacido.

Queriendo dar cuenta de una vasta realidad y señalar los aspectos que constituyen la condición humana, Sábato ha realizado una obra que exige una consideración morosa del estrato propio de las objetividades, que posibilite la sensibilización de la 'idea' básica de su obra, centro de la visión del mundo asumida por el creador. Trataremos de determinar cuál sea ésta desde una perspectiva que se nos aparece como poseedora del más alto interés: la teoría del ser nacional argentino que la obra nos ofrece.

De la galería más o menos amplia de personajes que se realizan como tales en *Sobre héroes y tumbas,* Bruno es el que aparece dotado de una individualidad más ceñida y concreta. Es una especie de *alter ego* del autor, el personaje-reflexivo en quien están vertidas las conceptualizaciones más claramente definibles de Sábato. Constituyendo entidad fundamental del cosmos novelístico, Bruno sin embargo no alcanza un desarrollo verdaderamente autónomo, no logra liberarse de la guía siempre impuesta por el creador. Sus pensamientos son los del propio Sábato, los mismos que éste ha reiterado en entrevistas, conferencias y libros ensayísticos. Por ello Bruno pertenece a la *faz racional* de la novela y sus opiniones están plasmadas en verdaderos discursos, inequívocos, claros y seguros en su forma. Frente a los personajes que viven en penumbras como Martín, Alejandra y Fernando, Bruno está presentado bajo una luz absoluta que revela hasta lo más intrincado de su intimidad... que por momentos deja mucho de ser suya, por ser tanto la de Sábato.

Bruno se pregunta —como su creador lo ha hecho reiteradamente— sobre «lo nacional-argentino». Y se responde calificando. No logra una aprehensión de la dialéctica viva de su realidad porque ésta no se le ofrece estructurada de acuerdo con un sistema en que se superen los contrarios. Todo lo nacional es para Bruno confuso y caótico. Alejandra viene a sintetizar ante sus ojos y los de Martín —y no de un modo dialéctico, sino por acumulación de rasgos— lo que a ellos se les ofrecían como caracteres esenciales y definitivos de la historia argentina: «lo caótico y encontrado, lo endemoniado y desgarrado, lo equívoco y lo opaco». Y esta adjetivación múltiple (que reproduce la que Sábato ha utilizado para calificar al tango, encarnación, según él, de las notas distintivas de lo argentino) no da cuenta de una complejidad verdadera, sino sólo del método y del enfoque propuestos. La consideración se revela así lastrada por un estatismo sustancialista. Bruno lo que quiere es lograr una categoría abstracta, esencialista, a través de la cual pueda dar el ser mismo de la Argentina. Y es que así como él, piensa también Sábato. No es tarea difícil confrontar los postulados propuestos por el personaje de la novela con los desarrollados por el autor en sus ensayos. Cuando Bruno dice «nuestra desgracia era que no habíamos terminado de levantar una nación cuando el mundo que le había dado origen comenzó a crujir y luego a derrumbarse, de manera que acá no teníamos ni siquiera ese simulacro de la eternidad que en Europa son las piedras milenarias», lo que está haciendo es repetir —y en términos muy análogos— una idea de Sábato, muchas veces sostenida por él: «Nuestra tragedia —dice por ejemplo en *Heterodoxias,* de 1953— consiste en buena parte en que no habíamos terminado de hacer un país cuando el mundo comenzó a derrumbarse; esto es como un campamento en medio de un terremoto.» (Puede también confrontarse *Es escritor y sus fantasmas, passim.*)

Luego, no es apresurado concluir que el personaje no es tanto un testimonio de la realidad objetiva como de la ideología misma de su creador. Y si en ese sentido prosiguiéramos nuestro análisis, tendríamos que llegar necesariamente a plantearnos hasta qué punto esta cosmovisión le permite a Sábato testimoniar la realidad total. En otras palabras, en qué consistiría la validez real de su visión de la condición humana y de la realidad objetiva de la Argentina.

No ha errado la crítica que ha señalado la filiación de Sábato con el ensayismo intuicionista de los años 30 en que se hablaba de una Argentina invisible, carente de historia, signada por un pecado original. Hablando de *lo nacional* Sábato no considera ni históricamente ni hace distinciones de clases, pasa por sobre los acontecimientos y las situaciones. Iris Ludmer, estudiando este punto, señala a modo de conclusión: «E. S. escribe *Sobre héroes y tumbas* en 1961, lo ubica en 1955, piensa en 1930: en el ser nacional, en el caos, en el resentimiento de 'el argentino', en los lugares comunes, en su inspiración literaria.»

La situación caótica, la contradición insalvable por esencial, el Rencor y el Resentimiento del argentino, todos los rasgos pretendidamente inherentes al ser nacional argentino están ofrecidos por Sábato en un nivel de absolutos sin la mostración de sus condicionamientos.

Junto a Bruno, los otros personajes. Más que portadores autónomos de una acción, en ellos pareciera venir a concretarse el pensamiento abstracto que sobre Argentina realiza el *alter ego* del autor. No puede desconocerse el carácter auténticamente bonaerense con que gran parte de ellos aparecen investidos, pero en su elaboración hay mucho de la mano del orfebre que sabe cincelar bien de acuerdo con los modelos que tiene ante la vista. Y en consonancia también con una postulación metafísica. Se unen en ellos los aspectos negros de una carga ética que responde a la concepción que Sábato tiene de *lo argentino,* con una cualificación positiva de sus atributos. Los elementos populares conllevan el Bien, frente a lo demoníaco encarnado en la burguesía y la aristocracia decadente. *Resultaría inútil buscar, sin embargo, una explicación de ese esencialismo en el pensamiento de Sábato.* No hay enfrentamiento dinámico de las clases, no hay razones concretas e históricas que justifiquen las bondades de esos personajes populares. Son así simplemente. Con lo que el testimonio empieza a perder carácter objetivo. Todo irá a dar en un fracaso, por falta de una visión real de los poderes auténticos de los elementos que intentan la superación.

Los leit motiv *de su obra —la soledad, el absurdo, la muerte, la desesperanza— nacen de esa concepción.* El carácter de atormentados que poseen sus figuras centrales, el clima de melancolía angustiosa en que se debaten, su resentimiento, el pesimismo (que según Sábato es también consubstancial al tango, «pensamiento triste que se baila»), la incoherencia, ambigüedad y contradictoriedad de los personajes, *son también expresión de la postura vital asumida por Sábato, y obedecen a la actitud filosófica de éste.* Pensamiento medular suyo es aquel que ofrece en reiteradas oportunidades y que sirve de sostén ideológico a los mundos de ficción que ha elaborado: *el hombre contemporáneo es problemático porque además de no saber lo que es, sabe que no sabe.* Y es por ello, piensa Sábato, que la literatura también se ha hecho problemática y ha de buscar en la atormentada realidad un orden y un por qué.

La pregunta que necesariamente nos debemos plantear es, entonces, para ser consecuentes con el propio autor, *cuál es ese orden y ese porqué que Sábato con su creación ha encontrado.* Intenta, en su ficción narrativa, determinar ese sentido del mundo que a él se le ofrece trágicamente misterioso. *El túnel* nos trae una respuesta desesperanzada (Castel dirá «En un planeta minúsculo en medio de dolores... morimos, mueren y otros están naciendo para volver a empezar la comedia inútil»). Pero en *Sobre héroes y tumbas,* en su cuarta y última parte, brinda Sábato lo que él llama su «metafísica de la esperanza». En los tres primeros momentos de la novela hay un bucear implacable en las almas atormentadas de personajes que viven y desviven en el *caos babilónico de Buenos Aires* (expresión de E. S. en *El otro rostro del peronismo,* Buenos Aires, 1956, p. 16). *Pero en medio de esa desolación casi absoluta surge la posibilidad salvadora.* Lo dice Bruno:

Si la angustia es la experiencia de la Nada... ¿no sería la esperanza la prueba de un Sentido Oculto de la Existencia, algo por lo cual vale la pena luchar? Y siendo la esperanza más poderosa que la angustia (ya que siempre triunfa sobre la angustia, porque si no todos nos suicidaríamos), ¿no sería que ese *Sentido Oculto* es más verdadero, por decirlo, que la famosa Nada? (p. 178).

Y serán dos personajes menores en la obra los portadores de la salvación del angustiado Martín: una es Hortensia Paz, personaje que es la antítesis del intelecto racionalista, *que en su generosidad y bondad se le ofrece al muchacho como una madre. El otro es el camionero Bucich.* La pobre y resignada provinciana y el inculto hombre del pueblo. Pero queda siempre abierta la gran duda: ¿en qué consiste ese *Sentido Oculto de la Existencia* por el cual dice Bruno que vale la pena luchar? Es una realidad cualitativamente positiva, pero que se ofrece como inaccesible a la mayor parte de los hombres y que carece de configuración concreta.

Pero hay todavía otra salida posible de ese *túnel* en el cual vive el hombre. *Ese camino sería el de la entrega a la actividad comunitaria. En varias oportunidades Sábato ha declarado que «aunque mortales y perversos, los hombres poderosos alcanzan de algún modo la grandeza y la eternidad. Podemos levantarnos una y otra vez sobre el barro de nuestra desesperación».* (Cfr. *Sobre el derrumbe de nuestro tiempo.) Y ello gracias a que somos no individuos sino personas, «síntesis de individuo y comunidad».* Ese encuentro con los otros permitiría, en el pensar de Sábato, superar la soledad: *fin individualista,* según vemos. La solidaridad entre compañeros se nos aparece en su obra como sobrepuesta a su pensamiento, no es una salida que intuyamos auténticamente arraigada a su concepción básica.

Pareciera ser válido sostener frente a tal planteamiento que «Sobre héroes y tumbas» *bordea esa literatura vanguardista que concibe al hombre ontológicamente independiente de toda relación humano-social.*

En la cosmovisión de Ernesto Sábato, determinable en el proceso de su creación, *el individuo es considerado solitario por esencia y no porque la soledad sea un destino*

peculiar suyo. El autor en sus postulados teóricos insiste
en que «la gran literatura es un ahondamiento en la condición del hombre» y *en que a esa sumersión en las profundidades corresponde un nuevo tipo de universalidad,* a la
que define como la del «subsuelo, de esa especie de tierra
de nadie en que casi no cuentan los rasgos diferenciales del
mundo externo. Cuando bajamos a los problemas básicos
del hombre —sigue diciendo Sábato— poco importa que
estemos rodeados por las colinas de Florencia o en las vastas llanuras de la pampa». *(Realidad y realismo en la literatura de nuestro tiempo,* p. 16.)

*Nos atrevemos, sin embargo, a postular cierta incon-
secuencia entre ese grueso planteamiento programático de
Sábato y su realización a través de la novela.* En efecto: tal
como ha señalado con agudeza la estética lukacsiana, cuando un escritor de convicciones vanguardistas, como Sábato,
tiene además «verdadero talento», sus creaciones han de
expresar, hasta cierto grado, un *hic et nunc* concretos. Es
el caso del Dublín de Joyce y de la Monarquía de los Habs-
burgo en Kafka y Musil, que se hacen sensibles en la atmósfera que envuelve toda la trama de sus novelas. Así,
también en Buenos Aires, Sábato opera como elemento importante de su narrativa. Más aún, en otras oportunidades
el mismo autor ha negado la posibilidad de un encuentro
con lo esencial lejos de la circunstancia. Consultado sobre
qué le llevó a escribir un ensayo sobre el tango (Cfr. de
César Tiempo «41 preguntas a Ernesto Sábato». En: *Índice,* núm. 206, Madrid, 1966), sostuvo:

> Porque el tango está entrañablemente unido al alma del por-
> teño y *esa alma es el objeto fundamental de mi búsqueda.* Por-
> que me interesa la condición humana y la condición humana
> sólo se puede indagar hoy y aquí. *La única posibilidad de al-
> canzar la universalidad —sostiene más adelante— es ahondan-
> do en lo que tenemos más cerca.*

No obstante estas declaraciones —y aquéllas en algún
modo antitéticas que anotábamos antes— la obra misma

de Sábato nos da la clave última para aquilatar en su justa medida el problema.

Pensamos que en la *circunstancia argentina* es un factor operante en la novela de Sábato, pero *no creemos que sea parte integrante de la esencialidad artística de la obra.* Es cierto que no podemos considerar ni a *El túnel* ni a *Sobre héroes y tumbas* meramente como una «retórica intención de encuadrarnos en una problemática contemporánea», según dice de la primera J. C. Portantiero, pero tampoco nos parece que ése sea un motivo último del crear de Sábato. Por lo demás, ha sido el mismo novelista quien se ha encargado, en las más reiteradas ocasiones, en insistir que la literatura de hoy debe ser fundamentalmente un intento de resolución de la angustia del hombre ante los *eternos* enigmas de la vida y de la muerte.

Angustiado el autor mismo por esos problemas, difícilmente ha podido poner la tónica fundamental de su crear en lo que constituye la «esencia objetiva de la realidad argentina». *Menos aún ha contribuido a levantar las bases de una literatura que encontrase los contenidos de lo social en las intimidades de la «doble quiebra»* a que alude en algunos de sus ensayos.

Una línea fundamental de la concepción filosófica del mundo que concibe como una categoría ontológica la soledad esencial del hombre es aquella que conduce al predominio de lo patológico en la literatura vanguardista. En este sentido es certera la afirmación de Lukács de que «la ontología del estado de 'yecto', del individuo solitario, *tiene como consecuencia en la literatura la desaparición de lo típico real* y el *conocimiento y descripción solamente del tema abstracto, de los extremos abstractos: banalidad cotidiana y excentricidad».*

Un carácter extremo —*como el de Fernando en* Sobre héroes y tumbas— *tiende hacia lo verdaderamente excéntrico y lo patológico.* Y es presentado como polaridad con respecto a la banalidad promedio. Podría legítimamente impugnarse a Sábato su proclividad a agotar todas las posibilidades del ser humano en esta polarización. *Su premisa* ideológica no llega a ser la negación de la racionalidad de la existencia y de la relación entre los hombres, pero aparece, sin embargo, como inclinado a ella.

Lo que no debemos dejar de aclarar es que en Sábato de ningún modo *encontramos una visión de* tipos ideales *de existencia humana en las formas primigenias del ser patológico.* No hay en él una «glorificación abierta» de la perversidad o de la locura, aunque para el lector no prevenido pueda producirse el error de supervalorar lo anormal de algunos personajes. La razón de este fenómeno puede hallarse en la insuficiente insistencia del autor en los valores de la vida social y, fundamentalmente, en *su concepción del hombre como «un existente irreductible a las leyes de la razón»* (*Realidad y realismo...*). Dice Sábato: «*el hombre es contradictorio y no puede ser tratado como un triángulo o la premisa de un silogismo, es subjetivo y sus sentimientos y emociones son únicos e intransferibles; es contingente, un hecho absurdo que está ahí y que no puede ser explicado»* (*Realidad y realismo...* y *El túnel*). Este modo de concebir al hombre lleva muy lejos a Sábato en su consideración sobre lo que sea el realismo.

Sobre esto último quisiéramos se nos permitiera detenernos un breve instante, pues apunta a lo que estamos tratando de estudiar en la obra del novelista argentino. *Cree Sábato —y no yerra— que ya se ha superado el concepto de Realidad que dominara en Occidente desde el Renacimiento (la realidad aparencial de las cosas, tal como se presenta a la percepción) y estima que ese concepto de una realidad externa y racional es* deshumanizado, *puesto que excluye la interioridad del hombre y sus complejos mecanismos síquicos. Pues bien, el arte actual no ha dejado de ser realista* —piensa Sábato— *sino que lo es en un sentido* más auténtico, *puesto que se ha desplazado hacia el sujeto y su subjetividad profunda. Pero son las premisas de las que el autor parte para determinar el sentido de lo real las que deben ser discutidas, como también su limitado concepto del realismo.*

Pareciera paradójico acusar a Sábato de tener un concepto estrecho de realismo, a él que ha pretendido justamente ampliarlo, pero resulta que no considera de esta tendencia lo que en ella justamente más vale, o sea, su *intento por apropiarse de lo real tal cual es, redescubriendo la esencia objetiva de la realidad.* El realismo es un intento —ha enseñado Lukács— de «aprehensión consciente de tendencias reales en la profundidad de la esencia de la realidad». Sábato ha dado un gran paso, sin duda, al exaltar lo vivido, destruir el análisis e incorporar técnicas que facilitaran su expresión, pero, al liberarse del causalismo *decimonónico, cayó en un irracionalismo por cuanto, como Sartre, pretende ilusoriamente reconciliar lo absoluto metafísico con la relatividad histórica.* Coincidimos con estudiosos que, como Juan Carlos Portantiero, sostienen que de este modo se crea un «*naturalismo subjetivista* que entre el sicoanálisis y la ontología existencial construye sus bases teóricas y permite el renacimiento de una literatura con voluntad de probar, cayendo así en las trampas del viejo naturalismo».

La preferencia estilística por la deformación de la cual se ha acusado a Sábato tenemos que pensarla como surgida espontáneamente del cuadro dinámico plasmado en su obra, que muestra como límites los falsos extremos de la mediocridad burguesa y la excentricidad patológica:

> Dudo que ahora juzgase con la misma severidad a los militantes como Crámer, sus luchas por el poder personal, sus mezquindades, sus hipocresías y sordideces. Porque ¿cuántos hombres tendrían derecho a hacerlo? Y porque ¿dónde, Dios mío, sería posible encontrar seres humanos exentos de esa basura sino en los demonios, casi ajenos a la condición humana, de la adolescencia, la santidad o la locura?

No nos parece claramente discernible una idea social y humana de lo *normal* en sus novelas. Por ello no puede el autor situar a la deformación en su verdadero lugar, tratándola justamente como deformación. La filosofía del mundo por él asumida excluye todo lo normal del campo de la objetividad, en la vida y en la literatura. Se produce una *universalización de la deformidad* al derivar una deforma- ción de otra: la de la cotidianeidad y la de la huida hacia la nada desde esa deformación.

Es en este sentido que podemos sostener que Sobre héroes y tumbas *carece de auténtica perspectiva, de una perspectiva que puede deslindar lo esencial de lo superfi- cial, lo decisivo de lo episódico, lo importante de lo anec- dótico. Y de ello se deriva una consecuencia importante, puesto que determina directamente el contenido y la forma de la obra.*

La pérdida de un principio de selección y la adopción de la idea de una condición *humana inmutable y eterna ha sido* la actitud que ha permitido el surgimiento de una *ten- dencia estilística en esencia naturalista, a la cual Sábato no logra superar. Es opinión de Lukács que éste es el hecho que caracteriza todo el arte llamado* decadente de los últi- mos años, *respaldado además por una crítica que hace del problema estilístico y formal el punto céntrico de sus aná- lisis, descuidando la esencia social y artística del contenido.*

La unidad estilística de las tendencias naturalistas (pri- mer naturalismo, naturalismo tardío, impresionismo y sim- bolismo, neorrealismo y surrealismo) reside en el común principio descriptivo de la *estaticidad,* en la negación de toda evolución, toda historia y toda perspectiva.

Sábato se nos presenta como un autor que, si bien es cierto, no rechaza rigurosamente la historia, la evolución, transforma el suceder histórico-social en una especie de es- taticidad, haciendo de su movilidad algo inmutable.

Al considerar el problema de la perspectiva en la lite- ratura como principio de selección de lo esencial, hay en su base un *problema vital,* cuyo reflejo general es la forma de composición correspondiente.

La estética lukacsiana ha demostrado que «todo dina- mismo auténtico del hombre presupone un significado, al menos subjetivo de su actividad; *mientras que la falta de una orientación, la pérdida de sentido, como concepción* del mundo, reduce todo dinamismo a mera apariencia e imprime al conjunto el sello de la pura estaticidad». Éste es el caso de Sábato —en gran medida—, para quien «la vida desborda cualquier intento de racionalización, es contradictoria y paradojal, *no se rige por lo razonable, sino por lo insensato: no por el cálculo de la fría lógica, sino por los impulsos del alma y el corazón*». El hombre, ha dicho también Sábato, «*es un hecho absurdo que está ahí y que no puede ser explicado*», es «*un hecho bruto que está ahí, que podemos comprobar y tocar, pero nunca deducir*» (*Realidad y realismo...*). No se trata que pidamos de Sábato una literatura que prescinda de la aprehensión del elemento irracional en la conducta humana, pero creemos que ese momento necesita ser integrado en la conciencia del hombre, situado dentro de él.

Es por ello que estimamos que en *la cosmovisión plasmada estéticamente por Sábato como expresión de la realidad objetiva, predominan los elementos de un caos* y que *las formas subjetivas correspondientes —angustia, desesperación, etc.— de la interioridad humana no fundan una nueva realidad positiva,* al conllevar una consideración de la inalterabilidad del mundo social.

Este tratamiento del tema del 'ser nacional' que hemos apuntado en «Sobre héroes y tumbas» *tiene su expresión más lograda en la inserción del episodio histórico de la marcha épica de Lavalle.* Por momentos puede hacer pensar en un acercamiento realmente conseguido a la interioridad dinámica y siempre en proceso de una nacionalidad.

Sobre su inclusión en el decurso narrativo de la obra se han formulado los juicios más encontrados, *desde el que sostiene que constituye un mero alarde literario, carente de significación, hasta el que relaciona sus sentidos con la aprehensión de lo argentino intentado por Sábato.*

Constituye, *desde el punto de vista de la estructura novelesca, uno de los tantos subtemas que van desarrollándose en torno al eje central.* Junto a *otro* leit motiv, *el de los ciegos,* es el de más importancia *después de aquél medular, el de la incomunicación y soledad de los protagonistas.*

Comienza en el capítulo XII de la primera parte y será retomado en el capítulo III de la cuarta parte, donde entrecruza, faulknerianamente, el tiempo del relato. Sin perder jamás su índole narrativa, alcanza por momentos tonalidades líricas que se constituyen en páginas antológicas de la novela. Gradualmente, en ascensión climática, respalda todo el acontecer del final de la trama de la obra. Estima la estudiosa Ángela B. Dellepiane que *su inclusión tiene por objeto reforzar la metafísica de la esperanza contenida en la última parte de la obra: el protagonista del episodio, el alférez Olmos, un antepasado de la familia de Alejandra, que lleva como custodia el cadáver en descomposición de Lavalle, pero que se sostiene justamente por la esperanza de salvar los despojos de su jefe de la persecución de Rosas y su secuaz, el general Oribe.*

El leit motiv *va insertándose en el relato de la trama central y contribuye a crear una atmósfera de grandeza épica que, indudablemente, tiene como misión enaltecer lo histórico argentino.* Esto ha hecho sostener a Ángela B. Dellepiane que «es como un llamado de atención a un pueblo, ante el riesgo de olvidar su antigua lucha por la libertad y los ideales, y de caer en el cinismo y la indiferencia».

Podríamos pensar por instantes que su inclusión obedece al interés del autor por mostrar que el pasado histórico de un pueblo pesa sobre él como una presencia potente e inevitable. Sin embargo, el propio autor se encarga de desmentirnos. Consultado Sábato sobre el sentido último de la retirada de Lavalle en la obra responde:

> Desde el comienzo —de redacción de la obra— *sentía la necesidad de esa especie de contrapunto entre el pasado y el presente de la Argentina.* Y, aunque con cantidad de cambios inesperados, ese propósito originario se mantuvo (...). A la visión del mundo que tengo obedece la inclusión del contrapunto, como también la superposición de los tres tiempos en el relato; *ya que para mí la conciencia del hombre es atemporal: contiene el presente, pero es un presente lastrado de pasado y cargado de proyectos para el futuro, y todo se da en un bloque indivisible y confuso* (...). Y hay otro hecho que con ese contrapunto quería manifestar: la contradición y a la *vez la síntesis*

que en todo hombre hay entre lo histórico y lo atemporal, pues,
aunque el ser humano vive en su tiempo y es necesariamente
un ser social e histórico, también subsiste en él el hecho bioló-
gico de su mortalidad y el problema metafísico de la conciencia
de esa mortalidad, su deseo de absoluto y de eternidad. En
suma —concluye Sábato— en la época de Lavalle o en nuestra
época, los seres humanos seguimos cumpliendo el sempiterno
proceso de nuestro nacimiento, la esperanza candorosa, la desilusión y la muerte. Y ese *proceso lo vemos en los muchachos*
homólogos: el alférez de Lavalle que va hacia el norte, Martín
que se marcha hacia el sur con el camionero.
        (*El escritor y sus fantasmas*, pp. 21-22.)

Los héroes del episodio intercalado, los hombres que
acompañaron a Lavalle hasta después de su muerte, están
angustiosamente constreñidos entre la huida aparentemente inútil y una esperanza remota de llegar a tierras menos
crueles. Vida que, bordeando constantemente la muerte,
se mantiene en sus valores más auténticos: *el cadáver del*
héroe reúne a los amigos en un anhelo de eternidad, con
una esperanza siempre sometida a prueba, pero insoborna-
ble. Su marcha es como una repetición anticipada de lo
que acontece *a los «rostros invisibles»* que también *huyen*
manteniendo una secreta esperanza de redención final en
medio del desamparo, no ya de las soledades de la tierra
sino de la ciudad monstruo que devora sus existencias.
    La historia de los hombres que componen la legión apa-
rece revivida a través de la familia de Alejandra. Se enlaza,
pues, con el presente de un drama individual a través de la
tía Escolástica, que viviera ochenta años encerrada con la
cabeza de su padre, muerto por la Mazorca, en una pieza
de la antigua casa de Barracas perteneciente a los Olmos. Es
en esta vieja residencia donde Martín conoce a los sobrevi-
vientes del pasado cuya presencia actual ante él constituye
una alucinante impresión.
    En estos personajes fantasmas o invisibles, que viven
junto a los «visibles», están las raíces más hondas de un
momento primigenio de la historia argentina. Al entrar en
ellos, quisiéramos poder ver por dentro del país, el ser *ín-*
timo del pueblo argentino con hombres-héroes cuya pre-

sencia se pretende imponer como ejemplos: «Aquéllos al menos eran hombres de verdad y se jugaban la vida por lo que creían» dirá Alejandra a Martín.

Por eso, los hombres que como el abuelo Pancho viven en ese período heroico, «no saben lo que es la porquería» y se mueren «sin entender lo que ha sucedido a este país».

De la obra pareciera desprenderse que los momentos esplendorosos del período de la Independencia hubiesen quedado definitivamente atrás. Pedernera —el segundo de Lavalle— piensa en ese instante: «En aquel tiempo sí sabíamos por lo que luchábamos. Luchábamos por la libertad del Continente, por la Patria Grande. Pero ahora... Ha corrido tanta sangre por el suelo de América, hemos visto tantos atardeceres desesperados, hemos oído tantos alaridos de lucha entre hermanos...» *Son palabras pronunciadas en 1853.* Y en la segunda parte, capítulo XIV, Martín ve, en medio de su desesperanza cómo en Buenos Aires «todos estaban recelosos de todos, las gentes hablaban lenguajes diferentes, los corazones no latían al mismo tiempo (...): había dos naciones en el mismo país, y esas naciones eran mortales enemigas, se observaban torvamente, estaban resentidas entre sí». Esto en 1955-56, tiempo presente de la acción básica.

Esa es la visión que la obra realmente nos proporciona. Por eso no podemos concordar con aquellos críticos que han querido concluir que en *Sobre héroes y tumbas* «Sábato, al llevar nuestra esperanza —cito a modo de ejemplo a la ensayista argentina Carmelina de Castellanos—, al llevar nuestra esperanza por caminos nuevos, limpios, en los que podrá encontrarse algo diferente, lleva también la suya». *¿De qué esperanza sobre la nacionalidad podemos hablar en una obra en la cual el pensamiento central es éste que copiamos in extenso y que resume muy claramente lo que de la obra se desprende?*

Y *Martín que se sentía solo,* se interrogaba sobre todo: sobre la vida y la muerte, sobre el amor y el absoluto, sobre su país, sobre el destino del hombre en general. Pero ninguna de esas reflexiones era pura sino que inevitablemente se hacían *sobre palabras y recuerdos de Alejandra,* alrededor de sus ojos grisverdosos, sobre el fondo de su expresión rencorosa y contradictoria. Y de pronto *parecía como si ella fuera la patria,* no aquella mujer hermosa pero convencional de los grabados simbólicos. *Patria era infancia y madre,* era hogar y ternura; y eso no lo había tenido Martín (...). *Alejandra era un territorio oscuro y tumultuoso, sacudido por terremotos, barrido por huracanes.* Todo se mezclaba en su meta ansiosa y como mareada, y todo giraba vertiginosamente en torno a la *figura de Alejandra,* hasta cuando pensaba en Perón y en Rosas, pues en aquella muchacha descendiente de unitarios y sin embargo partidaria de los federales, en *aquella contradictoria y viviente conclusión de la historia argentina,* parecía sintetizarse ante sus ojos todo lo que había de caótico y de encontrado, de endemoniado y desgarrado, de equívoco y opaco. Y *entonces lo volvía ver al pobre Lavalle, adentrándose en el territorio silencioso y hostil de la provincia, perplejo y rencoroso, acaso pensando en el misterio del pueblo en largas y pensativas noches de frío* (páginas 185-186).

Para interpretar más acabadamente lo que a nuestro propósito ha interesado en esta ocasión, deberíamos hacernos cargo de aquellos ensayos que han pretendido determinar las influencias de los factores culturales en las peculiaridades del argentino, en toda la amplia gama de sus componentes. Entre esos estudios son de importancia primera los de Sebreli, por ejemplo, y no dejan de ser significativas las pocas páginas que al tema ha dedicado Gregorio Bermann en los números 17-18 de la revista *Casa de las Américas* (marzo-junio, 1963). Parten esos ensayistas reconociendo el «desconcierto caracterológico» como el rasgo constituyente más notorio de Argentina, que ofrece tan amplias variedades en todos los grupos sociales que imposibilitan toda tentativa por determinar un rostro uniforme o, más aún, «la esencia de lo argentino» como lo deseaban los ensayistas de los años 30 y como hemos visto acontece en Sábato.

Sostiene Bermann que a diferencia de los pueblos de vieja estructura, relativamente estabilizados en su tierra de origen, «la fisonomía del argentino no ha adquirido rasgos generales, propios y constantes» y que las búsquedas afanosas de un Keyserling o un Ortega (véase su carta a un estudiante de Filosofía, de 1942) están condenadas al fracaso cuando se intenta «prematuramente precisar una caracterología en términos estáticos».

Libro multívoco, en que se abordan temas universales, temas argentinos y temas bonaerenses, no lo podíamos agotar en su interpretación en un trabajo de tan breves dimensiones como para esta ocasión se nos exigía. Por ello sólo nos hemos limitado a enfocar uno de sus aspectos fundamentales.

Como en esta obra Sábato nos proporciona un ejemplo más de esa constante de toda la narrativa de Hispanoamérica que es su proclividad a la intercomunicación genérica —carácter propio, por lo demás, de la novela, género *comunicable* por excelencia, según apuntara hace años Baroja—, *hemos pensado legítimo problematizar en torno a ese verdadero ensayo que en él aparece como un intento de explicar la realidad nacional argentina.* Nuestras proposiciones han ido encaminadas justamente a un análisis de las respuestas que dio o no dio a su planteamiento inquisidor sobre «el ser argentino», enlazado estrechamente a toda la compleja variedad temática de la novela, que aquí no hemos podido considerar. *Mucho hay en ella soterrado en las acciones, meramente insinuado o calado a tal hondura que obligaría a una labor exegética más completa que la cumplida por nosotros.*

En un diálogo mantenido con un articulista de *El escarabajo de oro* (enero de 1962) *reconoció Sábato que rigurosamente hablando no ve claro —son sus palabras textuales— en muchos problemas que hoy son fundamentales.* En otras ocasiones ha dicho que una de las peores desgracias de un creador es que lo admiren por sus defectos.

Encontramos justificado el entusiasta recibimiento que en Europa y en toda América se ha tributado a su obra, *pero no nos parece propio que se le aplauda precisamente por aquello que no ha logrado: la aprehensión de la realidad nacional argentina.*

Monadología y Gnosis

Luis Wainerman

A Leibniz le habría encantado que las cuestiones que tanto le preocupaban sean de mayor aplicación en la filosofía de las formas novelísticas que en la metafísica pura. Su *Monadología* bien podría haberse concebido como teoría de la novela. El que, después de dos siglos de Novela Monadológica, nadie haya actualizado la teoría leibniziana al lugar que le corresponde —la teoría novelística—, no impide que nosotros podamos hacerlo; más bien nos estimula y hasta nos obliga. Y eso sin perder nuestro punto de mira: la cosmovisión de Sábato. Si a ello se une el gran y curioso parecido que hay entre las trayectorias vitales del filósofo pansiquista con nuestro escritor, la revalidación de Leibniz es doblemente justificada en este ensayo. Ambos fueron físicos, aspiraron a una Armonía Universal, trataron de hacerlo en la política, abandonaron el mecanicismo, se orientaron hacia la vida y, finalmente, recorrieron los sótanos del inconsciente, allí donde se preparan los mitos.

En los artículos 56 y 57 de la *Monadología* están implícitas las nociones de Novela Total, Punto de Vista y Personaje [1]:

> 56 — Ahora bien, este enlace o acomodo de todas las cosas creadas con cada una, y de cada una con todas las demás, hace que cada sustancia simple [léase *Personaje*] tenga relaciones que expresan todas las demás y sea, por consiguiente, un espejo viviente y perpetuo del universo.
>
> 57 — Y así como una misma ciudad [¿*París de Balzac*? ¿*San Petersburgo de Dostoievski*? ¿*Buenos Aires de Sábato*?], vista por diferentes partes, parece completamente otra y como multiplicada en perspectiva, del mismo modo sucede que, por la multitud infinita de sustancias simples [¿*Personajes*?], hay como otros tantos universos diferentes, los cuales, sin embargo, no son más que perspectivas de uno solo, según los puntos de vista de cada mónada [*Personaje*].

Para Leibniz, la Mónada es capaz de punto de vista, es, además, la sustancia simple cuya apetición o principio interno mueve y provoca sus propias percepciones [2].

Uno de los temas que más preocuparon al filósofo es el del *acuerdo entre las mónadas*. Si se ha concebido la disociación del alma y el cuerpo, si paralelamente el «yo» se constituye como un «yo» *a-mundano* (toda la filosofía de la Época Moderna, no sólo Berkeley ha propuesto esa cuestión), ¿de qué manera se justifica el acuerdo entre dos mónadas?

A fin de facilitar la comprensión de ciertas cuestiones de Sábato, extenderemos la noción leibniziana de *armonía preestablecida entre el alma y el cuerpo* a la de *armonía preestablecida entre el uno y el otro*.

---

[1] Sábato ha expuesto sus ideas sobre la novela en *El escritor y sus fantasmas*.

[2] *Monadología*, arts. 1, 11, 12 y 15.

Si Leibniz tuviese que explicar los encuentros entre los personajes de Sábato, diría que Dios, en el principio del mundo, *ha dado cuerda* a la voluntad hipnepta del hombre, no resultando así asombroso que Pablo Castel pase cerca del edificio T. exactamente en el instante en que lo hace María. Los encuentros, las interacciones, son necesarios, armónicos y sincronizados. Lo importante sería considerar que cada uno de los momentos en que vivimos es la relación entre dos infinitésimos: la libertad y la necesidad, la causa final y la causa necesaria. Para decirlo en la metáfora que venimos usando en este ensayo: en el campo de *bowling* cada bolo cae por efecto de uno que lo tumba, pero también cae atraído por los bolos que ha de voltear. Unos bolos muy especiales, claro: bolos que se comportan como seres humanos.

Dios da la cuerda a las mónadas luego que éstas se la han solicitado racionalmente. En Sábato, no es Dios el que da cuerda a nuestras acciones, percepciones internas y sueños, sino la Secta de los ciegos. Creemos que somos libres, que los encuentros son por azar, pero todo está decidido de antemano. Nuestra libertad es la de las mónadas: la de asentir al Engranaje Mecánico de la Armonía Preestablecida.

Pablo Castel, en *El túnel,* vive sus instantes más importantes como relación entre dos infinitos: una larga cadena de causas por detrás en el pasado y una larga cadena de destinos por venir. Si recordamos que él simboliza al Hombre del Renacimiento, entendemos cómo reúne en sí los dos berretines de esa época: la Pintura y la Física.

Uno de esos instantes vividos como relaciones infinitesimales entre dos series convergentes ocurre en el Salón de Primavera de 1946, cuando presenta un cuadro llamado *Maternidad,* «era sólido, estaba bien arquitecturado». Lo que ningún crítico pareció advertir fue la ventanita:

Arriba, a la izquierda, a través de una ventanita, se veía una escena pequeña y remota: una playa solitaria y una mujer que miraba al mar. Era una mujer que miraba como esperando algo, quizá algún llamado apagado y distante. La escena sugería en mi opinión una soledad absoluta y angustiosa [3].

¿Por qué ha pintado esa escena? Es la pregunta de cajón. Tal vez un recuerdo infantil. Indudablemente que sí. Momentos antes de asesinar a María vuelven a la mente de Pablo Castel estas violentas evocaciones que mencionamos en el capítulo I:

> ...y yo la veía correr desenfrenadamente en su caballo, con los cabellos al viento y los ojos alucinados, y yo me veía en mi pueblo del sur, en mi pieza de enfermo, con la cara pegada al vidrio de la ventana, mirando la nieve con ojos también alucinados [4].

Sábato no ha podido evitar incluir su propio recuerdo infantil en el curso de la novela, pero la razón de dicha inclusión no interesa como confesión autobiográfica sino por su empalme en la estructura total del texto. El reducido tamaño de la ventanita se explica como mensaje que debe pasar inadvertido para los *snobs,* curiosos y críticos que han de desfilar durante la exposición. Hay que recalcar que si la ventanita tiene una causa eficiente en el pasado, su sentido de mensaje cifrado se totaliza por la línea de los hechos que han de ocurrir en lo futuro. Los acontecimientos subsiguientes demostrarán que la causa estaba tanto por delante como por detrás.

Ningún sicoanalista podrá explicar esa pintura por un mero impulso regresivo, porque su sentido está puesto en lo futuro. El cuadro no era más que una trampa que había tendido el *Cazador Ciego* para cazar Marías. Es con ella que tendrá luego los encuentros desdichados en la playa de la estancia, encuentros que estaban parcialmente anunciados en aquella ventanita. Ya veremos que si la premonición de Castel, en que María estaba a la espera de algo, pudo haber sido cierta, lo que se manifestará como impro-

---

[3] *El túnel,* p. 14.
[4] *Ibid.,* p. 144.

bable es que ella haya estado esperando a Castel, quien llega así al desengaño.

María es el arquetipo de la Madre en el Cristianismo, y, si en el nombre de la cosa está la cosa, el cuadro *Maternidad* era para atraer a la Madre de las Madres.

> Una muchacha desconocida estuvo mucho tiempo delante de mi cuadro sin dar importancia, en apariencia, a la gran mujer en primer plano, la mujer que miraba jugar al niño. En cambio miró fijamente la escena de la ventana y mientras lo hacía tuve la seguridad de que estaba aislada en el mundo entero: no vio ni oyó a la gente que pasaba o se detenía frente a mi tela [5].

El pintor la dejó perderse entre la multitud, pero desde ese instante, relación entre dos infinitésimos, el Cazador Ciego ya no tendrá tranquilidad. Pintará para esa desconocida, irá absurdamente por las calles buscándola, por milagro la encuentra, la pierde de vista, hasta que, finalmente, la reencuentra, insiste en conocerla y se transforma en su amante.

María es para Castel lo mismo que ha sido para la Cristiandad: el acontecimiento largamente preparado que divide en dos la Historia del Mundo. Si María no iba a articularse en la Historia que vino preparándola, si en un acto de frivolidad hubiese seguido de largo ante el llamado del Espíritu Santo que puso en ella su semilla, Platón (al menos para el Cristianismo) habría sido en vano. Los ángeles, los arcángeles, los tronos y las dominaciones, los mártires, los padres de la Iglesia, los doctores, se hubiesen colocado frente a ella exclamando: «¡Pero María...!»

Castel expresa algo análogo en su metáfora de diablo solitario y sombrío:

> Sentí como si el último barco que podía rescatarme de mi isla desierta pasara a lo lejos sin advertir mis señales de desamparo [6].

---

[5] *El túnel*, p. 14.
[6] *El túnel*, p. 148.

y todavía mucho mejor:

> Y era como si los dos hubiésemos estado viviendo en pa-
> sadizos o túneles paralelos, sin saber que íbamos el uno al
> lado del otro, como almas semejantes en tiempos semejantes,
> para encontrarnos al fin de esos pasadizos, delante de una es-
> cena pintada por mí, como clave destinada a ella sola, como
> un secreto anuncio de que ya estaba yo allí y que los pasadi-
> zos se habían por fin unido y que la hora del encuentro había
> llegado [7].

La *Armonía Preestablecida* queda como un esquema roto,
como un vago deseo en la mente de un esquizoide. María
no ha escuchado el llamado, se ha ido con Hunter, su primo
frívolo. Castel piensa que todo su oscuro pasado en que
había venido preparando su advenimiento ha sido en vano:

> toda la historia de los pasadizos era una ridícula invención o
> creencia mía y... *en todo caso había un solo túnel, oscuro y
> solitario: el mío, el túnel en que había transcurrido mi infan-
> cia, mi juventud, toda mi vida* [8].

Leibniz habría explicado este fragmento como corrobo-
ración de su *Monadología*. Castel estaría confirmando el
principio de que las mónadas no tienen ventanas a través
de las cuales pueda entrar o salir algo [9]. Pero lo cierto es
que ya el protagonista de *El túnel* se halla bien lejos de la
concepción pansiquista de los monadólogos; éstos han de
sufrir un papelón en el momento en que sus esquemas mo-
numentales se derrumban por el fracaso de Castel.

Una de las constantes de Sábato es la de permitirle a
sus personajes la construcción de una gran farsa: la del
optimismo monadológico, luego del cual dejan abierto el
camino al escepticismo. Prueba: el advenimiento de Berkeley al hilo de la Filosofía Moderna.

En su «Informe», Fernando Vidal Olmos reabrirá el caso
Castel y revalidará la idea de Leibniz de un universo regido.

---

[7] *El túnel*, p. 144.
[8] *Ibid.*, p. 145.
[9] *Monadología*, art. 7.

Lo hará desde la perspectiva, si no de Dios, de la Corporación Demoníaca de los Ciegos, la que le da cuerda al Universo. Nuevamente cada uno de los pasos del pintor ha sido coordinado con los de María. Ahora nos reencontramos con la historia dada vuelta: comienza diciendo que la Secta decide castigar a Castel por su obsesión con respecto a los ciegos:

Allende ordena a su propia mujer ir a la galería donde Castel expone sus últimos cuadros, demuestra gran interés por uno de ellos, permanece delante, en actitud estática, el tiempo suficiente para que Castel la advierta y la estudie, y luego desaparece. Desaparece... Es una manera de decir. Como siempre sucede con la Secta, el persecutor se hace en realidad perseguir, pero procediendo de tal manera que tarde o temprano la víctima cae en sus manos. Castel reencuentra por fin a María, se enamora de ella como loco (y como tonto), la «persigue» a sol y sombra y hasta va a su casa, donde el propio marido le entrega una carta amorosa a María. Este hecho es clave: ¿cómo explicar semejante actitud en el marido sino por el fin siniestro que la Secta se proponía? Recuerden que Castel se atormenta con ese hecho inexplicable. Lo que sigue no vale la pena repetirlo aquí: baste recordar que Castel es enloquecido de celos, mata finalmente a María y es encerrado en un manicomio, el lugar más adecuado para que el plan de la Secta quede clausurado en forma impecable y para siempre fuera de todo peligro de aclaración. ¿Quién va a creer en los argumentos de un loco?

Todo esto es clarísimo. La ambigüedad y el laberinto empiezan ahora, pues se abren las siguientes combinaciones posibles:

1.ª La muerte de María estaba decidida, como forma de condenar al encierro a Castel, pero era un plan ignorado por Allende, que realmente quería y necesitaba a su mujer. De ahí la palabra «insensato» y la desesperación de ese hombre en la escena final.

2.ª La muerte de María estaba decidida y Allende conocía esta decisión. Aquí se abren dos subposibilidades:

A. Era aceptada con resignación, porque quería a su mujer pero debía pagar alguna culpa anterior a su ceguera, culpa que ignoramos y que parcialmente ya había pagado al ser enceguecido por la Secta.

B. Era recibida con satisfacción por Allende, que no sólo no quería a su mujer sino que la odiaba y esperaba así vengar-

se de sus numerosos engaños. ¿Cómo conciliar esta variante
con la desesperación final de Allende? Muy sencillo: teatro
para la galería, e incluso teatro impuesto por la Secta para
borrar los rastros de la retorcida venganza.

Hay todavía algunas variantes de las variantes, que no
vale la pena que yo describa, pues cada uno de ustedes puede
fácilmente ensayar como ejercicio, ejercicio por otra parte útil,
pues nunca se sabe cuándo y cómo puede caerse en alguno de
los ambiguos mecanismos de la Secta [10].

Este párrafo nos ayuda a responder a la pregunta por
el sentido de la *Obra Abierta,* categoría muy en boga en
la Filosofía de la Novela. No siempre se ha puntualizado
con exactitud lo que este concepto significa. Si se dice que
es aquélla que no tiene principio ni fin, no se ve por qué
este tipo de obras es superior a las que sí lo tienen. Ningún
geómetra ha dicho que la recta es «superior» al segmento
Por otra parte, la segmentación es una modalidad inamo-
vible de la escritura y no una contingencia literaria.

Si se dice que Obra Abierta es aquella que es pasible
de múltiples lecturas, esto parece más aceptable pero permanece dentro de la contingencia física de la letra. Lo único
que se ha hecho es desplazar el eje de la Obra a la lectura
en lugar de referirlo a la escritura.

Muchos han encontrado modelos de Obra Abierta en
novelas que pueden ser leídas alterando el orden de los
capítulos. Pero sacrificar el orden es renunciar a la diacro-
nía, la línea melódica, según la terminología de Lévi-Strauss,
el soporte sin el cual la multiplicidad no puede llegar a ser
diversidad.

La readaptación de la filosofía leibniziana puede darnos una idea precisa de lo que es Obra Abierta en la novelística. Nuestro monadólogo diría que es *aquella que realiza la máxima multiplicidad o diversidad con el máximo de
orden.* Así enunciaba Leibniz su *Ley de Conveniencia* para
la realización del mundo conforme al Plan Divino.

---

[10] *Sobre héroes y tumbas,* p. 351.

La cantidad de universos posibles que plantea un solo acto en la constelación de hechos de un contexto da una primera pauta de apertura. Kafka construye muchas zonas hermenéuticas que valdrían como *test de apertura de la novela*. Ese famoso fragmento conocido como el de *Las Puertas de la Ley* aparece en el anteúltimo capítulo de *El Proceso* rodeado de una infinidad de interpretaciones según las intenciones que se supongan en los protagonistas.

Otro tanto haría Fernando Vidal Olmos en el «Informe sobre ciegos», cuando pone bajo su lente el caso Castel. El laberinto se abre en el momento en que una explicación abarca un número parcial de hechos aclarables (porque deja otros de lado). Fernando tratará de hacer intervenir el mayor número de pistas para explicar un hecho. Si la totalidad pudiese entrar en una sola explicación, como ocurría con Sherlock Holmes, entonces el universo de la novela estaría explicado unívocamente y habría, al decir de Leibniz, uno solo entre los mundos posibles. Pero esto no ocurre en el caso Castel porque todas las hipótesis están en idéntico plano de aclarabilidad.

Fernando tratará de demostrar la idea de un universo regido donde el sentido común dice que hay solamente hechos aislados, mientras que el novelista judío intentaba probar que bajo la aparente majestad de la Ley estamos librados al Acaso.

Vidal Olmos ha investigado el gobierno total del mundo por la Secta de los ciegos. No se necesita demasiada sagacidad para deducir que, en la mente gnóstica de Sábato, Allende, el ciego de *El túnel,* ha pasado en *Sobre héroes y tumbas* de su condición de pobre diablo a la de dominador del mundo. Otra estructura básica que se ha mantenido monadológicamente desde su primera novela es la del incesto: María pertenece a Hunter, su primo; Alejandra a Fernando, su padre. Castel no consigue la comunicación con María y Martín no la consigue con Alejandra. Hay una *Díada Incestuosa* contra la cual se rompe la cabeza un *Tercero Excluido* que es el protagonista de la novela. Éste, en combinación con los otros dos, forma un *Triángulo,* fuera del cual, un

Ciego agazapado (Allende, la Secta) se ríe y gobierna los hechos con sus ojos abiertos.

Ahora corresponde saltar de la Monadología pluralista y cientifista de Leibniz a una Monadología monista y mística como la de Plotino. Lo haremos aprovechando el gnosticismo de Sábato: las constantes, las determinantes aparentemente absurdas en que hallan fundamento los sucesos de sus novelas. Éstos representan el desarrollo, la epifanía de ciertos principios que van apareciendo lentamente en la lectura del texto literario. Siguiendo la nomenclatura gnóstica, llamaremos *eones* a dichos principios o entidades supremas alrededor de las cuales se cristaliza y genera el Cuerpo Hermético de una novela particular.

Propongamos cinco eones fundamentales constituidos por emanación del *Uno* y por combinación, para abrir el sentido gnóstico de las ficciones de Sábato. Son ellos: la *Díada Incestuosa* (el par que cierran María-Hunter y Alejandra-Fernando), el *Tercero Exluido* (los protagonistas de las novelas que se rompen la cabeza contra la *Díada Incestuosa*: Castel y del Castillo), el *Triángulo* (la primera figura pitagórica que pone a la Geometría en el impulso del Eros), el *Cazador Ciego* (del cual hemos hablado suficientemente y cuyo concepto lo hemos desdoblado en dos eones subalternos: *Imagen* e *Instinto),* y el último eón, que sería la *Totalidad del Mundo* y correspondería al Cuerpo Hermético mismo de la novela.

Ya hemos dicho que los cinco, con ser principios, derivaban uno del otro por combinación y emanación; la ecuación sería la siguiente:

Uno: se desdobla en   Díada incestuosa
Díada incestuosa + Tercero excluido = Triángulo
Triángulo   + Cazador Ciego   = Totalidad del mundo
Totalidad del mundo   = Uno

Nuestra investigación nos ha llevado a afirmar una cosmovisión que restituye a la Monadología la unidad y homogeneidad que Leibniz le había quitado. Macrobio había di-

cho que *monas non est numeros... sed origo numerorum* [11].
Mónada es ahora, ya no la existencia aislada, sino la Unidad
del Todo, en cuyo medio viscoso la singularidad es aparente.
Si demostramos que los eones se han generado por emana-
ción innecesaria, como en las construcciones de Basílides y
Valentín, concluiremos que la tesis de Macrobio es cierta.

En efecto, la *Díada Incestuosa* es una duplicación innecesaria, un desdoblamiento del *Uno* en conflicto. Jung
afirma que en el incesto se manifiesta un anhelo de individuación más que de conjunción y es muy frecuente en los
dioses [12]. A través de este acto se daría la unión con uno
mismo o con la propia esencia. Los lazos de parentesco son
lazos de identidad, y, al darse esta unión, es la Identidad
como Principio lo que se reafirma.

El *Tercero Excluido,* tomado como eón, es un nuevo desdoblamiento de la Díada Incestuosa a fin de reforzar la
energía cósmica que se pierde en la rotación del *Uno* sobre
Sí. Los símbolos gnósticos de Ouroboro representarían esa
rotación debilitante en una serpiente que se muerde la cola [13].
La serpiente de tres cabezas, en cambio, resumiría la fuerza
cósmica de la conjunción de los tres principios de la Creación: activo, pasivo y neutro.

Que la *Díada* requiere un Tercero para reforzarse, se
manifiesta en el hecho de que el amor de dos se acrecienta
ante alguien que se les opone. Romeo y Julieta se ligan
más a medida que van apareciendo personajes que intentan
separarlos.

A veces, durante la lectura de *El túnel,* tenía la sensación de que, en cierto sentido, Castel gustaba del triángulo y espiaba a Hunter con María no sólo por celos sino
por una secreta gana de participar en sus paseos y hasta
en su espacio amatorio. Abundan por parte del pintor las
descripciones en este sentido: «bajaron lentamente como
quienes no tienen apuro»; «caminaron lentamente por el
parque»; «Desde mi escondite entre los árboles, sentí que

---

[11] *Comm.,* II, ii (Lipsiae, 1893, p. 55).
[12] C. Jung, *La psicología de la transferencia,* Bs. As., 1954, en Cirlot.
[13] Cirlot: *Dicc. de Símbolos;* art. La serpiente.

asistiría, por fin, a la revelación de un secreto abominable pero muchas veces imaginado.»

Imaginémonos cuánto mayor celo habría puesto Hunter en María si hubiese sospechado un demonio en el jardín, si antes de abandonar el cuarto de su amante se hubiese aproximado a la ventana tratando de adivinar la silueta del asesino oculto entre los árboles.

El *Triángulo* no solamente despierta los *celos* (la *Imagen amenazante* del *Tercero Excluido), sino el *ardor* y la energía en el cuidado de la *Díada*. Pero Hunter se ha comportado como un *Cazador Ciego*, no ha visto el peligro y se acuesta a dormir como Saúl mientras el diablo ronda; así, por medio de aquel personaje, queda expresada en el seno del *Triángulo* la falta de celo, de vista y de ardor: la frivolidad en el mirar; en este eón se plantea una nueva dualidad entre *Contemplación Visual* e *Instinto*, la misma que había en el cuadro mítico del *Cazador Ciego*. Hunter ha desempeñado ese papel.

Queda explicada la identidad entre los eones tercero y cuarto *(Triángulo y Cazador Ciego)* como duplicación innecesaria del *Uno*, tesis defendida por las monadologías inspiradas en Macrobio. Falta demostrar la otra parte de la ecuación:

TRIÁNGULO + CAZADOR CIEGO = TOTALIDAD DEL MUNDO

Ya hemos dicho cómo la Secta de los Ciegos ocupa en *Sobre héroes y tumbas* el lugar que Allende ocupaba en *El túnel*, aunque de modo más siniestro y poderoso. Fernando dilucida de qué manera, por encima del *Triángulo*, Allende gobierna el desarrollo de los hechos. Nos detendremos en la forma como los Ciegos se han apropiado del Mundo gracias a que el Universo de las relaciones intersubjetivas es un gran edificio construido con ladrillos triangulares.

El *Triángulo* es, de los eones, la entelequia más frágil, la más quebradiza. Cada vez que se abre una fisura en él, entra la conjuntiva viscosa de la Secta, que envuelve los objetos por afuera y se extiende como un peritoneo por todo el espacio de este mundo inferior. Los gnósticos lo hubieran descrito como anillo y le hubieran dado el nombre de *kato sofía*.

En el «Informe» hay numerosos casos, muchos menos desarrollados que el de *El túnel,* en que se demuestra cómo entra en acción la Secta de los Ciegos en el instante en que el *kato sofía* penetra un ladrillo triangular, figura accionada por el Engaño y los Celos. Uno de ellos es el caso de la mucama de los Echagüe, que tenía un macró ciego y lo abandona para casarse con un portero de la casa:

> En la casa de Echagüe en la calle Guido, cuando todavía vivía el viejo, una mucama era explotada por un ciego que en los días francos la hacía trabajar en el Parque Retiro. En el año 1935 entró de portero un español joven y violento, que se enamoró de la muchacha y logró, finalmente, que se alejara del macró. La muchacha vivió durante meses en medio del terror, hasta que poco a poco, y tal como el portero trataba de hacérselo entender, vio que los castigos que podía inferirle el explotador eran puramente teóricos. Pasaron dos años. El primero de enero de 1937, la familia Echagüe levantaba la casa para irse a la estancia donde pasaría los meses de verano. Ya todos habían salido de la casa menos el portero y la mucama, que vivían arriba; pero el viejo mucamo Juan, que hacía las veces de mayordomo, creyendo que ya habían salido, cortó la corriente eléctrica y luego salió, cerrando con llave la gran puerta de entrada. Ahora bien; en el momento en que Juan cortaba la corriente eléctrica, el portero y su mujer venían bajando en el ascensor. Cuando tres meses después volvió la familia Echagüe, encontraron en el ascensor los esqueletos del portero y la mucama que se había convenido permanecerían en Buenos Aires durante las vacaciones [14].

Otro caso ilustrativo es el de Louise, la Ciega que comenzó por ser honesta con Gastón, su marido también ciego. Pero los celos fueron precipitando venganzas y violencias recíprocas hasta que él terminó en un sillón de ruedas y ella prostituyéndose.

Esta historia termina en la prostitución, que es el punto de partida de la historia precedente (la de la mucama y el

---

[14] *Sobre héroes y tumbas,* p. 343.

macró). Ambos triángulos, en cierto sentido, se corresponden como los guantes de la mano.

El *Triángulo* es ardor, exaltación morbosa de la vida; la Secta de los ciegos es el principio de las Tinieblas; para decirlo con el mismo delirio de la Invocación con que se abre el *Informe,* son los «dioses de la Noche, de las Tinieblas, del Incesto y del Crimen, de la Melancolía y de las Cucarachas, los violentos e inescrutables dioses del Sueño y de la Muerte». Ellos serían los catalizadores y sintetizadores por medio de quienes el Uno, disociado en Díada, se disocia más y retorna a Sí Mismo.

El «Informe sobre ciegos»
o el optimismo de la voluntad

Tamara Holzapfel

Desde su aparición en 1961, la novela *Sobre héroes y tumbas,* de Ernesto Sábato, ha desatado una serie de interpretaciones y críticas, todas ellas acertadas en grado mayor o menor como siempre sucede con una novela importante. Sin embargo, si lo mucho que se ha escrito sobre la obra en general revela un alto grado de consistencia y coincidencia de opinión, es imposible sostener lo mismo respecto a una parte esencial de la novela: el «Informe sobre ciegos». Este capítulo —uno de los cuatro que integran *Sobre héroes y tumbas*— ha dado lugar a interpretaciones diferentes y no existe, que yo sepa, un estudio específicamente dedicado a él. En su libro sobre Sábato, la profesora Dellepiane nos proporciona una valiosa discusión del clima edípico-sofocleano que se extiende por todo el episodio de descenso. Pero sus conclusiones basadas en la novela entera son imprecisas e

incompletas. Según ella, el personaje central del «Informe»,
Fernando Vidal Olmos, representa sólo una faz del hombre,
«la desagradable, la demoníaca, la que debe perecer» [1]. Además sostiene que este personaje «resulta al final un enigma,
como también lo es todo el 'Informe'» [2]. Aunque la personalidad de Fernando —comentada por Bruno y contrastada con
la de Martín— se describe con más detalles en la novela,
no se ensancha realmente. Su fisonomía moral e intelectual
queda bien definida en el «Informe», y considerada sólo
desde este punto de vista, resulta menos ambigua y más positiva que con ayuda de las aclaraciones y los episodios adi-
cionales en los otros cuatro capítulos de *Sobre héroes y
tumbas*.

La función del «Informe» dentro de la novela es bastante obvia: es la transcripción de la gran pesadilla de Fernando Vidal, la cual expresa, según las palabras del mismo
autor, «lo más importante de su condición y existencia» [3].
Relatado en primera persona, el «Informe» permite al lector
llegar a un profundo conocimiento del protagonista; es decir,
descubrir no sólo su comportamiento exterior y su modo
de pensar, sino también lo conduce a penetrar en su conciencia y, más importante aún, en su inconciencia. Por eso
hay que insistir que sin el «Informe» la novela resultaría
trunca e incompleta.

Pero el «Informe», además de ser un capítulo importante
a la manera del «Teatro mágico» en *El lobo de la estepa*,
de Hermann Hesse, constituye por sí mismo una novela autónoma por su independencia expresiva y significativa del
resto de la novela. Esto lo ha reconocido la crítica y el mismo
Sábato al permitir su publicación en forma de un libro sin
ningún aparato introductorio que explique su relación con
el resto de *Sobre héroes y tumbas* [4]. De este modo el lector

---

[1]   Ángela B. Dellepiane, *Ernesto Sábato: El hombre y su obra* (New York: Las Americas Publishing Co., 1968), p. 270.
[2]   P. 206.
[3]   Ernesto Sábato, *El escritor y sus fantasmas* (Buenos Aires: Aguilar, 1963), página 19.
[4]   «Informe sobre ciegos» (Buenos Aires: Centro Editor de América Latina, 1968).

puede llegar a sus propias conclusiones sobre Fernando y su investigación.

Sábato adopta una actitud terriblemente pesimista ante la vida a través de Pablo Castel, protagonista de su primera novela, *El túnel*. En *Sobre héroes y tumbas,* en cambio, dos de los personajes importantes, Bruno y Martín, sobreviven una crisis nihilista, representando de este modo una nueva cosmovisión, «algo así como una absurda metafísica de la esperanza» [5]. Al nihilismo, Sábato opone una terca esperanza que sobrevive a causa y a pesar de todos los contratiempos que tiene que sufrir el hombre. Pero los dos personajes que encarnan esta idea se destiñen en comparación con Fernando Vidal, el ser más viril de la creación sabatiana. También él reconoce el sentido trágico de la vida, pero niega al verdadero pesimismo con el vigor de su lucha.

Las tres alusiones a Darwin y sus teorías sobre la evolución de las especies que aparecen en el «Informe» (pp. 23, 38, 40) [6] como elemento incidental son como una clave indirecta a su interpretación. Con los descubrimientos de Darwin se puso en duda la creencia en la superioridad del hombre sobre las otras formas de vida animal y se destruyó la noción de la perfectibilidad gradual de los románticos panteístas, ya que cada especie se consideraba perfecta dentro de su propio modo de ser. En el orden filosófico este concepto de la perfección biológica negó al hombre el anhelo del absoluto, reservándole el mismo fin que al animal más insignificante.

Ahora bien, Fernando vive la crisis desencadenada por este concepto materialista de la vida, pero, como gran rebelde metafísico, no busca la consolación, sino que se enfrenta plenamente con el problema, imponiéndose una búsqueda que lo llevará a una revelación terrible sobre el destino del hombre. En su peregrinaje Fernando descubrirá sólo la maldad y la muerte. Lo que hay más allá no lo sabrá nunca, pero su búsqueda es una verdadera lucha heroica:

---

[5] *El escritor y sus fantasmas,* p. 19.
[6] «Informe sobre ciegos» (Buenos Aires, 1968). Todas las citas se hacen por esta edición y se indicarán en el texto por página o páginas.

«de pronto me sentí una especie de héroe, de héroe al revés, héroe negro y repugnante, pero héroe. Una especie de Sigfrido de las tinieblas, avanzando en la oscuridad y la fetidez con mi negro pabellón restallante... ¿Pero avanzando hacia qué? Eso es lo que no alcanzo a discernir y que aun ahora, en estos momentos que preceden mi muerte, tampoco llego a comprender» (p. 112). Aunque Fernando se llama a sí mismo un «héroe al revés», eso no significa que él sea un héroe negativo o un nihilista. Se salva por la voluntad de lucha y el anhelo de expiación que se despierta en él durante sus andanzas por el universo subterráneo.

Fernando representa, sin duda, uno de los grandes rebeldes de toda la literatura hispanoamericana, a la altura de un Stavroguin o un Ivan Karamazoff. Su rebelión, como la de todos los grandes rebeldes literarios e históricos, es una protesta contra la condición de la vida misma —el mal inherente a la sociedad y la naturaleza humana— y una denuncia contra Dios: «la idea de que estuviéramos gobernados por un Dios omnipotente, omnisciente y bondadoso me parecía tan contradictoria que ni siquiera creía que se pudiese tomar en serio» (p. 13). A continuación Fernando elabora una serie de teorías sobre la existencia y la ineficacia de Dios. Si Dios existe debe ser un canalla, un dormido, un loco, tan débil como el hombre, quien en su lucha con la materia a veces «logra ser Goya, pero generalmente es un desastre» (pp. 13-14). Finalmente, en sus cavilaciones sobre Dios que permite el triunfo del mal en el mundo, Fernando llega a la conclusión que Dios fue derrotado antes de la Historia «y sigue gobernando el Príncipe de las Tinieblas» (p. 15) —los ciegos—. Así, la protesta contra la maldad se expresa en una rebelión exagerada. Dios aparece humanizado (un ser desastroso) y degradado (un canalla, un loco). Al mismo tiempo Fernando se convierte en su rival. Desesperado de la justicia de Dios y contando sólo con sus propios esfuerzos, se lanzará a la investigación del mal. Como Empidócleo, quien se tiró en el cráter del Etna para encontrar la verdad en las entrañas de la tierra,

Fernando se propone descubrirla en su peregrinaje por el mundo subterráneo de los ciegos.

El tema de la rebelión contra Dios ha sido tratado por muchos de los más grandes escritores de la literatura mundial: Esquilo, Dante, Milton, Goethe, Baudelaire. Pero la vehemencia de la blasfemia expresada por Fernando cuando retrata a un Dios-canalla, a un Dios-pobre-diablo, etc., está superada sólo por Lautréamont en *Les Chants de Maldoror,* donde se le acusa a Dios de haber pecado y cometido un crimen.

Fernando también se rebela contra los sentimientos convencionales y los tabúes respetados por la sociedad. Es el seductor de Norma Pugliese, hija de un antiguo miembro del partido socialista, y educada por su padre «en las normas que Juan B. Justo impuso desde el comienzo: la Verdad, la Ciencia, el Cooperativismo, la Lucha contra el Tabaco, el Antialcoholismo» (p. 44). Este episodio transparenta la actitud sarcástica, amoral y antiburguesa de Fernando. Al relatar su fácil conquista de la muchacha, critica ciertos conceptos morales —los que se escriben con mayúscula— y las principales instituciones de la sociedad moderna. Otros episodios del «Informe» —la discusión que Fernando tiene con la señorita hombruna, Inés González Iturrat, sus visitas a la casa de la señora Etcheparaborda, los incidentes relacionados con su paso por Montevideo— tienen el mismo propósito satírico y burlesco. Sin embargo, la crítica que Fernando hace a la sociedad es aún más virulenta cuando denuncia la hipocresía y la inocencia y la bonhomía falsas. Para todos esos canallas Fernando propone un sistema de castigo: «A cada uno la mierda que le corresponda, o nada» (p. 48). En estos episodios prevalece un marcado sentido de comicidad muy moderno que evoca el humor de un James Joyce o de un Picasso y anterior a ellos, de un Jonathan Swift. Es el humor negro que linda en lo grotesco, y, si provoca la risa, no parte de ella.

Como terrorista de la moral burguesa, Fernando también se acusa a sí mismo de ser un «canalla». Pero se considera por lo menos más honesto que la mayoría de los hombres y puede justificar sus engaños: «Son y eran engaños tácitos, circunstanciales, transitorios, en favor de una verdad a fondo, de una despiadada investigación. Soy un investigador del Mal» (p. 46). Se ve que la maldad de Fernando es exigida por su aventura irracional —«siempre pensé que no se puede luchar durante años contra un poderoso enemigo sin terminar por parecerse a él»— (p. 70). Se somete voluntariamente a este régimen para así poder hallar una manera de librarse del mal. Obviamente, Fernando está atrapado dentro de un círculo vicioso, pero su dilema de ser a la vez el perseguidor de la Secta y el perseguido por ella se resuelve sólo al final con su expiación.

Fernando, como todo rebelde genuino, tiene que romper con las formas habituales de la vida. Para él no puede existir ni familia, ni amigo, ni amada. Su soledad absoluta es el precio de su libertad. Que su aislamiento de los demás hombres es extremo y voluntario demuestran las palabras que proceden su confesión de la falta de afecto en su vida: «nadie en su sano juicio podría sostener que el objetivo de estos papeles [«Informe»] sea el de despertar simpatía hacia mi persona. He aquí, por ejemplo, uno de los hechos desagradables que como muestra de mi sinceridad voy a confesar: no tengo ni nunca he tenido amigos... jamás he sentido afecto por nadie, ni creo que nadie lo haya sentido por mí» (p. 21).

La condición de solitario explica en gran parte las acciones violentas y sádicas de Fernando. Un análisis de algunas de ellas revela que la crueldad es también un régimen que él se ha impuesto por su propia voluntad. ¿Por qué en su niñez torturaba los pájaros, pinchándoles los ojos con un clavo? Creo que la explicación se da en un segundo ejemplo análogo: Desde chico, Fernando repetía una escena cruel con un hormiguero. Mataba las hormigas con un martillo, luego les echaba agua con una manguera, y finalmente, con una pala destruía sus cuevas. El mismo Fernando atribuye este acto de crueldad gratuito [7] a su preocupación con el problema de la maldad (p. 13). Así, las dos ocasiones, cuando Fernando pincha los ojos de los pájaros y cuando destruye el hormiguero, son para él nada más que experimentos con los cuales trata de comprobar su hipótesis sobre el mal. El experimento de su madurez será la investigación de la Secta de los ciegos, decretada también por su propia voluntad (p. 127). Además, como ya se ha visto esta clase de experimentación exime a Fernando de toda tradición y convención, preparando así el camino de su investigación.

Cabe agregar que la violencia colorea todo el «Informe», tanto la parte que se ciñe estrictamente a la descripción del descenso al mundo de los ciegos, como las tres subnovelas relatadas por Fernando: la de Castel (paráfrasis de *El túnel*), la de la modelo ciega, y la de los muertos en el ascensor. Por otra parte, Sábato desarrolla en el «Informe» toda una estética de la violencia y de la repulsión a base de un vocabulario sugestivo de agresividad y repugnancia [8], y especialmente a base de numerosas imágenes zoológicas.

En las 130 páginas que componen el «Informe» se mencionan cuarenta nombres de animales diferentes, de los cuales la mayoría está invocada más de una vez (hasta trece veces como en el caso de 'pájaro'). Agregando a este número de animales históricos y prehistóricos, los mitológicos (minotauro, centauro, medusa, etc.) y otros designados con palabras como 'bichos', 'monstruos', 'fieras', etc., se puede encontrar un promedio de una referencia al mundo animal por cada página. Los animales que aparecen en el «Informe» raras veces forman parte de frases hechas (ej. 'cerebro de mosca') y nunca sirven de elemento decorativo. Interesan principalmente por su capacidad de sugerir agresión y repulsión. Así, entre los más amenazantes se

---

[7] «La teoría del acto gratuito es la culminación de la demanda por la libertad absoluta». Albert Camus, *The Rebel,* trad. Anthony Bower (New York: Vintage Books, 1956), p. 93. Ésta y las demás traducciones son mías.

[8] Son tantos los ejemplos que no me parece indicado citarlos aquí.

encuentra el pájaro [9] que hiere con el pico, el vampiro que chupa la sangre de su víctima, y el pulpo que estrangula con su abrazo. Otros, como la serpiente y el tiburón también son agresivos y además símbolos tradicionales del mal. La mayoría de los animales pertenece a la categoría de los repugnantes: ratas, murciélagos, toda clase de reptiles, batracios, cucarachas, tarántulas, gusanos, etc. El pez, como también un gran número de los animales mencionados arriba, desempeña un papel en los importantes episodios de metamorfosis.

Hay dos clases de metamorfosis en el «Informe», la de Celestino Iglesias y la de Fernando Vidal. Las dos están relacionadas con la investigación del mal, pero sólo la del protagonista es trascendente para la obra. La transformación de Iglesias después de su accidente de ceguera es esencialmente la transformación paulatina de un ser bondadoso y humano en algo menos, en algo monstruoso y maléfico: «empezó a cambiar la mentalidad de Iglesias; aunque más que la mentalidad (y menos) habría que decir su 'raza' o 'condición zoológica'» (p. 28). Aunque Iglesias no cambia en su aspecto exterior, Fernando siente en su presencia una repulsión como ante un murciélago o reptil. La animalización de Iglesias, como la de todos los ciegos, sirve para reforzar su asociación con el mal. Por contraste, la metamorfosis de Fernando tiene que ver con su investigación o exploración, que se desenvuelve en dos direcciones: como un descenso al «propio y tenebroso» mundo del «yo», y como una marcha atrás en el tiempo hasta el origen del dilema del hombre.

En terminología junguiana, el descenso al «yo» significa el reconocimiento del arquetipo de la sombra que, a su vez, es sólo posible cuando se reconocen los aspectos oscuros y

---

[9] El retrato físico de Fernando que destaca sus rasgos crueles y agresivos se da en otro capítulo de la novela: «Sus rasgos eran duros y la cara parecía tallada con hacha. Aquel hombre no sólo era fuerte, sino que estaba dotado de una tenebrosa belleza... Sus manos descarnadas y nerviosas parecían tener cierto parentesco con las garras de un águila... Todo lo de aquel individuo tenía algo de un ave de rapiña.» *Sobre héroes y tumbas* (Buenos Aires: Editorial Sudamericana, 1968), p. 239.

bajos de la personalidad como presentes y reales. Este reconocimiento de la sombra, según Jung, exige un gran esfuerzo moral y resulta en una experiencia tremenda porque le pone al hombre cara a cara con el mal absoluto: «...está dentro de los límites que un hombre reconozca el mal relativo de su naturaleza, pero es una experiencia rara y tremenda mirar la faz del mal absoluto» [10]. Fernando, que es tan despiadado consigo mismo como con el resto de la humanidad, tiene la intrepidez y el coraje del rebelde para someterse voluntariamente a este experimento.

Una prefiguración de las metamorfosis al final del libro ocurre en un sueño que Fernando ha tenido repetidas veces desde su juventud. En esta pesadilla sufre la pérdida de su identidad en una extraña transformación que, sin ser física, es sentida por él en el cuerpo y en un plano zoológico: «grandes regiones de mi espíritu empiezan a hincharse (a veces, hasta siento la presión en mi cuerpo, en mi cabeza sobre todo), avanzan como silenciosos seudopodios, ciegos y sigilosos, hacia otras regiones de la raza y, finalmente, hacia oscuras y antiguas regiones zoológicas» (p. 20). La transformación en este sueño surrealista se desarrolla en dos niveles, el físico y el espiritual, y sugiere que Fernando, quien aspira a cruzar los límites que separan al hombre del resto del universo, iniciará el retorno a un nivel de vida primario, a un tiempo cuando la moralidad y el problema de la inmortalidad todavía no tenían ninguna significancia para el hombre.

En la última etapa de su peregrinación por el submundo de los ciegos, Fernando se encuentra con dos figuras representativas del arquetipo de la madre. Según la clasificación de Jung, este arquetipo aparece bajo tres aspectos fundamentales: la bondad, la pasión erótica, y la oscuridad [11]. Como veremos más adelante, en el mundo subterráneo sólo existen la madre de la muerte y la madre de la

---

[10] *The Collected Works of C. G. Jung* (New York, 1959), citado en *The Modern Tradition,* editado por Richard Ellmann y Charles Feidelson (New York: Oxford University Press, 1965), pp. 653-654.
[11] Pp. 657-658.

maldad; la madre comprensiva y buena no tiene cabida en él.

Cuando Fernando llega a «una comarca donde parecía celebrarse una sola y petrificada ceremonia de la muerte» (página 122), ve una estatua de una deidad desnuda en cuyo vientre fulgura un ojo fosforescente que lo llama. Para ascender a este ojo-útero Fernando tiene que desandar el camino de la especie. Se convierte en pez, experimenta la aniquilación del tiempo y del espacio, y ve pasar ante su conciencia en imágenes caleidoscópicas escenas de su vida, la mayoría de ellas horrorosas y sugestivas de su culpabilidad y su terror ante el castigo. Luego pierde la conciencia, entregándose a la sensación de estar hundido en «aguas cálidas, gelatinosas y fosforescentes» (p. 125). Esta deidad nocturna que absorbe a Fernando «con una incontenible fuerza de succión» (p. 125), es la madre terrible, símbolo del destino ineludible del hombre. Más tarde, cuando el protagonista reflexiona sobre esta aventura, la considera como una profecía de su muerte: «Y así en aquel viaje supe, como Edipo lo supo de los labios de Tiresias, cuál era el fatal fin que me estaba reservado» (p. 127). Sin embargo, es importante tener en cuenta que Fernando busca y hasta cierto punto determina su destino: «esta muerte me espera en cierto modo por mi propia voluntad» (p. 131).

La segunda aparición arquetípica de la madre es la Ciega lujuriosa que despierta en Fernando la pasión erótica. Al unirse con ella en «la más tenebrosa de las cópulas» (p. 127), Fernando vuelve a perder la noción temporal y espacial, y nuevamente recorre las especies: «fui hombre y pez, fui batracio, fui un gran pájaro prehistórico» (p. 129). A continuación, como pareja de la Ciega —convertida ahora en ídolo de piel negra con ojos color violeta— Fernando se transforma en centauro, unicornio, serpiente, pez espada, pulpo, vampiro, sátiro, gigante, tarántula enloquecida, lujuriosa salamandra, mago, perro hambriento, minotauro, pájaro de fuego, hombre-serpiente, rata fálica, nave con mástiles de carne, campanario lúbrico (pp. 129-130). Así

Fernando se enfrenta con su crimen —el incesto [12] y su expiación y purificación— la cópula monstruosa con la Ciega termina con la destrucción del mundo por un incendio. La grotesca unión con la Ciega, como Fernando se da cuenta, obedece a «un oscuro pero tenaz llamamiento de su propio ser» (p. 127), y representa, a un tiempo, el crimen y el castigo. Las horribles transformaciones que Fernando sufre durante la cópula son su castigo como en *Les Chants de Maldoror,* donde el héroe, después de su cópula con el tiburón, es castigado con la transformación de sus extremidades en aletas de un pescado. De este modo Fernando se entera que el crimen y el castigo son los dos lados de una misma cosa, debidos ambos a su propia voluntad: «Y también pienso si era mi oscura e indeliberada voluntad la que pacientemente había suscitado aquella encarnación [de la madre] que la Ciega perversamente me facilitaba o si la Ciega y todo aquel Universo de Ciegos, al que ella pertenecía era al revés, una formidable organización a mi servicio, para mi voluptuosidad, mi pasión y, finalmente, mi castigo» (p. 128).

La metamorfosis de Fernando tiene una significación distinta y más positiva de la famosa pesadilla descrita por Franz Kafka. La animalización de Gregor Samsa es un símbolo de la barrera inviolable que existe entre él y el resto de la sociedad. En cambio, la metamorfosis de Fernando representa un desandar del tiempo por el hombre moderno, angustiado y anhelante del infinito para encontrarse con su destino y descubrir en un pasado misterioso y lejano un crimen que lo ha alienado permanentemente de Dios.

La búsqueda de Fernando es un afán de reconstruir —en el sentido surrealista— al hombre, dividido por una civilización abstracta, a partir de la absoluta libertad de lo

---

[12] No estoy de acuerdo con la interpretación de la profesora Dellepiane de que la Ciega «no es otra que Alejandra» (p. 271). En el «Informe» no sabemos nunca que Fernando tiene una hija. En mi opinión, la Ciega es la encarnación de la madre. La madre es el más universal símbolo del incesto, ya que todo hombre necesariamente tiene una madre, pero no siempre una hija.

inconsciente. Por eso rechaza con tanta vehemencia la idea
de la casualidad[13] y se impone la aventura irracional. Su
propia maldad está determinada por un deseo de merecer
su destino. Lo que importa aquí no son los hechos sino la
esencia. Fernando escoge lo peor porque no le es dada
otra elección. Por tanto, su vida se define como un largo
peregrinaje hacia lo inevitable: «La astucia, el deseo de
vivir, la desesperación, me han hecho imaginar mil fugas,
mil formas de escapar a la fatalidad. Pero, ¿cómo nadie
puede escapar a su propia fatalidad?» (p. 132). Lo que empezó como *odium fati* parece terminar como *amor fati*. La
interrogación final implica que el destino y la voluntad son
las dos caras de una misma moneda. Ya que Fernando no
puede escapar a la fatalidad, la suscitará con su propia voluntad; ya que le es imposible aceptar la vida tal como es,
él creará su vida de esta imposibilidad; su vida será una ri-
gurosa prueba reservada para él solo.

---

[13] «Y cuando uno se propone enérgica y sistemáticamente un fin que esté
dentro de las posibilidades del mundo determinado, cuando se movilizan no
sólo las fuerzas conscientes de nuestra personalidad sino las más poderosas
de nuestra subconciencia, se termina por crear un campo de fuerzas telepáticas
en torno de uno que impone a otros seres nuestra voluntad, y hasta se producen episodios que en apariencia son casuales pero que en rigor están determinados por esa invisible potencia de nuestro espíritu.» «Informe», p. 25.

«Sobre héroes y tumbas»:
de los caracteres a la metafísica
Emilse Beatriz Cersósimo

ADVERTENCIA

Aproximarnos a un autor contemporáneo puede inducirnos a confundir la obra con el creador; error grave, puesto que «la esencia de la obra de arte no consiste en hallarse preñada de particularidades personales —cuanto más lo esté menos obra de arte será— sino en elevarse muy por encima de lo personal y hablar por y para el espíritu y el corazón de la humanidad» [1].

---

[1] Carl Jung, *Psicología y poesía en Filosofía de la ciencia literaria,* vol. conjunto. México, 1946, p. 348.

Quienes hemos jugado la posibilidad de conocer a Ernesto Sábato sabemos hasta qué punto un creador puede ser poseído por sus ficciones, y de qué manera el inconsciente rige el camino de la creación. Pero la personalidad de un artista —por rica e interesante que fuere— no es su obra. Por eso en este estudio hemos excluido casi totalmente cualquier referencia personal, intentando una aproximación a la novela *per se*.

Dada la riqueza y complejidad de los caracteres centrales, intentamos un acercamiento utilizando el método sicológico, según se halla propuesto por el profesor Raúl Castagnino en *El análisis literario*. Pero, en la medida en que trabajamos en él, observamos la aparición de símbolos y arquetipos, nociones antiquísimas de la naturaleza del mal y la purificación por el dolor.

En suma, una especie de cosmovisión dirigida al hombre que se desangra en este siglo, en el que parecen escucharse ya las trompetas del Apocalipsis.

Bajo una estructura aparentemente desacralizada, en un Buenos Aires descrito con precisión, *Sobre héroes y tumbas* expresa un drama cíclico, que la humanidad reitera a través de tiempos y lugares diferentes.

Por eso, esta novela (como cualquier gran novela) admite diferentes tipos de lecturas. Una, la del lector inocente, la literal, dejándose envolver en la espiral del «argumento». Actitud peligrosa, dado el contenido simbólico que penetra directamente en el inconsciente.

La segunda, que podríamos calificar de sicológica, procurando un estudio de los complejos anímicos que determinaron la conducta de los caracteres.

La tercera sería la actitud críptica, en la que se intenta descifrar la simbología y la metafísica que dicha simbología sugiere.

Excluyendo la primera, el orden de nuestro trabajo va de lo sicológico a lo metafísico, riquísima veta que no consideramos agotada y que seguramente será objeto de otros y más importantes ensayos.

De los caracteres a la metafísica

Desvalido en medio de un cosmos técnico, el hombre «con minúscula» vivencia cada vez más el pavoroso sentimiento de haber extraviado su camino. En un universo que parece haber perdido su significado, emergen, desde el oscuro fondo de nosotros mismos, las eternas preguntas sobre lo desconocido, la dimensión de nuestras frágiles naves y su exacta posición en esta odisea.

Ernesto Sábato es de aquellos que trabajan sondeando esa otra realidad. Sus novelas no son búsquedas de nuevas formas sino indagaciones sobre la fatalidad y el destino. Estudiar sus caracteres es entreabrir la puerta de su metafísica.

En ellos el elemento fáctico proviene de la herencia familiar y de la circunstancia social, que sin llegar a un determinismo absoluto marca a los individuos de manera indeleble. Este siquismo proyecta sobre sus criaturas una «fatalidad interior» que se ejerce desde las profundidades del inconsciente. Pero si queremos llegar a realizar un auténtico examen, no habremos de limitarnos a lo sicológico, ya que en Sábato lo sicológico es apenas fundamento de lo metafísico.

La lectura de *Sobre héroes y tumbas* permite vislumbrar dos tipos de realidades: la diurna o aparencial y la nocturna u onírica. Y ésta determina el destino de aquélla. Alejandra termina realizando lo que sus fantasmas interiores le venían sugiriendo a través de su dramático mundo onírico: «Sueño siempre. Con fuego, con pájaros, con pantanos en los que me hundo, o con panteras que me desgarran, con víboras. Pero sobre todo con fuego, al final siempre hay fuego»[2].

Estas dos formas de realidad han sido enunciadas por el propio autor en *El escritor y sus fantasmas*: «En mi novela pretendí dar a la realidad toda su extensión y profundidad, incluyendo no sólo la parte diurna de la existencia sino la parte nocturna y tenebrosa. Y siendo Fernando Vidal el per-

---

[2] Ernesto Sábato, *Sobre héroes y tumbas,* Buenos Aires, p. 119.

sonaje central y decisivo, todo lo que a él se refiera era importante y debía ser transcripto, muy especialmente aquello que fuera su obsesión fundamental, aunque aparentemente tuviera muy poco que ver con los sucesos luminosos o diurnos. Su informe es la gran pesadilla de Fernando y expresa, aunque sea simbólica y oscuramente, la clave de esa región enigmática donde hacen y deshacen destinos» [3].

El surrealismo, escuela que lo subyugó, destacó la importancia de los sueños. Para Breton: «El poeta del porvenir superará la idea deprimente del divorcio irreparable entre la acción y el sueño» [4]. Sábato delimita las fronteras entre la realidad diurna y la nocturna, estableciendo «vasos comunicantes»; los sueños de sus criaturas no sólo muestran sucesos importantes del pasado, sino también son esbozos de acción en el futuro. El estudio de los caracteres permite observar la interrelación de estos aspectos de la realidad. En ellos, lo diurno consistiría en las actitudes y hechos tal como pueden ser captados por un observador inteligente de la realidad aparencial; lo nocturno adquiere dimensiones metafísicas, a través de la sicología profunda.

La interpretación de los personajes de Sábato resulta difícil, ya que nunca los entrega unívocamente; los hace hablar y obrar en forma indirecta, los muestra tal como otros los ven y nunca nos da en principio su totalidad: los dosifica en la medida en que avanza su novela. Como si tuviéramos que reconstruir un mapa que avanza creándose y recreándose en un río, en este caso el río del tiempo en que el autor sumerge intencionalmente a sus criaturas. Recién al finalizar la lectura comprendemos la importancia de Fernando Vidal: destrozó las vidas de Alejandra y de Georgina, mutiló las existencias de Bruno y Martín y orquestó, siniestra y fríamente, el destino de muchos que se perdieron para siempre.

Admitidos los dos tipos de realidad, se llega a la realidad aparente de Fernando a través de las evocaciones de Bruno, en el cuarto y último «movimiento» de esta novela: «A un

---

[3] Ernesto Sábato, *El escritor y sus fantasmas*, Buenos Aires, 1963, p. 19.
[4] Maurice Nadeau, *Historia del surrealismo*, Buenos Aires, 1948, p. 34.

Dios desconocido». Casi adolescente, vive en una mansión corroída por la ruina. Lo acompañan sus primos: Bebe, un idiota que toca el clarinete, y Georgina, dulce y maternal. Recién traspuesto el umbral de la infancia los tres viven con total indiferencia de los adultos que habitan el resto de la casa (la tía María Teresa, el bisabuelo Pancho y los abuelos de Fernando), a quienes el autor apenas alude, sugiriendo de esta manera un grave y mutuo desapego afectivo. Bruno recuerda muy bien las características enfermizas del carácter de Fernando: «Fernando odiaba a su padre. Por aquel tiempo tendría doce años y era moreno y duro como él» [5].

La inclinación patológica hacia la madre, Ana María, determina sus relaciones con Georgina, que la recuerda: «Georgina se parecía asombrosamente a Ana María: no sólo por sus rasgos físicos, como Alejandra, sino, y sobre todo, por su espíritu: era algo así como la quintaesencia de la familia Olmos...» [6].

La «fatalidad interior» actúa sobre la base de traumas ocurridos en zonas remotas de la infancia. El conflicto triangular padre-madre-hijo, bajo la forma de memoria inconsciente, hace que en toda relación amorosa necesite del padecimiento de un tercero. En su adolescencia fue Bruno; posteriormente, en sus relaciones con la Ciega, necesitó la presencia física del ciego paralítico; en su tragicómico matrimonio, los celos alternativos de Szenfeld, Shapiro y la madre de su esposa; con Norma Pugliese, la ambigua figura de la señorita González Iturrat.

Estamos observando el desplazamiento en el tiempo de una enfermedad mental, en que el protagonista repite sin saberlo canales torcidos de conducta generados en la infancia. Fernando, identificándose inconscientemente con el padre (al que se parece), orquesta como sonámbulo sus relaciones, como sumo sacerdote de un culto atroz, en el que siempre será imprescindible que la serpiente de los celos envenene a alguien.

---

[5] Ernesto Sábato, *Sobre héroes y tumbas,* p. 424.
[6] *Ibid.,* p. 414.

Y no sólo en forma privada se repite ese conflicto infantil. También socialmente, cuando en su juventud capitaneaba bandas de asaltantes y anarquistas, la autoridad paterna es sustituida por la social, el idealismo anarquista por el delito común.

Bruno, inteligente observador de la realida diurna, advierte en Fernando rupturas de la personalidad: «siempre pensé que en él habitaban varias personas diferentes» [7].

El propio Fernando habla de estas divisiones en el «Informe sobre ciegos»: «No sé lo que pasará con los otros. Yo sólo puedo decir que en mí esa identidad de pronto se pierde, y que esa deformación del 'yo' de pronto alcanza proporciones inmensas...» [8]. «Y porque muchos de los episodios que relataré, de otro modo serían incomprensibles e increíbles. Pero pasaron en buena medida gracias a esa ruptura catastrófica de mi personalidad; no a pesar de ella, sino precisamente gracias a ella» [9].

Vastas zonas de su vida permanecerán en sombras. De vez en cuando, informaciones de Bruno permiten percibir algunos rasgos de su personalidad aterradora, acentuándose de esta manera la densidad crepuscular que lo rodea. Sus viajes son misteriosos y constantes, sus inclinaciones y compañías, turbias.

Su retrato, tal como lo ve Bruno, corresponde al de un perverso: «Si un hombre tiene su más auténtico rostro cuando está en soledad, el más auténtico rostro de Fernando era despiadado y cruel, como tallado a cuchillo» [10]. Sobre esta máscara es capaz de organizar las más perfectas imitaciones de los más nobles sentimientos. No es capaz de amar y él mismo lo manifiesta en el «Informe sobre ciegos»: «No tengo ni he tenido nunca amigos, he tenido pasiones, naturalmente, pero jamás he sentido afecto por nadie, ni creo que nadie lo haya sentido por mí» [11].

[7] *Ibid.*, p. 411.
[8] *Ibid.*, p. 271.
[9] *Ibid.*, p. 272.
[10] *Ibid.*, p. 453.
[11] *Ibid.*, p. 272.

El odio por un remoto rechazo materno lo ha convertido en un corruptor de mujeres que experimenta placer en degradarlas. La aventura con Norma Pugliese, contada con cinismo, abunda en expresiones de goce frente a la perversión que desencadena: «El placer que experimentaba en corromper a la maestra» [12].

Sicópata, corruptor, desprovisto de afectos y cínico. Tal el retrato diurno y aparencial de Fernando; pero detrás de la realidad exterior existe otra más profunda, captada por los demás personajes mediante una intuición inconsciente. Cuando Martín lo ve, lo encuentra dotado de una «tenebrosa belleza» [13]. Bruno, al hablar de sus relaciones con Georgina, lo nombra varias veces como «demonio» [14].

Al abrirse la gran fauce del infierno, que es el «Informe sobre ciegos», mediante extraños símbolos y desgarradas imágenes, Sábato trasmite una noción de la naturaleza del mal. Superficialmente, una enfermedad mental; profunda y esencialmente, un laberinto regido por el odio.

Dante imagina su infierno en círculos: los más amplios corresponden a los pecados más leves; en la medida en que sus condenados son más y más perversos, los círculos se van estrechando hasta la casi absoluta desaparición del espacio, la carne es reemplazada por la piedra o el hielo, y, en el círculo donde reside el príncipe de las tinieblas más poderoso, la inmovilidad es absoluta y letal.

La estructura del infierno sabatiano es circular. Fernando, perseguidor de ciegos, se encuentra varias veces perseguido por ellos. Corrompe a Norma Pugliese para que le sirva de instrumento en su averiguación, pero, llegado el momento, sospecha de la maestra y piensa si acaso no será un instrumento de la Secta para vigilarlos: «¿Por qué Norma me había traído a la señorita González Iturrat? Tampoco podía ser una simple coincidencia la discusión que me obligaron a mantener sobre la naturaleza del mal. Pensándolo bien, encontré que la profesora tenía todas las carac-

---

12 *Ibid.*, p. 285.
13 *Ibid.*, p. 239.
14 *Ibid.*, p. 430.

terísticas de una socia de la biblioteca para ciegos. Y la sospecha se extendió a la propia Norma Pugliese» [15].

Cronológicamente, la aventura con la Ciega en el taller de Domínguez es anterior a la persecución que inicia en Buenos Aires el «Informe sobre ciegos». Cuando cree descubrir que la Ciega y su marido, a quienes vigilaba, en realidad son cómplices y lo están vigilando a él, huye por todo el mundo, de manera que su primer círculo es amplísimo. Posteriormente, persigue y es perseguido en la ciudad de Buenos Aires; y cuando llega a la casa de la Recova, luego de una angustiada búsqueda, y se encuentra en la habitación de la Ciega, cae en delirio, luego despierta en ese mismo cuarto describiendo su último y más cerrado círculo.

Para Diel [16], «el laberinto significa el inconsciente, el error y el alejamiento de la fuente de vida». Éste es el sentido que consideramos acertado para la interpretación del laberinto sabatiano.

Es el inconsciente, puesto que el mismo autor lo puntualiza en *El escritor y sus fantasmas* [17], pero no la zona de donde se extrae la fuerza para vivir, sino la potencia irreductible que «posee» y se adueña del hombre. En síntesis: lo infernal.

La paranoia de Fernando instala ese laberinto en el interior de su mente. Concluye siempre perseguido por aquellos a quienes perseguía, como si su estructura mental fuera la de una serpiente que se muerde la cola [18]. La despiadada exploración del inconsciente abismal de Fernando nos conduce a la conclusión de Baudelaire: «El cerebro bien conformado lleva en sí dos infinitos, el cielo y el infierno, y en cada una de estas imágenes el hombre se reconoce a sí mismo» [19].

---

[15]   *Ibid.*, p. 296.
[16]   Paul Diel, *Le symbolisme dans la Mytologie Grecque,* París, 1952, p. 369.
[17]   Ernesto Sábato, *El escritor y sus fantasmas,* Buenos Aires, 1963, p. 19.
[18]   El círculo, representado varias veces con la imagen del dragón mordiéndose la cola, es para los gnósticos uno de los símbolos del tiempo. (Cirlot, J. Eduardo, *Diccionario de símbolos,* Madrid, 1969.)
[19]   Jean Paul Sartre, *Baudelaire,* Buenos Aires, 1969, p. 28.

La identificación

Es éste un fenómeno sicológico que puede dar origen al amor. Pero cuando el individuo es neurótico produce la pérdida de la personalidad, o para decirlo en términos de la dialéctica de Jung, «pérdida de la individuación» [20]. En los ciegos, Fernando ve la encarnación del mal; Satanás reina en la tierra por intermedio de la secta, que supone posee diferentes jerarquías, así como los teólogos creen que las hay en los cielos y el infierno. Apasionado en investigar la naturaleza del mal, se define a sí mismo como a un canalla y en repetidas ocasiones exclama: «Soy un canalla porque saben que soy uno de ellos» [21].

Lenta en principio, la identificación se intensifica hacia el final, cuando las entidades que persigue terminan poseyéndolo para siempre. En el capítulo XX, Fernando —que recorre la casa de la Recova, horas antes abandonada por Iglesias—, se encuentra tanteando con su bastón blanco, y él mismo apunta como detalle revelador: «me encontré golpeando las paredes como un auténtico ciego» [22].

En el capítulo XII, iniciado ya el delirio, un gran pájaro lo enceguece, produciéndose la identificación no sólo por actitud, sino también por similitud. En el capítulo XXVI es absorbido por la gran diosa siniestra, transfiguración poética del arquetipo de la madre terrible, y así la identificación se transforma en fusión. El anhelo por conocer lo funde con las entidades malignas y de esta manera el perseguidor se transforma en el perseguido. Por esta razón, Fernando, canalla y odiador de los emisarios del mal, encarnados en los ciegos, se transforma en las entidades que siguió obsesivamente.

Es por eso que manejó y destruyó a tantos seres; de allí surge su «tenebrosa belleza», su energía inagotable, su orgullo y soberbia ilimitados.

---

[20] Carl G. Jung, *El yo y el inconsciente*, Buenos Aires, 1964, p. 130.
[21] Ernesto Sábato, *Sobre héroes y tumbas*, p. 301.
[22] *Ibid.*, p. 327.

Si bien la unión con la diosa significa una vuelta al útero, y el contexto permite afirmar que la Ciega es Alejandra, el doble incesto está elaborado en forma tal que impone a la conciencia sensible (no racional) del lector imágenes horrorosas, ya que desde los tiempos más remotos la humanidad ha temido a esta clase de relación [23].

En lenguaje místico, la unión del alma con Dios ha sido asimilada a un matrimonio espiritual. La identificación y fusión de Fernando con los poderes tenebrosos es sexual, con primacía del odio y la violencia. En la medida en que se va realizando, el protagonista se transforma en serpiente, en pulpo, en rata fálica, animales todos de infernales atributos. Violenta y paroxística, esta unión está cargada de odio implacable y mutuo, el paisaje fantástico que acompaña a esta cópula infernal está sacudido por cataclismos, la luna estalla en mil pedazos, en medio del fuego y de la sangre como en un cuadro de Jerónimo Bosco.

El paisaje que rodea a la diosa, en cambio, está presentado con una ausencia total de vida y movimiento. Lugar de torres derruidas, esqueletos de altas hayas muertas, páramos melancólicos, cordilleras lunares, cráteres apagados. La misma deidad está hecha de piedra. La vida ha desaparecido. La madre terrible [24], símbolo del lado siniestro de la naturaleza, símbolo de la muerte, está acompañada de un paisaje en el que todo tiene una connotación de ruina o disolución: la luna para Eliade simboliza «el mundo inferior, mundo de las tinieblas» [25], o bien símbolo mortuorio, según algunas interpretaciones provenientes del Tarot; los páramos y las pendientes abruptas son índices de finales apocalípticos, anhelo de dominio y muerte [26]; las torres destruidas, la ruina del anhelo de elevación del hombre [27].

---

[23]   Sobre el temor del incesto véase Sigmund Freud, *Totem y Tabú,* Obras completas, Madrid, 1948, pp. 419-473.
[24]   Carl Jung, *Transformaciones y símbolos de la libido,* Buenos Aires, 1961, página 293. Destaca la ambivalencia de los símbolos maternos. Para él, «la madre terrible» tiene sentido y figura de muerte.
[25]   Mirceas Eliade, *Tratado de historia de las religiones,* Madrid, 1954, p. 38.
[26]   Juan E. Cirlot, *Diccionario de símbolos,* p. 297.
[27]   *Ibid.,* p. 393.

A esta degradación de la materia corresponde una degradación en el espíritu. A medida que Fernando asciende en las entrañas de la diosa, desciende en su condición, regresa a etapas pre-humanas: «Mi cuerpo se iba convirtiendo en el cuerpo de un pez. Mis extremidades se transformaban repugnantemente en aletas, y sentí que mi piel se cubría de duras escamas» [28].

Al culminar la identificación con los poderes malignos, lo humano se va transformando en bestial. Pero los condenados de Dante, nos dice Francisco de Sanctis, «tienen el apetito y el instinto de la bestia, tienen la conciencia del hombre» [29]. Un matiz diferente aparece en el infierno sabatiano. Conciencia y conocimiento se animalizan: «Mi cuerpo-pez apenas podía deslizarse por aquel agujero, y ya no subía por mi propio esfuerzo, pues me era imposible mover las aletas: poderosas contracciones de aquel angustioso túnel me llevaban con incontenible fuerza de succión, hacia el extremo alucinante. Hasta que de pronto perdí el conocimiento-pez» [30].

La inteligencia, último baluarte de esta atormentada entidad, apaga sus destellos finales. En la ancestral lucha espíritu-materia parece haber triunfado para siempre la materia, imponiendo su taciturno sello de muerte.

Detrás de esta aterradora metáfora vibra en la conciencia sensible del lector la esencia de lo demoníaco. No se trata de darnos (sería contrario al quehacer artístico) una versión dialéctica, discursiva de la naturaleza del mal. El artista lo recrea haciendo sentir sus siniestros aletazos, inexorable, irreductible a dimensión racional.

De todas maneras y a través del universo que Sábato presenta, se le pueden señalar bases activas a través de las que se proyecta:

---

[28] Ernesto Sábato, *Sobre héroes y tumbas*, p. 388.
[29] Francisco De Sanctis, *Las grandes figuras poéticas de la Divina Comedia*, Buenos Aires, 1945, p. 217.
[30] Ernesto Sábato, *Sobre héroes y tumbas*, p. 389.

1. El mal es divorcio absoluto entre la inteligencia y la sensibilidad: Fernando, hombre inteligente, no fue nunca capaz de amar.

2. El odio es su elemento de vanguardia: el que odia se transforma en el objeto de su odio, según pudimos observar en el proceso de identificación de Fernando con los poderes tenebrosos.

3. Es fuerza involutiva: Fernando regresa a un anti-nacimiento.

4. Su imagen sensible es un laberinto circular regido por el odio.

5. Es muerte y destrucción.

6. Es la sórdida solidez de la materia desespiritualizada.

7. Está colocado en el camino del hombre para causar dolor y probarlo. Cuando se resiste a la prueba, la humanidad se espiritualiza más, como sucede con Bruno y Martín.

En cuanto a Fernando como carácter, sus aspectos paranoicos recuerdan la sicología de Hitler, según el análisis efectuado por Fromm [31]. Pero en sus delirios resulta increíble. En la realidad diurna es un loco, en la realidad profunda u onírica es una fuerza cósmica.

El mito: Elementos clásicos

Mito y literatura «se funden en la zona ambigua y oscuramente nebulosa en que el hombre entra cuando trata de encontrar sentido a las cosas de la vida» [32]. Mientras nuestro mundo de hoy, gobernado por técnicos e ingenieros, barre con la dimensión humana de las cosas, los artistas ciertos tratan de entregarnos «la realidad de las cosas a través del hombre» [33]. Toda auténtica literatura busca coherencia, y ésta sólo puede hallarse «dentro de una mitología subyacente» [34]. Oscuramente, en la obra de Sábato reina el mito.

---

[31] Erich Fromm, *El corazón del hombre,* México, 1966, pp. 109-133, y el breve análisis de Merlo y Saussure, *Psicoanálisis de Hitler,* Buenos Aires, 1957.
[32] Marcelino Peñuelas, *Mito, literatura y realidad,* Madrid, 1965, p. 130.
[33] *Ibid.,* p. 133.
[34] *Ibid.,* p. 135.

Su novela adquiere dimensiones de cosmología y, en el personaje que encarna las fuerzas del mal y la disolución, reitera el mito de Edipo. Es obvio recordar que el héroe antiguo —desconociendo su origen— mata al padre y desposa a la madre. Fernando odia al padre «al que intenté envenenar»[35], y se siente enfermizamente atraído por la madre. Un ciego arrojará sobre Edipo su trágica y desconocida verdad. Los ciegos ponen en contacto a Fernando con una realidad atroz: como Edipo, él también concluirá enceguecido. Este parentesco ha sido advertido ya, entre otros, por la profesora Ángela Dellepiane[36]. Un encuentro con el mito griego, prescindiendo de la literatura, sería imposible como ya lo dijo Eliade: «Los mitos griegos clásicos representan el triunfo de la obra de arte sobre la creencia religiosa. No disponemos de ningún mito griego transmitido con su contexto cultural»[37]. En un autor como Sábato, en el que la noche y lo onírico adquieren dimensiones sobrecogedoras, el análisis de las concomitancias y divergencias entre su particular comprensión de la realidad y la de un clásico confieren a su obra una inesperada luminosidad.

De todas maneras, y antes de entrar en la comparación, resulta necesario señalar que la posición que la sociedad confería al poeta de la antigua Grecia es la misma que Sábato otorga al creador actual. La religión griega no era un cuerpo fijo de doctrina, el espectador ateniense del siglo v no concurría al teatro para ver desenvolverse ante él un argumento: lo conocía, y su actitud era la del hombre que busca aprender a conocerse a sí mismo y a sus relaciones con el mundo de los dioses[38].

A propósito de la literatura del siglo xx afirma Sábato: «...la literatura ha adquirido una nueva dignidad, a la que no estaba acostumbrada: la del conocimiento. Pues mientras se creyó que la realidad debía ser aprehendida por la sola

---

[35] Ernesto Sábato, *Sobre héroes y tumbas,* p. 413.
[36] Ángela Dellepiane, *Ernesto Sábato, el hombre y su obra,* Nueva York, 1968.
[37] Mirceas Eliade, *Mito y realidad,* Madrid, 1968, p. 176.
[38] Para el análisis de la tragedia de Sófocles nos hemos basado en la monografía de Eilhard Schlesinger, *El Edipo Rey de Sófocles,* La Plata, 1950.

razón, la literatura parecía relegada a una tarea inferior, heredera vergonzante de la mitología y de la fábula, actividad tan adecuada a la mentira como la filosofía y la ciencia de la verdad. Pero cuando se comprendió que no toda la realidad era la del mundo físico, ni siquiera las especulaciones sobre la historia y las categorías; cuando se advirtió que también formaban parte de la realidad (y en lo atinente al hombre, de manera capital) los sentimientos y las emociones, entonces se concluyó que las letras eran un instrumento de conocimiento, y acaso el único capaz de penetrar en el misterioso territorio del hombre con minúscula» [39].

Los planos de la realidad. La fatalidad

Apolo había decretado la destrucción del rey de Tebas aun antes de haber sido engendrado por Layo. Lo sabía el espectador ateniense que lo veía agitarse en medio de su absurdo esplendor de rey-salvador de su pueblo. Transcurría el drama en dos planos: el aparencial y el de los dioses.

Cuando Edipo descubre su verdadera identidad y de rey amado pasa a ser el más desventurado de los hombres, la realidad divina irrumpe en el mundo aparencial de los humanos aniquilando la ilusión y produciendo lo que Aristóteles denomina la pericia y el reconocimiento.

En *Sobre héroes y tumbas,* y particularmente en el personaje central, se dan estos dos planos de la realidad, pero las potencias oscuras que decretan la desaparición y extinción de Fernando se encuentran instaladas en la mente del personaje. Son los planos que el Sábato dialéctico denomina «realidad diurna» y «realidad onírica». Su arte vuelve tangibles (la deidad de piedra) las entidades espirituales, que surgen del corazón-mente, del carácter «central y decisivo».

Nada podía hacer Edipo frente a una fatalidad que le era absolutamente ajena y de la cual creía haberse liberado por medio de su voluntad inteligente. Fernando reconoce

---

[39] Ernesto Sábato, *El escritor y sus fantasmas*, pp. 88-89.

que es imposible liberarse, pero ve en ella una creación interna: «La astucia, el deseo de vivir, la desesperación, me han hecho imaginar mil fugas, mil formas de escapar a la fatalidad. Pero, ¿cómo nadie puede escapar a su propia fatalidad?» [40].

Dos tipos de realidad para Sófocles: divina y humana. Dos realidades en Sábato: onírica y diurna. El destino decretado desde la esfera divina para Sófocles; el destino surgiendo de la esfera onírica, para Sábato.

Fusión de las dos realidades. La ironía

Cuando Edipo maldice al causante de la peste, cuando afirma que vengará a Layo como si se tratara de su padre, cuando se acerta a Yocasta para confiarle la congoja que lo perturba, manifestando: «a quién sino a ti», la realidad divina y la humana quedan soldadas aun a despecho de la serena inconsciencia de Edipo, produciéndose lo que los teóricos del teatro denominan «ironía trágica».

Fernando busca obsesivamente un encuentro con una estructura tenebrosa e ilimitada de la realidad, pero, hasta los momentos previos a su identificación, su conciencia tiene límites; por eso se producen desgarramientos en su personalidad: «La gente no comprendía lo que me pasaba, me veía concentrarme con mi mirada fija y ajena, y creía que me estaba volviendo loco, sin comprender que era al revés, precisamente al revés, puesto que merced a ese esfuerzo lograba mantener a la realidad en su sitio y en su forma» [41].

Los comentarios de Fernando sobre el mundo cotidiano mueven a risa. Pero de pronto esa risa puede transformarse en mueca de angustia: «Al salir del bar, y después de mi visita nocturna a la pensión, sobre plaza Once, contemplaba el gran cartel que anuncia los fideos Santa Catalina; no me parecía difícil que hubiese sufrido el martirio, ya que el

[40] Ernesto Sábato, *Sobre héroes y tumbas,* p. 396.
[41] *Ibid.,* p. 270.

martirio fue casi siempre el fin profesional de los santos;
y entonces no podía dejar de meditar sobre esa característica de la existencia humana consistente en que a un crucificado o a un desollado vivo, con el tiempo se convierte
en una marca de fideos o de conservas en lata» [42].

Mediante el uso de las mayúsculas, el autor concretiza
elementos de la realidad [43]. Así, en la descripción nocturna
de la zona de los bancos, ciertas palabras escritas con mayúscula (Crédito, Dinero, Oficina, Fiduciario) se imponen a
la conciencia bajo una máscara enigmática y siniestra: «El
silencio y la soledad tenían esa impresionante vigencia que
tienen siempre de noche en el barrio de los Bancos. Barrio
mucho más silencioso y solitario, de noche, que cualquier
otro; probablemente por el contraste, por el violento ajetreo
de esas calles durante el día; por el ruido, la inenarrable
confusión, el apuro, la inmensa multitud que allí se agita
durante las horas de Oficina. Pero también con certeza, por
la soledad sagrada que reina en esos lugares cuando el Dinero descansa» [44]. El recuerdo de Kafka es quizá inevitable.

Producidos los delirios que lo identifican con las potencias del mal, Fernando duda de la realidad aparencial, a la
que confiere menos importancia que a la profunda, o, para
decirlo con los términos de la dialéctica de Sábato: la realidad nocturna. «Enceguecido y sordo, como un hombre que
emerge de las profundidades del mar, fui surgiendo nuevamente a la realidad de todos los días. Realidad que me pregunto si al fin es la verdadera» [45]. Edipo, en cambio, no duda
de la realidad profunda, ni de la voluntad de los dioses una
vez llegado su reconocimiento. En el héroe antiguo no hay
culpa ni temor al castigo, mientras que Fernando, culpable
cósmico, se sabe predestinado al fuego. La ironía trágica en
Sófocles proviene de la fusión de las dos realidades en el
plano de la contemplación estética, sin que los personajes

---

[42]   *Ibid.*, p. 288.
[43]   Raúl Castagnino, lo abstracto y lo concreto en el estilo, *El análisis literario.*
[44]   Ernesto Sábato, *Sobre héroes y tumbas*, p. 259.
[45]   *Ibid.*, p. 396.

adviertan esa integración. Sin haber conocido la esperanza, Edipo (y con él el mundo antiguo) tampoco conocía la desesperación. La idea de culpa le era ajena. El error de Edipo no se encuentra en el parricidio ni en el incesto, colocados fuera de la tragedia en Sófocles; y que en Aristóteles tampoco tenían connotación de culpabilidad [46], ya que ocurrían contra su voluntad. En Sábato la culpabilidad va emergiendo a través de significativos pasajes en el «Informe sobre ciegos»:

> Y otro día, abriendo al azar el gran volumen de mitología de mi madre leí: «Y yo, Tiresias, como castigo por haber visto y deseado a Palas Atenea mientras se bañaba, fui enceguecido; pero apiadada la Diosa me concedió el don de comprender el lenguaje de los pájaros proféticos; y por eso te digo que tú, Edipo, aunque no lo sabes, eres el hombre que mató a su padre y desposó a la madre, y por eso has de ser castigado» [47].

Esta lectura realizada en la infancia lo conmovió de tal manera que su recuerdo reaparece cuando inicia el delirio que lo llevará a la muerte. Aquellas aves predecirán el destino de destrucción de Edipo y también el suyo, el de Fernando Vidal Olmos. Por eso de niño inicia aquella manía aterradora testimoniada por Bruno: «Había apresado un gorrión, lo llevó a aquella pieza que tenía arriba, a la que llamaba fortín, y con una aguja le pinchó los ojos» [48]. Con esta obsesión mecánica, circular, trata de evitar que se descifre su trágica verdad, que se le prediga su ineludible destrucción. Porque aunque su conciencia lo niegue, se «sabe» culpable de haber deseado a su madre. Esta imagen reaparece cuando desciende al infierno, las abominables cloacas de Buenos Aires, en busca de lo que llama el misterio central de la existencia:

---

[46] Aristóteles, *Poética,* cap. XIII. «Queda, pues, el caso de quien se encuentra en medio de ambas situaciones. Tal el que no descuella en virtud ni en justicia, ni tampoco por maldad o perversión sino por alguna falla; uno de los que se encuentran con suma gloria y felicidad como Edipo y Tiestes y los varones famosos de semejantes linajes.»

[47] Ernesto Sábato, *Sobre héroes y tumbas,* p. 381.

[48] *Ibid.,* p. 424.

> Sentí entonces, supongo que en sueños, el rumor del arroyo Las Mojarras al golpear sobre las toscas, en la desembocadura del río Arrecifes, en la estancia del capitán Olmos. Yo estaba de espaldas sobre el pasto, en un atardecer de verano, mientras oía a lo lejos, *como si estuviera a una distancia remotísima,* la voz de mi madre que, como era su costumbre, canturreaba algo mientras se bañaba en el arroyo. (El subrayado es nuestro.) [49]

Este delirio corresponde a un recuerdo censurado. Como Tiresias, ha deseado a quien no debió y recibirá un castigo. Pero a diferencia de Tiresias, castigado por el capricho de una diosa, él *es* culpable.

Sorprendido como el ciego, escucha:

> ese canto que parecía más alegre al comienzo pero que luego se fue haciendo para mi más angustioso: deseaba entenderle y a pesar de mis esfuerzos no lo lograba, y así mi angustia se hacía más insufrible por la idea de que las palabras eran decisivas; cosa de vida o muerte. Me desperté gritando: «¡No puedo entender! ¡No puedo entender!» [50].

En este sueño está la clave de la locura de Fernando. En su relato desliza alusiones que traicionan su versión de los hechos. Dice haber oído el canto «como si estuviera a una distancia remotísima»: en la oración condicional está implícita la aproximación de Fernando a Ana María; y luego afirma que «eran decisivas, cosa de vida o muerte» (notemos que aquí ya no habla de canto). ¿Cuáles fueron aquellas palabras decisivas de Ana María? ¿Acaso la madre, de igual manera que la diosa, lo maldijo? Fernando, como la humanidad, ha sido arrojado a la fatalidad por una culpa ligada al sexo y al ansia de conocer [51]. Pero él niega su culpa, no la asume. Por eso se despierta gritando «no puedo entender». El reconocimiento de su culpabilidad le impondría un nuevo planteo existencial, pero su soberbia impide esa

---

[49]   *Ibid.,* p. 378.
[50]   *Ibid.,* p. 379.
[51]   La idea de sexo, conocimiento y culpa están ligadas en el Antiguo Testamento. Por eso dice que «Adán conoció a Eva» cuando inició su vida sexual con ella.

alternativa. Si añadimos a esto su mentalidad circular y su falta de amor que impide salirse de su «yo», su tormento puede ser comparado al de las criaturas de Franz Kafka:

> Kafka se dirigía a Dios al impetrar misericordia. Era una petición que ni su Josef K, ni ningún otro de sus protagonistas jamás pronunció ni podía pronunciar, pues que ellos negaban su culpabilidad. La confesión de la culpabilidad tan sólo es posible a través del tormento y se lleva a cabo al reconocer éste como un sufrimiento justo. Las figuras de Kafka están inmersas en el tormento y tratan por todos los medios de salir de él [52].

Místicamente ligada a la tradición del Antiguo Testamento, y literalmente cercana al pensamiento atormentado de Kafka, esta criatura, que no puede salir de sí misma, es también Edipo, un Edipo del siglo XX que se sabe culpable y niega su culpa, que persigue a una esfinge interior, viva dentro de él, que terminará por devorarlo. Su persecución a los ciegos es inútil, los ciegos están dentro de él; él es también Tiresias; desde el fondo de sí mismo conoce su verdad: culpable.

Es posible interpretar su odio a los ciegos desde una posición sicológica: la lectura de un fragmento en el que aparece Tiresias como acusador y a la vez ejecutor de una acción similar a la que traumatizó a Fernando, desencadena una enfermedad latente. A partir de ese momento el protagonista se deslizará, primero lentamente, luego con inexorable rapidez, hacia la locura.

Consideramos, no obstante, la interpretación en el acercamiento al mito conforme lo tratara Sófocles. Es Tiresias, el vidente ciego, quien revela a Edipo su verdadera situación. El rey no lo entiende, y supone que existe una conjuración para derrocarlo, en la que estarían mezclados su cuñado Creonte, la misma gente que asesinó a Layo y hasta Tiresias. Equivocado en cuanto a Creonte acierta cuando piensa en los asesinos de Layo y en Tiresias. Es su verda-

---

52   Walter Falk, *Impresionismo y Expresionismo,* Madrid, 1963, p. 203.

dero y desconocido ser quien lo derrocará y es la presencia
del ciego un anticipo de su destrucción y caída. El trágico
griego, en *Edipo en Colono* hará que el ex rey de Tebas se
identifique con Tiresias. En esta segunda tragedia, Edipo,
apartado del mundo, como todo ser que conoce subestructuras lúgubres de la realidad, ciego, es vidente y profeta de
su pueblo. El odio de Fernando a los ciegos está relacionado
con aquella enigmática figura, aliada de las fuerzas inconscientes que han decretado su destrucción.

Tiresias, a través del libro de mitología de su madre,
ha profetizado su castigo. Desde el momento fatal en que
Fernando encuentra esa historia, comienza a gravitar en su
mente aquella extraña figura, el vidente-ciego que desata
los principios de su sistemática exploración.

Aunque cronológicamente comienza en el despuntar de
un verano de 1947, sicológicamente es necesario situarnos
en el instante crucial de la infancia del protagonista. Y desde el punto de vista de la estructura metafísica de la novela, la exploración comienza desde el principio de los tiempos, en el alba mítica de la historia:

> Fue un día de verano del año 1947, al pasar frente a la
> plaza de Mayo, por la calle San Martín, en la vereda de la
> municipalidad. Yo venía abstraído, cuando de pronto oí una
> campanilla, *una campanilla como de alguien que quiera des-
> pertarme de un sueño milenario* [53]. (El subrayado es nuestro.)

En pleno delirio, grandes pájaros lo enceguecen y de
esta manera se identifica con los ciegos y con Tiresias fun-
diéndose con aquellas potencias que deseó conocer. Entonces, llega a ser vidente de su destino: «cuando por fin me
quemen, recién entonces se convencerán» [54].

En esta segunda etapa de su experiencia, su identificación puede ser considerada paralela a la de Sófocles en
Edipo en Colono.

---

[53] Ernesto Sábato, *Sobre héroes y tumbas*, p. 255.
[54] *Ibid.*, p. 54.

De esta manera, el carácter «central y decisivo» de *So-bre héroes y tumbas* retoma con intensidad la antigua tra-dición. Oscuras fuerzas que decretan la destrucción están en manos de los ciegos. Los violentos, inescrutables dioses del sueño y de la muerte, tiene como emisarios infernales a seres cuyos ojos han vaciado sus cuencas para la realidad co-tidiana, pero están dirigidos hacia abismos en los que el hombre se «ve» culpable y destinado a la muerte.

Fusión del daimon y del diablo

En la figura de Fernando se unen las nociones del dai-mon griego (fuerza de la naturaleza, divinidad intermedia entre los dioses y el hombre, el que conoce, el que sabe) y el diablo judeo-cristiano (el difamador, el calumniador, el que desune), y aún apunta un tercer matiz esotérico: el que se opone a la evolución [55].

Para un somero análisis de este primer aspecto, recor-damos que «para los griegos y los romanos, el daimon es un genio benéfico y maléfico de la naturaleza divina, y cuya influencia se hace sentir en el acontecer de las generaciones y de los hechos históricos [56].

La figura de Edipo, particularmente en *Edipo en Colo-no,* tiene todas las características de un daimon: ve, conoce y predice el destino de Tebas, maldice a sus hijos y esa mal-dición se cumple ineluctablemente. Su cadáver, sepultado en Atenas, tiene para la tierra que lo posee el valor de una reliquia que la hará inexpugnable [57].

La profecía y la energía son los principios que rigen esta entidad. Fernando, como daimon, conoce subestructuras de la realidad con las que se funde y confunde; su energía lo hace moverse incansable y misteriosamente por el mundo y dirigir bandas de asaltantes y anarquistas; durante las largas

---

[55]   Eduardo Cirlot, *Diccionario de símbolos,* Madrid, 1969, p. 177.
[56]   Pérez Rioja, *Diccionario de mitos y símbolos,* Madrid, 1962, p. 139.
[57]   En los momentos del estreno de *Edipo en Colono,* Atenas está amena-zada por la invasión meda.

temporadas en que está ausente es imposible imaginarlo inactivo.

En la Edad Media, el antiguo Pan, espíritu protector y fecundante de la naturaleza, lentamente se amalgama con la noción cristiana del negador, que llega, en algunos casos, a crear un culto intermedio [58]. En este largo período de transición, el arte popular lo presenta como un ser bufonesco, tragicómico y lúbrico. Este carácter, que aún se otorga al diablo en tradiciones y cuentos populares, está presente en Fernando: «Aunque no sea mucho más que echar sobre el diablo el conocimiento de sus perrerías tragicómicas. Curioso, la palabra tragicómicos es la primera que acude a mi mente, con respecto a la personalidad de Fernando, pero creo que también corresponde a la verdad» [59].

Su inquietante figura, no obstante, tiene la fascinación que ya el Antiguo Testamento confería a Luzbel, y que desde el romanticismo ha perdurado hasta nuestros días. Está dotado de «tenebrosa belleza» [60]. Bruno experimenta por él un «acatamiento natural» [61] que le hacía sentir «descanso y cierta voluptuosidad en su reconocimiento» [62].

No obstante, su jerarquía espiritual hay que buscarla al lado de los grandes ángeles caídos, entre los que se considera:

> Alguna vez le oí decir justamente, que en el infierno como en el cielo, hay muchas jerarquías, desde los pobres y mediocres pecadores (los pequeños burgueses del infierno, decía) hasta los grandes y perversos desamparados, los negros monstruos que tenían el derecho de sentarse a la diestra de Satanás, y es posible que, sin decirlo explícitamente, estuviera formulando un juicio sobre su condición [63].

---

[58] Este culto intermedio, que dio como resultado la brujería, fue analizado entre otros por Julio Caro Baroja, *Las Brujas y su mundo*, Madrid, 1969. Y Jules Michelet, *Historia del satanismo y la brujería*, Buenos Aires, 1965.
[59] Ernesto Sábato, *Sobre héroes y tumbas*, p. 417.
[60] *Ibid.*, p. 410.
[61] *Ibid.*, p. 410.
[62] *Ibid.*, p. 411.
[63] *Ibid.*, p. 411.

Es también un violento y sutil negador y confundidor que crea la duda, utilizando una oratoria seca pero deslumbrante [64]. Su inteligencia, tomando como base fragmentos de la realidad, teje con ellos una trama que altera y desfigura. La presencia física o latente de Fernando impide el florecimiento del amor: así el de Bruno y Georgina, el de Martín y Alejandra. Los idealistas que lo siguieron en su época de Avellaneda, de reformadores se transformaron en criminales sociales; y de esta manera se cumplimenta su tercer atributo: el que se opone a la evolución.

La peste. El Apocalipsis

Casi debajo de la iglesia de la Inmaculada Concepción, una noche de incendios se une en infernal ludibrio a la Ciega, llevando así su ancestral desafío hasta el límite. Una fuerza más poderosa que la suya ahogará su rebelión en fuego. Los incendios de junio de 1955 son la inclusión de lo histórico o social en lo sobrenatural, y tienen un misterioso punto de contacto con la peste que asoló a Tebas en *Edipo rey,* inequívoco signo de la voluntad de Apolo de perderlo para siempre. En el plano judeo-cristiano, el fuego es el signo de la caída y confinación de Fernando como entidad diabólica. Al no limitarse a su persona y la de Alejandra, sino a toda la colectividad, la novela acentúa su clima apocalíptico, en el que aparece la figura de un profeta: el loco Barragán. Hombre de café, castigado por el alcohol, las visiones y la abulia, lo llaman el «loco» porque de alguna manera quienes lo rodean comprenden que se encuentra desgarrado entre planos de la realidad que lo atormentan.

Barragán, igual que Fernando, tiene quebrado y fragmentado el mundo cotidiano, y por sus resquicios se le filtran visiones que luego los hechos confirmarán. Anuncia los incendios en su torpe lenguaje, rodeado por los típicos escépticos-esperanzados de los boliches porteños:

---

[64] Mezcla de blasfemia con la erudición, en meditaciones sobre la naturaleza divina, el origen del mal, etc.

Sí, ríansen, pero yo les digo que el Cristo se me apareció una noche y me dijo: loco, el mundo tiene que ser purgado con sangre y fuego, algo muy grande tiene que venir, el fuego caerá sobre todos los hombres y te digo que no va a quedar piedra sobre piedra [65].

Su humildad y el reconocimiento de sus faltas, la burla semicrédula que lo acompaña siempre, hacen de su figura la de un profeta crucificado por lo cotidiano; a veces recuerda a Cristo:

—por eso yo les digo, muchachos, que la felicidad hay que buscarla dentro del corazón. Para eso se hace necesario que venga el Cristo de nuevo. Lo hemos olvidado, hemos olvidado sus enseñanzas, hemos olvidado que sufrió el martirio por nuestra culpa y por nuestra salvación. Somos una manga de desagradecidos y unos canallas. Y si viene de nuevo, capá que no lo conocemos y hasta le tomamo el pelo.
—Quién te dice —comentó Díaz— yo soy el Cristo y ahora nosotros te estamo tomando en joda [66].

Su figura, llena de una ternura misteriosa, es la de aquellos pobres de espíritu, esos bienaventurados que poseerán el reino de Dios, y por tanto se encuentra ubicada en forma paralela y antagónica a Fernando, cuya negación absoluta de toda culpa lo inhabilita para la redención. Para Cirlot, «todas las cualidades heroicas corresponden analógicamente a las virtudes precisas para enfrentar el caos y las tinieblas» [67].

Fernando es el antihéroe por excelencia, el enemigo de la humanidad, el negador y enfrentador de Dios. La historia comienza después de la caída, y el mal enfrenta al bien movilizando el tiempo, iniciando el exilio del hombre en la contingencia y la historia. Desde ese punto de vista, la novela se inicia en los orígenes de Fernando, su desgarrada infancia en general Olmos entre su pasión por la madre y su odio al padre.

---

[65]   Ernesto Sábato, *Sobre héroes y tumbas,* p. 207.
[66]   *Ibid.,* p. 66.
[67]   Juan Eduardo Cirlot, *Diccionario de símbolos,* p. 249.

Culpa y tiempo se unen, a partir de la voluntad de una entidad maligna que tuerce para siempre el destino de la historia. Todos los caracteres del libro, particularmente los centrales, capitularon alguna vez ante la influencia o la presencia de Fernando: Bruno no puede salvar a Georgina de sus garras. Alejandra sucumbe con él. La capitulación significa cambio de destino, separación de las fuentes del amor, y también el comienzo de una historia particular (la de cada uno de ellos), historia que a fuerza de profunda se convierte en universal.

Fernando, entidad maligna, da la primera vuelta a la rueda de la historia, arrastrando con su voluntad disolvente a todos aquellos que sucumban a su fascinación. Para intensificar aún más la lacerante sensación de exilio en el tiempo, Buenos Aires se convierte en Babilonia. El inconsciente misterioso de un artista ha fusionado la tradición pagana con la judeo-cristiana. Sin saberlo, el lector asiste al drama de la Caída. *Sobre héroes y tumbas* es una desgarradora, extraña y misteriosa ceremonia, una ceremonia religiosa. Para Eliade, «cualquiera sea la complejidad de una fiesta religiosa, se trata siempre de un acontecimiento sagrado y que tuvo lugar *ab-origine* y que se hace presente ritualmente. Los participantes se hacen contemporáneos del acontecimiento mítico. En otros términos, salen de su tiempo histórico —es decir, el tiempo constituido por la suma de acontecimientos profanos personales e interpersonales—, y enlazan con el tiempo primordial, que es siempre el mismo, que pertenece a la eternidad» [68].

La desacralización del mundo no elimina en forma absoluta lo religioso en el hombre: «la religión y la mitología se han ocultado en las tinieblas de su subconsciente... en una perspectiva judeo-cristiana. Podría decirse que la no-religión equivale a una nueva caída del hombre.

El hombre arreligioso habría perdido su capacidad de vivir conscientemente la religión y por tanto la capacidad de comprenderla y asumirla; pero en lo más profundo de

---

[68] Mirceas Eliade, *Lo sagrado y lo profano*, Madrid, 1967, p. 89.

su ser conserva aún su recuerdo; al igual que después de
la primera caída, y aunque cegado espiritualmente, su antepasado el hombre primordial, Adán, había conservado la
inteligencia suficiente para permitirle reencontrar las huellas
de Dios visibles en el mundo. Después de la primera caída,
la religiosidad había caído a nivel de la conciencia desgarrada; después de la segunda, ha caído aún más bajo a los subsuelos del inconsciente, ha sido olvidada» [69].

Caída, destierro en el tiempo, fatalidad, nuestras máxi-
mas derrotas transfiguradas a través del arte: «si el arte
actúa en nosotros es porque sabe hacer victorias de las fatalidades que descubre. Y no transformándolas en cosas po-
seídas por la conciencia: transformándolas en goces, en cosas bellas» [70].

Purificación y ascenso por el dolor

La multivalencia de significados, una de las características esenciales de *Sobre héroes y tumbas,* nos obliga a una
labor de selección que mutila muchos de sus aspectos. En
la retirada de Lavalle es posible localizar tres focos de significación: histórico, filosófico y esotérico-místico.

La significación histórica corresponde a la primera lectura del texto, de sombría belleza. El remordimiento de Lavalle y su autocastigo inconsciente, expresado a través de
una acción que lo encamina hacia el fracaso y la muerte,
su carácter de héroe ínclito de la Independencia, su comprensión final del carácter absurdo de las guerras civiles que
nos desangraron, hacen que ningún argentino pueda asistir
a su retirada sin estremecerse. Dos de los agonistas de la epopeya, Celedonio Olmos y Bonifacio Acevedo, son parientes
remotos de Alejandra, y de esta manera se ensambla el relato épico con los hechos de nuestro tiempo.

Aquellos hombres, que con el único fin de salvar del
oprobio la cabeza de su jefe emprenden el largo éxodo hacia

---

[69] *Ibid.,* p. 201.
[70] Gaetán Picón, *El escritor y su sombra,* Buenos Aires, 1967, p. 220.

el norte, dan un nuevo matiz a lo heroico. No se trata de la consecución de victorias terrenales, sino de la lealtad y la solidaridad llevadas hasta la más aguda arista de lo heroico. La narración trasciende aquí su sentido histórico para alcanzar el pensamiento de Unamuno: «Hagamos de la nada, si es que nos está reservada una injusticia; peleemos contra el destino, aun sin esperanzas de victoria; peleemos contra él quijotescamente» [71].

Tragedia y conciencia unidas hacen que la legión supere al destino. Aquel suplicio sin esperanzas recuerda al de Sísifo, sobre cuya situación ha dicho Camus: «Si este mito es trágico es porque su protagonista tiene conciencia. ¿En qué consistiría su castigo si a cada paso lo sostuviera la esperanza de conseguir su propósito? El obrero actual trabaja durante todos los días de su vida en las mismas tareas y ese destino no es menos terrible. Pero no es trágico sino en los momentos en que se hace consciente. Sísifo, proletario de los dioses, impotente y rebelde, conoce toda la magnitud de su condición de miserable: en ella piensa durante su descenso. La clarividencia que debería constituir su tormento consuma al mismo tiempo su victoria. No hay destino que no se venza con el desprecio» [72].

El sentido mítico esotérico es inquietante, ya que en la medida en que se lo va tratando de perfilar, de conceptualizar, se tiene la sensación de que vastas áreas de significación permanecen irreductibles. De todas maneras, trataremos de aproximarnos: son jinetes con un ideal, que llevan en medio de todos los peligros el cadáver en descomposición de su caudillo.

Colosales cataclismos levantaron aquellas cordilleras del noroeste y, desde doscientos cincuenta mil años, vientos provenientes desde las regiones que se encuentran más allá de las cumbres occidentales, hacia la frontera, cavaron y trabajaron misteriosas y formidables catedrales [73].

---

[71] Miguel de Unamuno, *Obras completas,* Madrid, 1958, tomo II, p. 969.
[72] Albert Camus, *El mito de Sísifo, el hombre rebelde,* Buenos Aires, 1963, página 84.
[73] Ernesto Sábato, *Sobre héroes y tumbas,* p. 497.

Si el paisaje es un estado de espíritu, aquellos restos de cataclismos, aquellas torres derrumbadas, esas enormes y misteriosas catedrales reproducen en enigmático gráfico la tensión espiritual de la Legión. Estas altas cumbres, que unen el cielo y la tierra, los esperaban, ya que la Legión había sido convocada desde la eternidad.

Los caballeros avanzan llevando el cadáver en disolución de su caudillo, que de alguna manera es parte de ellos mismos. Lo han seguido por toda América, cuando era un triunfador. Con este general-niño han luchado por una patria bella, desventurada y poseída por fuerzas desconocidas. (Como Alejandra.)

Ellos son quienes lo descarnan, colaborando con la absorción cósmica de sus lastres corruptibles. Con Lavalle finaliza una etapa. En él mueren y renacen. Porque ellos trabajaron para su nueva reaparición, no ya como espectro sino como alma iluminada y profética. «Sufres por mí pero en realidad debieras sufrir por ti y por los camaradas que quedan vivos. Yo no importo ahora. Lo que de mí se corrompía tú lo estás arrancando y las aguas de este río lo llevarán lejos, pronto ayudarán a una planta a crecer, quizá con el tiempo se convierta en flor, en perfume. Ya ves que esto no debería entristecerte. Y además, así sólo quedarán de mí los huesos, lo único que en nosotros se acerca a la piedra, a la eternidad...» [74]. Lavalle se absuelve a sí mismo y consuela a los suyos. Se ha transformado en numen, en guía, en espíritu protector, en maestro. Después de la destrucción, del desmembramiento, la resurrección, el ascenso, la transfiguración. (Orfeo, Osiris, Cristo.)

Previo a su transfiguración, debió padecer un largo *via crucis* hasta que el fuego consumió sus amores y sus odios, sus ilusiones y esperanzas, transfigurándolo de gran derrotado en triunfador. Las furias de la descomposición y de la muerte no pueden contra él, puesto que en él se han consumido.

---

[74] *Ibid.*, p. 499.

Para asumirse plenamente como hombre, Martín necesita de su doloroso calvario tras la princesa-dragón. Cuando Alejandra muere, también se consume parte del alma desgarrada de Martín. Las cenizas de Alejandra (acaso su ánima, en el sentido junguiano) inician la madurez de Martín, que así puede avanzar hacia el sur, en busca de soledad, nieve y pureza. Ninguna mujer, ningún hombre se las dio. Las hallará por sí mismo y en sí mismo, de pie, como «todo un hombre». El fuego destruyó lo corruptible de Alejandra y transformó a Martín en adulto.

Durante toda la novela Martín es un muchacho-niño que necesita apoyarse en los otros. Pide amor y trabajo a Alejandra, a Bruno comprensión, el generoso Tito D'Arcángelo sabe que necesita amparo, Hortensia Paz intuye su tremenda carencia afectiva. Martín sigue adolescente llevado por los demás. De igual manera que es cargado por todos el cadáver de Lavalle, a quien llaman el general-niño. Después de haber sido destrozados por el dolor se levantan: uno como numen, otro como hombre.

Lo que la novela deja traslucir es un tipo de metamorfosis espiritual que se logra mediante la purificación por el dolor. El fuego, elemento precipitador de energías espirituales, actúa como factor de nuevas posibilidades ónticas. Es un intermediario entre el antiguo Lavalle, derrotado por el absurdo de la existencia, la muerte y la descomposición, y el nuevo, alma luminosa y profética. Es un intermediario también entre aquel Martín, niño desamparado, y el nuevo, que comienza una novela ignota, su propia y secreta novela en el sur. Ya definitivamente solo, porque es capaz de erguirse sin ser sostenido.

Lavalle es el pasado. Un caballero maldito que avanza hacia el norte, en el que se desintegra y rehace para transformarse en guía. Martín es el futuro y marcha hacia el sur. A uno y otro lado de la línea de ambos se abren los brazos matriarcales de la tierra común. En el centro de esta cruz ha quedado Buenos Aires.

Espacio y tiempo unidos, sacralizados, abarcando la
patria [75].

Alejandra, la princesa-dragón

Así como Yocasta es en el drama de Sófocles la persona más próxima a Edipo y más ligada a él por los misteriosos lazos de la fatalidad, Alejandra, en su enigmática aproximación a Fernando, tiene perfiles semejantes a los de la
heroína antigua. Como ella, teme a la realidad total y prefiere vivir en el mundo de las apariencias, no obstante el
ineludible derrumbe de sus ilusiones. El súbito descubrimiento de su pasión por Fernando la precipitará a la aniquilación, de igual manera que Yocasta es destruida en el
instante en que comprende su trágica situación, y al desaparecer de escena se suicida. El suicidio de las dos heroínas
es narrado por terceras personas. En este último y violento
acto, Sábato, poeta de las sombras, procede con clásica serenidad eludiendo todo patetismo.

Un estudio de Alejandra podría apasionar a los sicopatólogos. No corresponde a nuestro campo un análisis clínico, pero se nos ocurre útil recordar el juicio de Carl Jung
con respecto a la neurosis: «Es increíble cómo los hombres
pueden quedar presos en las palabras. Creen siempre que
un nombre determina una cosa, como si se hubiera hecho
un gran daño al diablo al llamarlo ahora neurosis... el hecho es siempre el mismo; en medio de nuestro dominio del
libre albedrío se yergue irremisiblemente algo síquico, objetivo, extraño, indomable» [76].

Dentro del clima metafísico de la novela, Alejandra es
una posesa; la epilepsia es una manifestación de su lucha
contra el demonio, de quien se considera servidora, como
si fuera un débil ángel sombrío: «yo, no sé... quizá sea la

---

[75] Sobre unión de espacio y tiempo en el pensamiento mítico: Mirceas
Eliade, *Lo sagrado y lo profano,* Madrid, 1963. Georges Gusdorf, *Mito y metafísica,* Buenos Aires, 1960.
[76] Carl Jung, *Realidad del alma,* Buenos Aires, 1968, p. 39.

encarnación de algunos de esos demonios menores que son sirvientes de Satanás»[77]. Al recordar su adolescencia dice a Martín: «me sentía a la vez poderosa y solitaria, desgraciada y poseída por los demonios»[78].

Desde el inconsciente, sagrado territorio de donde emergen las verdades, Martín la define con una metáfora que alude a su más profunda realidad: «la princesa-dragón, un indiscernible monstruo casto y llameante a la vez, candoroso y repelente al mismo tiempo, como si una purísima niña vestida de comunión tuviese pesadillas de reptil y de murciélago»[79]. El dragón, el murciélago y la serpiente: antiguos símbolos del demonio.

Las desgracias de su decadente familia, su pobreza y la ubicación de su casa tienen el sentido de una caída espiritual, de una condena que purgan, no sólo ella, sino sus familiares. Es la misma maldición que perdió a Layo, Antígona, Laertes y Polinices. Entre la gravedad y la gracia, polos de oscilación en el destino del hombre, la estirpe de Alejandra, a través de generaciones, primero se desliza, y luego se derrumba hacia la gravedad. Las fuerzas del espíritu se apagan inexorablemente y las piedras semihumanas caen en el abismo.

El mal es señor de la casa de Alejandra, y sus huellas están en los que la habitan y en sus recuerdos. Desde la locura de Escolástica, que conservó más de medio siglo la cabeza momificada de su padre, hasta el ya anciano Bebe, un idiota que en medio de trastos viejos reitera la misma inacabada frase en el clarinete, esbozo inconcluso que oyera Bruno en los lejanos días de su adolescencia, allá en Capitán Olmos; la escalera de caracol y aquella sirvienta provinciana que no habla, porque quizá sabe demasiado, un patio en el que tal vez la luz se estrangula entre plantas descuidadas.

Esta caracterización del mal bajo la forma de abandono, ha sido explicada por Simone Weil: «Todo el mundo siente

---

[77] Ernesto Sábato, *Sobre héroes y tumbas,* p. 120.
[78] *Ibid.,* p. 64.
[79] *Ibid.,* p. 124.

el mal dentro de sí, se horroriza y quiere liberarse de él.
Fuera de nosotros vemos el mal en forma distinta, sufrimiento y pecado. Pero en el sentimiento que tenemos de
nosotros mismos esa distinción desaparece, salvo abstracta-
mente y por reflexión. Sentimos en nosotros algo que no
es ni sufrimiento ni pecado. Es el mal en nosotros. Es la fealdad en nosotros. En tanto lo sentimos nos produce horror.
El alma lo arroja como un vómito. Lo transporta por una
operación de transferencia a las cosas que nos rodean. Las
cosas que se vuelven feas y manchadas ante nuestros ojos
nos devuelven el mal que hemos puesto en ellas. Nos lo devuelven aumentado. En este intercambio el mal en nosotros
crece. Entonces nos parece que los lugares en que estamos,
el medio en que vivimos, nos aprisionan progresivamente
en el mal. Es una angustia terrible. Cuando el alma, agotada por esa angustia ya no la siente, hay pocas esperanzas
de salvación para ella» [80].

Por eso, cuando Martín recorre con la mirada la sórdida
habitación de Alejandra, ve en ella «un conjunto de muebles
que parecían sacados de un remate: de diferentes épocas y
estilos, rotosos y a punto de derrumbarse» [81]. Hace bien en
contemplar la habitación como si «recorriera parte del alma
desconocida de Alejandra» [82], pues es precisamente ese alma
de Alejandra la que está «a punto de derrumbarse». Y la
indiferencia de la muchacha ante la fealdad de su casa es
el índice inequívoco.

Este clima es el resultado final de una sucesión de golpes que arrancan desde la infancia. A los once años sorprende a su padre con una mujer; escapa por venganza y se refugia en una casa abandonada, manifestando de esa manera
su rencorosa rebelión. El amor complaciente de su abuela
Elena no logra salvarla de la internación en un colegio. La
peñascosa playa, las tempestades de aquel poderoso océano
son la expresión de su espíritu atormentado; mientras las

80 Simone Weil, *La espera de Dios,* Buenos Aires, 1952, p. 241.
81 Ernesto Sábato, *Sobre héroes y tumbas,* p. 81.
82 *Ibid.,* p. 45.

olas levantan su frágil cuerpo, se siente «poderosa y solitaria, desgraciada y poseída por los demonios» [83].

Desesperadas ansias de pureza y redención la acercan a Marcos Molina, parecido en su honesta simplicidad a Martín. Estos dos seres purísimos no podrán salvarla, porque ella ya no puede darse con toda plenitud. Durante muchos años será prisionera-víctima de la fatalidad, la involución y la desgracia. Y con el tiempo, toda víctima se convierte en cómplice de su victimario. Su carácter misterioso y profundamente humano. De allí la fascinación que ejerce en el lector. Más allá de su neurosis y sus circunstancias, simboliza la parte del espíritu que sucumbe al poder del mal sobre la tierra.

Es la primera que menciona la palabra fuego al hablar de sus sueños: «Sueño siempre. Con fuego, con pájaros, con pantanos en los que me hundo o con víboras. Pero sobre todo el fuego. Al final siempre hay fuego. ¿No crees que el fuego tiene algo de enigmático y sagrado?» [84].

Si el fuego es un atributo demoníaco en Fernando, en Alejandra es la expresión de sus insatisfechas ansias de purificación.

Antes de su fin, Alejandra se arrastrará en la prostitución, buscando en el desorden de su vida y en el fracaso de sus relaciones con Martín la inconsciente confirmación de su destino, aceptado en su atroz plenitud en un remoto y oscuro momento de su infancia. Con su verdadero y más profundo rostro la enfrenta Martín sin proponérselo. «Sí —gritó— (Martín), te he seguido hasta aquel bar de la calle Reconquista y te vi con un hombre que se parece a vos y del cual vos estás enamorada» [85]. Descubierta, Alejandra se aleja para siempre. Como Yocasta, no resiste el aniquilamiento de la ilusión y busca la expiación total en el no-ser [86].

---

[83] *Ibid.*, p. 64.
[84] *Ibid.*, p. 119.
[85] *Ibid.*, p. 243.
[86] El fuego aparece en la novela con todos los atributos de su simbología contradictoria. Es signo de condenación (Fernando), de purificación (Alejandra) y de transfiguración (Lavalle-Martín). Véase Gastón Bachelard, *Psicoanálisis del fuego*, Madrid, 1965.

Aquella «ánfora antigua», aquella princesa, se rescatará en el apasionado y alucinante recuerdo de Martín. El dragón se consumirá para siempre. Desde esa perspectiva, hay en el suicidio de Alejandra y en su reducción a cenizas junto con Fernando, la reiteración cíclica del mito solar en que el dragón es vencido y confinado por el héroe. El príncipe pagano que mata al dragón y se desposa con la princesa se cristianiza en las figuras de San Jorge, el arcángel Gabriel y San Miguel. Para Eliade, «de mal o buen grado se acabó por cristianizar las figuras divinas y a los mitos paganos que no se dejaban extirpar. Un gran número de dioses o de héroes matadores de dragones se convirtieron en San Jorges, los dioses de la tormenta se transformaron en San Elías, las innumerables diosas de la fertilidad se asimilaron a la virgen o a las santas...» [87].

Todos los héroes que enfrentan al dragón son representados a caballo, y su simbología profunda lo asimila a las fuerzas inferiores: para Jung, corresponde al lado nocturno de la existencia, a lo femenino, lo oscuro, lo instintivo [88]. El jinete es el hombre que domina su parte inconsciente, el vencedor de sí mismo.

En la elección del nombre de Martín [89] seguramente han actuando factores inconscientes que fundamentan este sentido en la novela: San Martín de Tours, Patrono de Buenos Aires, es representado a caballo, partiendo su capa con un mendigo. Este mendigo aparece en un sueño de Martín, después de una entrevista en la que Alejandra fracasa en un intento de revelarle algo de sí misma: «Aquella noche Martín tuvo el siguiente sueño: en medio de una multitud se acercaba un mendigo cuyo rostro le era imposible ver, descargaba su hatillo, lo ponía en el suelo, desataba los nudos y abriéndolo exponía su contenido ante los ojos de Martín» [90]. Los incendios de junio de 1955, factor tan importante

---

[87] Mirceas Eliade, *Mito y realidad,* Madrid, 1968, p. 190.
[88] Carl Jung, *El yo y el inconsciente,* Madrid, 1968, p. 39.
[89] No sólo en el nombre de Martín, sino en el de los caracteres centrales: Alejandra, de real estirpe; Fernando, el aventurero; Bruno, moreno, crepuscular; ¿mediumnidad del artista?
[90] Ernesto Sábato, *Sobre héroes y tumbas,* p. 131.

en la novela, han marcado la sensibilidad de Sábato. Conviene recordar además, que el 11 de junio de 1955 se efectuó la tradicional procesión porteña a cuyo frente marchaba el santo patrono de Buenos Aires.

El general San Martín («Santo de la Espada», y Alejandra llama «santo» a Martín) es por antonomasia el héroe a caballo. De esta forma, por vía analógica, Martín es el héroe que debe cumplir con el rescate de la «princesa-dragón»: «Estaba allí al alcance de su mano y de su boca. En cierto modo estaba sin defensa, pero ¡qué lejana, pero qué inaccesible que estaba! Intuía que grandes abismos la separaban y que para llegar al centro de ella había que marchar durante jornadas terribles, entre grietas tenebrosas, por desfiladeros peligrosísimos, al borde de volcanes en erupción, entre llamaradas y tinieblas» [91]. Martín es el héroe solar que debe derrotar a las tinieblas encarnadas en el dragón. La muerte de Alejandra parece condenarlo al fracaso. Si aceptamos esta versión, el perfil del joven agonista se asemeja al de Orfeo. Avala esta posibilidad la mirada profunda de Martín sobre el alma de Alejandra, cuando le descubre su pasión por Fernando; mirada que la precipita hacia el infierno. Ambos mitos se entretejen bajo una estructura aparentemente desacralizada. De allí el apasionado fervor que despierta esta novela [92].

Martín del Castillo

En *Sobre héroes y tumbas,* como en la vida, los personajes nunca se dan súbitamente en toda su realidad. Los demás los van percibiendo en visiones que, por lo limitado de nuestra naturaleza, han de ser forzosamente parciales. Así van esbozándose sucesivos retratos: de Alejandra a través de Bruno y de Martín, de Bruno por Alejandra, etc. Los

---

[91] *Ibid.,* p. 75.
[92] Sobre novela contemporánea y su relación con el mito, véase: Mirceas Eliade, *Mito y realidad,* Madrid, 1968, pp. 209-211, y del mismo autor, *El mito del eterno retorno,* Madrid, 1968, p. 43.

retratos surgen en un solo instante del fluir temporal, sor-
prendidos desde un solo ángulo de observación, el del otro
personaje. Estas percepciones tienen las características de
aguafuertes incompletas pero móviles, que se crean y se re-
crean, que se transforman en la acción, que, en la medida
en que las pasiones los van socavando, se transforman en
otros.

En el primero y único retrato que se nos hace de Martín éste aparece completo, pero en rigor no lo es porque carece de la dimensión temporal. Alejandra —su retratista—,
nombra al Greco, y de esta manera la sensación de Martín
contemplándonos desde una eternidad se acrecienta:

> —Sos largo y angosto como un personaje del Greco —Mar-
> tín gruñó.
> —Pero callate —prosiguió con indignación, como un sabio
> que es interrumpido o distraído con trivialidades en el mo-
> mento en que está a punto de hallar la ansiada fórmula final.
> Y volviendo a chupar ávidamente el cigarrillo, como era ha-
> bitual en ella cuando se concentraba, y frunciendo fuertemen-
> te el ceño, agregó:
> —Pero sabés: como rompiendo de golpe con ese proyecto
> de asceta español te revientan unos labios sensuales. Y además
> esos ojos húmedos. Callate, ya que no te gusta nada todo esto
> que te digo, pero dejame terminar. Creo que las mujeres te
> deben encontrar atractivo a pesar de lo que vos te suponés.
> Sí, también tu expresión. Una mezcla de pureza, de melanco-
> lía y de sensualidad reprimida. Pero además... un momento...
> una ansiedad en los ojos debajo de esa frente que parece un
> balcón saledizo pero no sé si es todo esto lo que me gusta de
> vos. Creo que es otra cosa... Que tu espíritu domina sobre tu
> carne, como si estuvieras siempre en posición de firme. Bueno,
> gustar acaso no sea la palabra, quizá me sorprende o me ad-
> mira o me irrita, no sé... Tu espíritu reinando sobre tu cuer-
> po como un dictador austero.
> —Como si Pío XII tuviera que vigilar un prostíbulo [93].

Probablemente vestido de oscuro, como un antiguo caballero, quizá pálido, muy joven y con tres características
sobresalientes: sensualidad, ansiedad, espiritualidad. Las

---

[93]   Ernesto Sábato, *Sobre héroes y tumbas,* pp. 13 y 14.

menciones al Greco y a Pío XII sugieren una figura que nos mirara fuera del tiempo.

Si nos atenemos al pasado de Martín y si aceptamos un cierto grado de determinismo, podríamos predecirle en el futuro una madurez profundamente desequilibrada. Martín siente a su madre como una obsesión, y la ha vivenciado desde los once años como a una especie de miasma. Turbiamente, mientras Martín se desliza por el mundo y afronta sus circunstancias, en su conciencia flotan imágenes sórdidas:

> Mientras Martín seguía oyendo aquellos boleros, sintiendo aquella atmósfera pesada de humo y baños desodorantes, aire caliente y turbio, baño caliente, cama caliente, madre cama, canasta cama, piernas lechosas hacia arriba como en un horrendo circo... [94].

Sabemos que esta mujer fue negativa, pero en realidad no la conocemos. Sólo es posible inferir lo que ella es en la mente de Martín, la gran madre devoradora, tenebroso arquetipo cuyos distintivos son las aguas pútridas, la disolución y la muerte. «La vida síquica empieza siendo vivida y poseída por los arquetipos. No es el individuo quien realmente siente y quiere sino los arquetipos a través de él» [95].

Este disolvente cauce sicológico se equilibra con otra imagen: la de una mujer pura y bella, virginal; después de su segundo encuentro con Alejandra, angustiado ante la posibilidad de no volverla a ver, intenta dibujar su rostro: «Sus dibujos resultaban indecisos y sin vida, pareciéndose a muchos dibujos anteriores en que retrataba a aquellas vírgenes ideales y legendarias de las que vivía enamorado» [96].

Dada la negatividad real de la madre de Martín, esta imagen dinámica y a la vez consoladora, no tiene contacto con la propia experiencia. Es una vía síquica heredada, de carácter positivo. Jung afirma que ellas constituyen «los se-

---

[94] *Ibid.*, p. 36.
[95] Ramón Sarré: Prólogo al libro de Jung, *El yo y el inconsciente*, Barcelona, 1964, pp. 35-36.
[96] Ernesto Sábato, *Sobre héroes y tumbas*, p. 26.

dimentos de todas las experiencias de las series de antepasados, pero no estas experiencias mismas» [97]. Para él «no existe
experiencia sino una previa predisposición subjetiva» [98]. El
encuentro con Alejandra es un acontecimiento fáctico, puesto que la muchacha conjuga ambas imágenes:

> Aquel encuentro fue decisivo para Martín. Hasta ese mo-
> mento, las mujeres eran o esas vírgenes puras y heroicas de las
> leyendas, o seres superficiales y frívolos, chismosos y sucios,
>ególatras charlatanes (como la propia madre de Martín, pensó
> Bruno que Martín pensaba). Y de pronto se encontraba con
> una mujer que no encajaba en ninguno de esos moldes, que
> hasta el momento él había creído que eran los únicos. Durante
> mucho tiempo lo angustió esta novedad, este inesperado género
> de mujer que parecía poseer todas las virtudes de aquel modelo
> heroico que tanto le había apasionado en sus lecturas adoles-
> centes y, por otro lado, revelaba esa sensualidad propia de
> las clases que execraba [99].

En lo que tiene Alejandra de corrompida se asemeja a
la madre de Martín. Por tanto, la voluntad, lo que llamamos libre albedrío, no existe en esta relación: el destino ha
trazado un cauce y Martín lo sigue «como un bote a la deriva» [100]. Martín busca apoyo en Alejandra, el autor lo presenta reclinado sobre su regazo en actitud filial, la persigue casi
obsesivamente y no reacciona ante sus agresiones: ¿«Y yo,
qué soy yo para vos, un perro, un gato o un amigo»? [101]. Martín repite así actitudes infantiles: reclama afecto, soporta
golpes. Desde su zona abismal, el inconsciente, la imagen
materna actúa movilizando las potestades diabólicas del destino. La incidencia de la imagen paterna en el futuro de
Martín se cumple por selección dinámica y positiva. Su padre es un fracasado, un ser crepuscular que soporta las tor-
turas físicas de la tuberculosis y el odio implacable de su
mujer. Aunque sus sentimientos hacia él pugnaban «entre

[97] Carl Jung, *El yo y el inconsciente,* p. 156.
[98] *Ibid.,* p. 156.
[99] Ernesto Sábato, *Sobre héroes y tumbas,* p. 20.
[100] *Ibid.,* p. 11.
[101] *Ibid.,* p. 101.

el resentimiento y la lástima» [102], Martín selecciona instintivamente imágenes paternas en las que se van acentuando
elementos positivos. Tito D'Arcángelo, bondadoso y sumergido; Bruno, artista afectuoso; y finalmente Bucich, camionero candoroso y fuerte: «Acaso el símbolo de lo que
Martín buscaba en aquel éxodo hacia el sur» [103]. En esta selección encontramos ya una voluntad de libre albedrío. No
obstante, no hay en Martín rasgos acentuados de carácter.
Alienado en pleno Buenos Aires, la gran Babilonia de Bruno,
es un desvalido más: «Aquel pequeño desamparado, uno de
los tantos en aquella ciudad de desamparados, porque Buenos Aires es una ciudad en la que pululan, como por otra
parte sucedía en todas esas grandes y espantosas Babilo-
nias» [104]. Sus situaciones son genéricas. El proceso de singu-
larización lo lleva a cabo el hombre mediante sus actos que,
para dar un carácter, deben ser continuos y orientados hacia
un fin [105].

Tres movimientos importantes en Martín lo colocarán
en un plano aproximado al de un carácter: su éxodo hacia
el sur, su interrogación a Dios y el rescate que hace de la
Virgen de los Desamparados, su madre espiritual, ya que su
madre terrenal es quien lo arroja a la fatalidad. Aunque
este último acto esté lleno de implicaciones metafísicas, la
noche fue históricamente real y vivenciada por los argentinos como un hecho tenebroso. El capítulo refleja vívidamen-
te este clima sombrío: siniestros incendios contra un cielo
plomizo, odio.

Arrastrado por gente enloquecida y confusa, compren-
diendo que ha perdido para siempre a Alejandra, Martín
ayuda a un muchacho obrero y rescatan sin saber por qué
aquella imagen sagrada. En la descripción de toda la escena
no asoma ningún detalle que permita identificar dentro de
un marco individual a aquellas que se mueven entre ven-
davales de furioso resentimiento: «Echaron nafta y la ma-

---

[102] *Ibid.*, p. 38.
[103] *Ibid.*, p. 35.
[104] *Ibid.*, p. 12.
[105] Raúl Castagnino, *El análisis literario,* pp. 118-119.

dera ardió furiosamente en medio de ráfagas heladas. Gritaron, sonaron tiros por ahí, algunos corrían, otros se refugiaban en los zaguanes de enfrente, contra las paredes, fascinados por el fuego y el pánico. Alguien alzó del suelo una virgen e iba a arrojarla entre las llamas. Otro, que estaba al lado de Martín, un muchacho obrero gritó: dámela, no la quemés» [106].

Sólo al final del párrafo se iluminan claramente las imágenes de la Virgen, el muchacho obrero y Martín. El acto del rescate une tres realidades: la del instante histórico, contingente; la abismal realidad de su inconsciencia, desde cuyas honduras sus antepasados le legaron esta imagen como instrumento dinámico de vida; y la realidad trascendente. Como si su ser fuera un árbol cuyas raíces, hundidas en las profundidades de la tierra, extrajeran de pronto una radiante savia, que ascendiera hasta las más altas y transparentes ramas. Nuevo Sigfrido, vence a las tinieblas.

Si en la elección de los padres no existió el libre albedrío, tampoco en su primera e inconsciente elección amorosa hay un principio de libre determinación que abarque todos los planos de la realidad. También está llena de implicaciones profundas la suprema invocación que hace Martín a Dios, como todo ser que ha enfrentado alguna vez el absurdo: «Si Dios existía en fin, que se presentase allí, en su propio cuarto, en aquel sucio cuarto de hospedaje» [107]. Dios da una respuesta a través de un ser humilde, desprovisto de toda soberbia, Hortensia Paz, mujer de tierra adentro, provinciana sencilla de rostro aindiado (quizá el rostro pretérito de la Argentina). Como la Virgen, ella es la buena madre de un niño sin padre en esta tierra. Ella es quien le señala el camino del amor, que ilumina el humilde mundo que la rodea: «Sin ir más lejos, míreme a mí, vea todo lo que tengo. Martín miró a la mujer, a su pobreza y a su soledad en aquel cuchitril infecto...» [108]. Los ojos de Hortensia Paz, que pueden mirar limpio, nimban de luz aquel mundo pequeño y

---

[106] Ernesto Sábato, *Sobre héroes y tumbas*, p. 246.
[107] *Ibid.*, p. 485.
[108] *Ibid.*, p. 492.

modesto: el niño, el viejo fonógrafo, unos discos de Gardel. La gracia de su mirada rescata al mundo de la gravedad. Por eso Martín puede marcharse al sur en busca de pureza.

Cuando se marcha, fascinado por los cielos, los caminos, las distancias, rompe con el laberinto de hechos y recuerdos que le habían aprisionado. El laberinto que Fernando había conjurado como trampa para destrozar su vida y la de los otros, tratando de hacerlo girar indefinida y estérilmente en un cautiverio en que la vida y el castigo se funden y confunden.

Martín anda constantemente. Muy pocas veces se lo presenta en reposo, en habitaciones cerradas. Como Martín Fierro, como Fabio Cáceres, como los antiguos caballeros andantes marcha. La analogía con respecto a su nombre (San Martín de Tours, José de San Martín, Martín Fierro) puede ser analizada desde la perspectiva del destierro: San Martín de Tours aceptó partir desde su nativa Rumania a Francia. San Martín se exilia y retorna subrepticiamente a la Argentina, y no desembarca para no mezclarse en las guerras civiles. Martín Fierro parte al desierto y retorna luego para perderse para siempre junto con sus hijos (después a los cuatro vientos/los cuatro se dispersaron).

También Martín del Castillo se marcha, con lo que Sábato (creemos que en forma inconsciente) toma un complejo e inquietante mito nacional, cuyas características centrales, dentro de las variantes lógicas, estarían basadas en el anhelo de soltarse, el ansia metafísica de vivir sin raíces, la libertad no condicionada, la fascinación del camino. Pero, a fuer de profundo y argentino, Martín es universal. A medida que la novela avanza, que Buenos Aires se convierte en Babilonia, y su viento demoníaco nos golpea el rostro con una fuerza intolerable, Martín se va transformando en el prototipo de todos aquellos que se enfrentaron alguna vez con el fracaso de un amor, el horror del destino, el mal. Martín es todo hombre, toda mujer que ha sufrido, todo aquél que de verdad conozca el sentido enigmático y aterrador de la palabra nunca, de la palabra destino.

No conoce el poder diabólico de Fernando (ni siquiera sabemos si leyó el «Informe sobre ciegos»). No ha pedido nacer y fue arrojado al mundo, no pidió más que una comunión en el amor y sólo logró enfrentarse con el absurdo. Bruno, que, como ya dijimos, no lo describe físicamente, tiene una precisa percepción de Martín: «... como un niño en un bosque nocturno, tembloroso, asustado» [109], perdido en una selva oscura, extraviado en esta «selvaggia e aspra e forte» golpeado por el dolor, sigue adelante.

Argumento y caracteres son en cualquier obra importante una desgarradora comunión con la realidad que se oculta bajo las apariencias. Las historias de Alejandro y Martín, la de Bruno y Georgina, la personalidad demoníaca de Fernando, la gesta de Lavalle, son velos tras los que avanzan en la conciencia sensible del lector el terrible, pero no absoluto, poder del mal sobre la tierra, el hombre y sus eternos enfrentamientos: la muerte, el dolor, el destino.

Martín es real. Este adolescente debatiéndose frente al mal, golpeado por el destino, angustiado por la soledad, perdiéndose mil veces y mil veces buscando un camino. Alguien que sufre y, no obstante, no pierde la esperanza y vuelve a comenzar. Alguien que comenzó su peregrinaje de dolor ante la estatua de Ceres, y andando su camino continúa bajo la protección de la madre de Jesús, madre también de la humanidad. Martín es la humanidad. De ahí la atemporalidad de su retrato.

Y si la humanidad, después de cada catástrofe vuelve a comenzar, y a pesar de los odios reconstruye ciudades que la guerra asoló, y si cada niño que nace lleva en sí el deseo de empezar, es porque no obstante el mal sobre la tierra, hay algo de eterno e incorruptible en el espíritu del hombre.

Aunque el tiempo, como el mar, destruya los castillos que el hombre (Martín del Castillo) levanta en la arena, el espíritu retorna, empecinadamente, a levantar sus frágiles, pero, por eso mismo, conmovedoras construcciones.

---

[109] *Ibid.*, p. 402.

Porque a pesar de la caída que lo ha arrojado en la temporalidad es eterno.

Bruno: la madurez creadora

El destino le impuso la renuncia a sus ilusiones. El tiempo se ensañó con quienes más amaba, devastó su rostro y convirtió su alma en un territorio visitado por el desengaño y la muerte. La vida sólo le dio soledad y él le devuelve trabajo, trabajo creador, porque Bruno evidentemente escribe. Es esa su vocación, difícil, preñada de signos que dicen: es imposible y, sin embargo, Bruno continúa en ella. «... millones de hombres, de mujeres, de chicos de obreros, de empleados, de rentistas. ¿Cómo hablar de todos? ¿Cómo representar aquella realidad innumerable en cien páginas, en mil, en un millón de páginas? Pero, pensaba, la obra de arte es un intento, acaso descabellado, de dar la infinita realidad entre los límites de un cuadro o de un libro» [110]. El tiempo es para él un dolor lacerante: «... Y un día más terminó sobre Buenos Aires: algo irrecuperable para siempre, algo que inexorable lo acercaba un paso más hacia la muerte» [111]. Para conjurar este fluir despiadado, sólo su arte: «Todo es tan frágil, tan transitorio. Escribir al menos para eso, para eternizar algo pasajero. Un amor acaso...» [112]. La vida se justifica no sólo en el trabajo creador. También el esfuerzo por sobrevivir y en la solidaridad que puede unir en el amor a todos los seres del universo, aun los más humildes. «... tropezaba acaso con uno de esos perritos callejeros, hambrientos y ansiosos de cariño, con su pequeño destino, tan pequeño como su cuerpo y su valiente corazón, que valientemente resistirá hasta el final defendiendo aquella vida chiquitita y humilde como desde una fortaleza diminuta, y entonces, recogiéndolo, llevándoselo hasta

---

[110] *Ibid.*, p. 162.
[111] *Ibid.*, p. 163.
[112] *Ibid.*, p. 163.

una cucha improvisada donde al menos no pasase frío dándole de comer, convirtiéndose en el sentido de la existencia de aquel pobre bicho, algo más enigmático pero más poderoso que la filosofía parecía volver a darle sentido hacia su propia existencia. Como dos desamparados que en medio de la soledad se acuestan juntos para darse mutuamente calor» [113].

Este amor franciscano, una de cuyas más significativas aristas es la solidaridad, une a todas las criaturas del cosmos en el pasado, el presente y el futuro. Es el mismo sentimiento que llevó a las huestes de Lavalle a la superación de la condición humana; que hizo a Tito D'Arcángelo y a Hortensia Paz socorrer a Martín, que despertó el amor de Bruno por Georgina, el de Martín por Alejandra. Por él la infinita miseria de nuestra condición de seres amalgamados en sustancia de tiempo y muerte se transforma en la plenitud infinita de aquellos que sienten la existencia trascendida: «por algo enigmático, pero más poderoso que la filosofía». Por él, Bruno es optimista. Un optimista contra toda esperanza. Entonces, escribe. Su trabajo no es un escape, es una forma de oración. Es un camino para la plena realización del amor, que por ser maduro, no es posesivo.

Su figura es decisiva para la comprensión del drama central; Bruno es el único que puede comprender a Martín; su juventud, recordada en acordes violáceos de melancolía, es casi igual a la de Martín: pocos afectos, un grande y fracasado amor, dolor, destino, aceptación. Una aceptación que significa cambio interior, transfiguración que canalizará sus energías hacia el trabajo creador.

Bruno es la conciencia lúcida y madura del hombre que llega por medio del dolor a la sabiduría. Sus líricas meditaciones sobre el destino recuerdan la función del coro en la tragedia antigua: «(pero, como pensaría Bruno, ¿qué se sabe sobre los instrumentos que el destino elige para insinuar oscuramente sus propósitos? y, acaso, y dada la ambigua perversidad con que suele proceder, no era posible que en-

---

[113] *Ibid.*, p. 163.

viase sus arteros mensajes a través de seres que raramente se toman en serio como son los locos y los chicos)» [111].

Una vez apagadas las pasiones de aquellos personajes capitales, altas cumbres en esta enigmática sinfonía, sus meditaciones, melancólicas y graves, en trascendente contrapunto confieren universalidad a cada historia particular. Buenos Aires, su Babilonia, se convierte en la gran urbe atemporal en donde quizá adolescentes como Martín y Alejandra se destrozan en la incomprensión, el ineludible peso de sus fatalidades, la inaudita soledad de sus multitudes que se agitan.

Tal vez Bruno pueda hacer sobrevivir un amor desventurado en el que anónimos protagonistas de muchos amores sin ventura encontrarán consuelo. Quizá posea un arte limpio, despiadado y hondo que transforme la muerte y la sangre en canto.

Sí, tal vez.

---

[114] *Ibid.*, p. 205.

BIBLIOGRAFÍA

1. Anderson Imbert, Enrique: *La crítica literaria contemporánea,* Buenos Aires, 1963.
2. Aristóteles: *Poética,* Buenos Aires, 1947.
3. Bachelard, Gastón: *Psicoanálisis del fuego,* Madrid, 1965.
4. Bachelard, Gastón: *Poética del espacio,* Madrid, 1969.
5. Carmelitas: *Études,* París, 1949.
6. Caro Baroja, Julio: *Las brujas y su mundo,* Madrid, 1969.
7. Castagnino, Raúl: *El análisis literario,* Buenos Aires, 1970.
8. Cirlot, Juan Eduardo: *Diccionario de símbolos,* Madrid, 1969.
9. Camus, Albert: *El hombre rebelde, el mito de Sísifo,* Buenos Aires, 1958.
10. Dellepiane, Ángela: *Ernesto Sábato, el hombre y su obra,* Nueva York, 1969.

11. Dellepiane, Ángela: *Ernesto Sábato, un análisis de su narrativa*, Buenos Aires, 1970.
12. De Sanctis, Francesco: *Las grandes figuras poéticas de la Divina Comedia*, Buenos Aires, 1945.
13. Eliade, Mirceas: *Mito y realidad*, Madrid, 1968.
14. Eliade, Mirceas: *El mito del eterno retorno*, Madrid, 1969.
15. Eliade, Mirceas: *Lo sagrado y lo profano*, Madrid, 1967.
16. Falk, Walter: *Impresionismo y expresionismo*, Madrid, 1963.
17. Frazer, Sir J. G.: *La rama dorada*, México, 1963
18. Freud, Sigmund: *Obras completas*, Madrid, 1948.
19. Fromm, Erich: *El corazón del hombre*, México, 1966.
20. Gusdorf, Georges: *Mito y metafísica*, Buenos Aires, 1960.
21. Hibbard, Anderson: *Diccionario de la literatura*, Nueva York, 1968.
22. Jobbes, Gertrude: *Dictionary of mythology, folklore and symbols*, Nueva York, 1968.
23. Jung, Carl: *El yo y el inconsciente*, Barcelona, 1936.
24. Jung, Carl: *Realidad del alma*, Buenos Aires, 1968.
25. Michelet, Jules: *Historia del satanismo y la brujería*, Buenos Aires, 1965.
26. Merle, Robert: *Psicoanálisis de Hitler*, Buenos Aires, 1957.
27. Peñuelas, Marcelino: *Mito, literatura y realidad*, Buenos Aires, 1965.
28. Pérez Rioja, J. A.: *Diccionario de símbolos y mitos*, Madrid, 1968.
29. Piccn, Gaetan: *El escritor y su sombra*, Buenos Aires, 1957.
30. Sábato, Ernesto: *El escritor y sus fantasmas*, Bs. As., 1957.
31. Sagrera, Martín: *Mitos y sociedad*, Barcelona, 1967.
32. Schlesinger, Eilhard: *El Edipo rey de Sófocles*, La Plata, 1950.
33. San Víctor, Paul: *Las dos carátulas*, Buenos Aires, 1952.
34. Unamuno, Miguel de: *Obras completas*, 1958.

Ernesto Sábato
y la literatura argentina de hoy

Manuel Durán

¿Qué nombres deberían figurar en una «lista mínima» de prosistas argentinos de nuestro tiempo? Toda lista tiende a convertirse en reflejo subjetivo de los gustos del que la compila. Yo, por mi parte, me limitaría, provisionalmente, a cinco nombres: Borges, Julio Cortázar, Eduardo Mallea, H. A. Murena y Ernesto Sábato. Es más: procuremos reducirla todavía. No es que Borges no resulte fascinador, pero desde que se ha apoderado de él la crítica internacional, nos «preocupa» menos, en el sentido de que no se trata ya de ganar una batalla, sino de penetrar lentamente en algunos de los recovecos, de los pasadizos secretos o disimulados de sus galerías de artista lúcido pero subterráneo; la crítica no tiene ya que imponerlo, sí que matizar las primeras impresiones; tarea delicada, pero menos urgente; en cuanto a Mallea, a veces tenemos la impresión de que su tiempo interior —lento, sostenido, angustiado, de indiscutible autenticidad— es el que ha inspirado, directa o indirectamente, todas las magníficas películas de Michelangelo Antonioni, y que, en una forma más o menos inconsciente o tortuosa, el destino de los bellos relatos de Mallea es el de convertirse en guiones para este tipo de películas, lo cual asegura al *estilo* de Mallea un lugar en el repertorio de los estilos modernos. Julio Cortázar está también ganando la batalla de la crítica europea. Quedan todavía, en la lista provisional, los nombres de Murena y Sábato. Muy conocidos y admirados en la Argentina, portavoces, casi, de las nuevas generaciones inquietas, cada uno de su manera, bien distintos uno del otro, les une, sin embargo, cierta actitud de irritación crítica, cierto desasosiego interior. Y les une también —me temo— el hecho, indudablemente injusto, de ser todavía poco conocidos, relativamente poco conocidos, fuera de la Argentina. Razón de más para que nos ocupemos de ellos. Y en particular, esta vez, de Ernesto Sábato, cuya novela *Sobre héroes y tumbas* lleva camino de convertirse en obra clásica, inconmovible, en la novelística de hoy en lengua española.

«¿Qué es un creador?», se pregunta Sábato. Y contesta: «Es un hombre que en algo 'perfectamente' conocido encuentra aspectos desconocidos. Pero, sobre todo, es un exagerado» *(El escritor y sus fantasmas,* p. 260). Frente a la contención, el equilibrio lírico-metafísico de un Borges o a las sutilezas inquietantes de un Cortázar, Sábato lanza sus párrafos amplios, desorbitados, violentos, como un ululante grito de ataque. No renuncia, por cierto, a las influencias europeas, fundamentales en la literatura argentina; incluso subraya un notable paralelo entre el europeísmo de la sociedad culta rusa en el siglo pasado y el europeísmo argentino: «y así —escribe aludiendo a los escritores rusos— por los mismos motivos que nosotros, se hicieron *europeístas,* rasgo tan típicamente eslavo o rioplatense como el vodka o el mate; al revés de lo que creen aquí nuestros sociólogos apresurados, que lo consideran un rasgo de alienación. ¡Qué va a serlo, hombre!: es un característico rasgo nuestro. Los europeos no son europeístas; son simplemente europeos... Aquí —estoy hablando del Río de la Plata, no de México ni del Perú, donde el problema difiere por la poderosa herencia cultural indígena— la ciudad y la cultura se edificaron sobre la nada, sobre una pampa recorrida por tribus salvajes y duras. Casi todo nos llegó aquí de Europa: desde el lenguaje y la religión (dos poderosísimos factores de cultura) hasta la mayor parte de la sangre de sus habitantes. Si fuéramos consecuentes con los que a cada rato nos están reprochando el 'europeísmo', deberíamos escribir sobre la caza del avestruz en lenguaje pampa. Todo lo demás sería adventicio, cosmopolita, antinacional. Es fácil advertir la magnitud de este desatino. Nuestra cultura proviene de Europa y no podemos evitarlo. Además, ¿por qué evitarlo? ¿Con qué reemplazar esa preciosa herencia? Lo que hagamos de original se hará con esa herencia o no haremos nada en absoluto» (El escritor... pp. 30-31). Franqueza, expresión directa, espontánea, de ideas y sentimientos, caracterizan los ensayos —y las novelas— de Sábato. (Es uno de los novelistas-ensayistas más completos y convincentes de la cultura hispánica que, a diferencia, por ejemplo, de la norteamericana, posee en abundancia, en Sábato, en Octavio Paz, en Unamuno, en Murena o Borges, el tipo de «hombre de letras» que puede, en principio, abordar géneros muy diversos; el escritor norteamericano, a diferencia de ciertos hispánicos o franceses, se especializa muy pronto y sigue toda su vida encastillado en su especialización, sea ésta la novela o el ensayo.)

Sábato —nos lo confiesa— es hombre tímido; y a pesar de ello habla largamente de sí mismo tanto en sus ensayos como en sus novelas, cosa que no suelen hacer ni Borges ni Cortázar entre los argentinos; varios de sus personajes, en Sobre héroes y tumbas, y en especial Bruno. Casi se podría definir a Sábato aludiendo a lo que ha sido y ya no es: ex comunista, ex hombre de ciencia, ex surrealista; llega a la literatura argentina de hoy, ni proletario ni snob, como miembro de una generación que quiere, ante todo, superar el callejón sin salida de la ciega oposición entre el grupo *snob* de la calle Florida (cuyo prototipo parece ser Jorge Luis Borges, el «heresiarca del arrabal porteño, latinista del lunfardo, suma de infinitos bibliotecarios hipostáticos», según lo ha definido Sábato), y el grupo proletario de la calle Boedo, cuyo arquetipo fue Roberto Arlt. A medio camino entre los dos. O —quizá— más cerca del segundo que del primero. Pero con una conciencia artística y metódica que Arlt no tuvo, o por lo menos no expresó teóricamente. Ni proletario ni esteta, pero con algo de ambos, Sábato ha renunciado a sus diversas posiciones sin renunciar del todo a ellas. De su actividad científica conserva cierto amor a las definiciones escuetas y convincentes, cierta objetividad —que no excluye el apasionamiento, pero lo modera— y cierto interés por los fenómenos, por las «apariencias»: los fragmentos «realistas» de sus novelas, siempre convincentes, nos sitúan en una Argentina muy concreta, muy bien arraigada en el tiempo y el espacio, no en el País de Nunca-Jamás de los cuentos de Borges o Cortázar. Lo cual, por otra parte, no quiere decir que Sábato no sea un poeta, un poderoso poeta en los momentos en que se decide a emplear el lenguaje lírico, amplio, sostenido, o a hacer uso de los símbolos. Y entre ellos el de los ciegos, que aparecen ya en *El túnel,* pero que en su última novela se transforman en verdadera obsesión reveladora, en amplia descripción de una sociedad, de un mundo, que no quieren o no pueden verse a sí mismos tales como son. Cierto es que Cortázar también hace uso de símbolos, en algunos cuentos, y en *Los premios.* Pero los símbolos de Cortázar, más sostenidos, más sutiles, quizá, resultan por ello mismo menos eficaces como símbolos: allí donde todo es signo, donde todo señala hacia otra cosa que sí mismo, los signos —o los símbolos— acaban por perder su virtud significante. En *Sobre héroes y tumbas,* en cambio, la fuerza obsesiva de esa «novela dentro de otra novela» que es el «Informe sobre ciegos» proviene en buena parte de que el símbolo se dispara sobre el lector en forma clara, concreta, irresistible. Es curioso que en su selección de símbolos coincide Sábato con otro notabilísimo

escritor de lengua española, el dramaturgo Antonio Buero
Vallejo, que en su drama *En la ardiente oscuridad,* y también en *El concierto de San Ovidio,* emplea a los ciegos
como recurso simbólico para arrojar luz sobre los que no
quieren o no pueden ver la realidad que los rodea.

Sábato se forma, como conciencia crítica, en los años 30,
época en que, al derrumbarse el liberalismo en la Argentina, aparecen desnudos y corridos casi todos los principios que habían sustentado a las generaciones precedentes; pero su carrera literaria es —según creo— lenta,
tardía. Lo que significa, entre otras cosas, que llega a la
madurez sin haber producido, en rigor, obras a las que haya
de renunciar hoy por incompletas o torpes, y lo hace con
un bagaje intelectual sumamente rico y completo. Del surrealismo ha conservado, según me parece, la habilidad en
el «montaje», en el *collage* de elementos en apariencia
absurdamente dispares; el amor a las galerías y los subterráneos del espíritu y los sueños que son pesadillas, que
son revelaciones, aparte de una actitud poética más atenta
al conjunto, a los horizontes infinitos, que a los detalles
preciosistas, y por tanto fácilmente adaptable a las necesidades de un novelista. De su época científica, su rigor lógico, su observación minuciosa del detalle, lo cual implica,
en su caso, el apegarse fielmente a fragmentos muy concretos del lenguaje popular de Buenos Aires. Claro está que,
si quisieran, Cortázar, o Borges, o Mallea, pongamos por
caso, habrían podido insertar en sus novelas las jugosas
conversaciones en que Tito, Quique y otros personajes des-
cuartizan a la sociedad bonaerense y nos explican los misterios del deporte o de la moda. Pero no quieren, no han
querido; y si algún lingüista atento desea ir a buscar en
textos literarios el lenguaje del rioplatense típico —y no
muy culto—, habrá de ir a leer a Sábato. (Señalemos de
paso que el jugoso estilo de Sábato no carece de ciertas des-
ventajas para el lector no argentino. Nos creíamos «al cabo
de la calle», muy enterados y preparados, porque, quien
más quien menos, habíamos conseguido descifrar el *Martín
Fierro.* Y ahora nos asaltan dudas casi insolubles cada vez

que encontramos expresiones como «grasitas» o «cabecitas negras», jerga sociológica moderna que no está todavía en la mayor parte de los diccionarios de americanismos. Pero no importa. Ese es el precio que hay que pagar por la autenticidad idiomática de la novela, y ciertamente se paga con gusto.)

De su paso por el comunismo, según creo, Sábato ha conservado una «conciencia social» muy clara. Uno de los personajes más odiosos de *Héroes y tumbas* es el capitalista, el hombre de empresa insensible y cruel. Las páginas dedicadas a describir —poéticamente— el barrio de los bancos, abandonado, de noche, conservan ecos de las diatribas comunistas contra Wall Street. El *snobismo* social y cultural de tantos argentinos aparece caricaturizado y censurado en los distintos pasajes de la novela en que se ocupa de apellidos, actitudes literarias, etc. Pero, evidentemente, las tensiones sociales en la Argentina de hoy son descritas por Sábato con una sutileza y una riqueza de matices que no proceden de una toma de posición política, por otra parte superada por el autor, sino de una conciencia artística, histórica, sociológica, muy alerta. Si queremos buscar en algún lugar la «teoría social» que anima buen número de las páginas de la novela de Sábato, deberemos recurrir, una vez más, a la fuente tan valiosa que el propio autor nos brinda, es decir, a su libro de ensayos, *El escritor y sus fantasmas,* en el cual, entre otros muchos temas, toca el del resentimiento argentino. Tema difícil, complejo, doloroso. Martínez Estrada había abierto la brecha, según me parece. Pero el análisis de Sábato es más «moderno», enfoca mucho más claramente los problemas urbanos, decisivos hoy en la Argentina (como en toda la América Latina). Vale la pena citar esta teoría, aunque resulte algo larga la cita: «El resentimiento viene de muy lejos y ha tenido complicado desarrollo. Cuando en 1873 apareció el *Martín Fierro,* cobra ya forma el (justificado) rencor del gaucho contra la oligarquía extranjerizante de Buenos Aires, que, con razón histórica o sin ella, lo condena a la miseria, a la delincuencia y al exilio en su propia patria; corrido por el gringo agricultor, por el alambrado y por los ferrocarriles. Con parca emotividad, Hernández describió los sentimientos de aquella encrucijada histórica. En *La Gringa,* Florencio Sánchez (blanco oriental, por tanto criollo por partida doble) pinta con crudeza el violento rencor del paisano contra el intruso enriquecido. Violento hasta la injusticia. Lo curioso y paradojal del proceso es que ese viejo resentimiento del gaucho se coaliga dialécticamente con el resentimiento del gringo hacia las clases dominantes, y de esa aligación sale, en buena medida, la sicología del hombre desposeído de nuestros días. Porque hay que observar que si la oligarquía porteña fue y sigue siendo extranjerizante, lo fue y lo es en relación a aquellas jerarquías europeas que su *snobismo* les hacía deseables: hacia los paradigmas de la alta burguesía y la aristocracia de Francia e Inglaterra, y hacia sus culturas de *élite.* Y eso, mediante el doble conducto de la formación ideológica de nuestros próceres y del desarrollo de nuestra ganadería. Mientras que mantenían, y siguen manteniendo, un no disimulado desdén por los inmigrantes italianos o españoles que multiplicaron (hasta cierto punto, catastróficamente) la población del Plata. En las opiniones de un personaje de *Sobre héroes y tumbas* aparece, caricaturizada, esta sutil duplicidad, a propósito de los apellidos» (p. 189).

La finalidad de la gran novela de Sábato es, ciertamente, ambiciosa en grado sumo. Se trata, desde luego, de retratar a fondo a algunos personajes. Pero al mismo tiempo de sugerir que pueden ser símbolos de las fuerzas oscuras que tironean a la Argentina de hoy. De pintar, al mismo tiempo, a la ciudad de Buenos Aires, abierta a todos los vientos, a todas las inquietudes. Una Buenos Aires de barberos italianos, de «compadritos» que son gauchos jubilados de segunda generación. De banqueros y «cabecitas negras». De peronistas y tradicionalistas.

A fuerza de riqueza temática y estilística, la novela —una larga novela de 480 páginas de letra apretada, menuda— parece que se va poniendo tensa por dentro, que nos va a estallar entre las manos, a media lectura, como una fruta madura, como un explosivo. Muy posiblemente, como han visto ya algunos críticos, las partes de la novela no están bien fundidas entre sí. (¿Acaso lo está el país que la novela intenta retratar, acaso se encuentran armoniosamente acopladas las capas sociales, las tendencias, las aspiraciones ideales de esa Argentina moderna que sabemos que existe, pero que nunca hemos visto tan claramente como a través de las páginas de Sábato?)

Lo que resalta, ante todo, si comparamos el libro de ensayos y la novela de Sábato, es que nos hallamos ante un autor que posee una idea clara, detallada y profunda de la dinámica social de la Argentina de hoy, y que sabe deducir las consecuencias de la historia, proyectarlas hacia el presente y en algunos casos hacia el porvenir. Sábato conoce a su país y sabe explicarlo racionalmente. Pero, claro está, una novela no es eso; es a la vez más y menos que una explicación racional. Sábato también lo sabe; sabe que una novela no se escribe con la cabeza simplemente. Y desde luego nadie puede acusarle de exceso de racionalismo en sus novelas. Lo que ocurre es que en sus novelas hay distintas capas, distintos núcleos. A distintos niveles, en los lugares más inesperados, «a la vuelta de la esquina» de cada capítulo, frente a la armazón lógico-sociológica con que se nos explica —a veces con lirismo, otras caricaturalmente, cínicamente, con ironía o comicidad— la estructura del Buenos Aires de hoy —y al fondo de todo el país, que sostiene y hace posible a la gran urbe— se mueven los personajes. O aparecen las grandes corrientes del pasado. Así vemos que el centro de interés de la novela lo domina, en gran parte, el amor neurótico, desesperado —de Martín por Alejandra—. Alejandra, que en su creciente locura no deja de recordarnos el personaje femenino de *Nadja,* el impresionante relato de André Breton, «papa» del surrealismo, relato que por cierto Sábato debe de conocer. (Perdónesenos esta pequeña pedantería de «comparativistas».) Y que de pronto el ritmo se tuerce, y aparecen las escenas retrospectivas de la retirada de Lavalle, visión romántica y heroica del pasado argentino. Las luchas políticas del siglo xix influyen, en cierto modo, indirectamente, en la creciente locura de Alejandra, y son como una prefiguración, en el fracaso de los mejores que en ellas se apunta, del hundimiento de las viejas familias criollas que la novela subraya. Pero la lógica de tal «montaje» es más profunda que aparente. «Desde el comienzo —señala Sábato— *sentía* la necesidad de esta especie de contrapunto entre el pasado y el presente de la Argentina... A esa visión del mundo que tengo odedece la inclusión de ese contrapunto, como también la superposición de los tres tiempos en el relato; ya que para mí la conciencia del hombre es atemporal; contiene el presente, pero es un presente lastrado de pasado y cargado de proyectos para el futro, y todo se da en un bloque indivisible y confuso. De ahí ciertos recursos técnicos que me sentí obligado a utilizar, que hacen el relato a veces un poco confuso, pero que no podía no utilizar» *(El escritor...* p. 21).

Lo mismo que en la gran novela del mexicano Carlos Fuentes, *La región más transparente* (y son muchas las afinidades que unen a Sábato y Fuentes), lo mismo que en ciertos relatos de Faulkner, el contrapunto de pasado y presente —y la aparición velada, incierta, de los planes para el futuro— empiezan por desconcertar al lector con su multiplicidad de dimensiones, y solamente más tarde, al terminar la lectura de la obra, comienzan a difundir una luz, cada vez más viva, casi cegadora, sobre el relato, al darle una profundidad, una fidelidad al pasado, un aspecto *necesario* de que a primera vista carecía. El presente, con sus imperfecciones, sus pequeños dramas cotidianos, sus vicios o sus crímenes, continúa, completa, justifica el pasado, lo mismo que el pasado, al prefigurar el presente, ayuda a hacerlo inteligible; y ambos desembocan en el futuro que a todos nos aguarda, y que será el que a cada país —¿a cada hombre?— corresponda, de acuerdo con el presente y el pasado. Rigidez, pero también individualismo —que es libertad— en medio de ella. Todo está escrito, y nada queda decidido del todo y para siempre, por lo menos a la escala individual, que es la que nos apasiona cuando nos identificamos con los héroes y las heroínas de las novelas. Por esto Sábato subraya «la contradicción y a la vez la síntesis» que en todo hombre hay entre lo histórico y lo atemporal. Pues aunque el ser humano vive en su tiempo y es necesariamente un ser social e histórico, también subsiste en él el hecho biológico de su mortalidad y el problema metafísico de la conciencia de esa mortalidad, su deseo de absoluto y de eternidad. En suma, en la época de Lavalle o en nuestra época, los seres humanos seguimos cumpliendo el sempiterno proceso de nuestro nacimiento, la esperanza candorosa, la desilusión y la muerte. Y ese proceso lo vemos en los dos muchachos homólogos: el alférez de Lavalle que va hacia el norte, Martín que se marcha hacia el sur con el «camionero». Conciencia clara, pasión, deslumbramiento, mito, sueño, símbolo: todo nos lo ha dado, en apretado haz, en su novela —completada intelectualmente por sus ensayos— ese gran escritor argentino-universal que es Ernesto Sábato.

«Sobre héroes y tumbas»

Abelardo Castillo

Cuando apareció *El túnel* (Sur, 1948) la gente de mi edad asistía al desgarramiento simultáneo de su universo, el ridículo de los pantalones cortos, la primera muchacha para el verso y para el tiempo, *Perón,* el derrumbe de los *tabúes* y la brutal apertura de las puertas que hasta ayer pertenecían al misterio o a la fábula. Desde el sexo a Dios. Leímos a Sábato al mismo tiempo que a Hesse, que al Dostoievski de *Crimen y castigo;* se nos confundía con los clásicos del texto de Literatura Española, y seguramente guardamos su libro en el mismo estante que capitaneaba Sandokán, junto a un incipiente álbum filatélico, el *Martín Fierro,* las *Novelas ejemplares,* un Hamlet de la colección Ther y (para siempre) las *Narraciones extraordinarias,* de Poe.

Al llegar Sábato a *Sobre héroes y tumbas,* no sólo tenía que cubrir trece años de silencio, no sólo tenía que ejemplarizar la actitud que él mismo —a través de ensayos, reportajes, mesas redondas, polémicas— postulaba como única justificación del hombre que escribe, sino convencernos a nosotros de que el Sábato cercano, el que padece onicofagia, vive en Santos Lugares y tiene un perro, estaba a la altura del otro, el que algún día se nos entreveró arbitrariamente con Góngora, Jack London, Ricardo Güiraldes o Ernesto Amadeo Hoffmann. Ganó Sábato, el de Santos Lugares y el perro. *Sobre héroes y tumbas,* a mi juicio, no sólo es una de las grandes novelas de nuestra literatura, sino una de las grandes novelas de la literatura. Con ella Sábato ha replanteado la tan vieja como inútil polémica acerca de la «novela de ideas» (nosotros, personalmente, no vemos de qué modo es posible escribir no ya una novela, sino cualquier cosa importante careciendo de ellas). Por supuesto, si se lo quiere, *Hamlet* es la historia de un príncipe espadachín cuya familia practicaba el envenenamiento, la locura, el adulterio y otras apasionantes anécdotas que Shakespeare interrumpía, lamentablemente, para monologar de Metafísica. Y claro que, juzgado así, Raskolnicoff fue un estudiante que, por imitar a Napoleón, mataba ancianos a hachazos. No vamos, pues, a intervenir en semejante discusión.

Cuatro tomos son este libro. El amor de un muchacho y una adolescente, la pavorosa retirada de Lavalle, muerto y pudriéndose, cabalgando hacia la frontera; el incesto y su metáfora —que también es una especie de galope horrendo hacia otros límites, más incalculables— son su múltiple anécdota. La locura y la muerte, su atmósfera. Y todo esto, junto y atravesado por una fuerza que llamaría subterránea si no hubiese que llamarla superior, aunque (porque) no tiene nada que ver con Dios, y sí con la empecinada historia de los hombres; todo esto, junto, es un solo libro. Un libro quebrado, sí, revuelto como en una frenética convulsión, discutible en casi todos sus aspectos, pero —y esto es una especie de apuesta inverificable contra el tiempo— triunfal también en casi todos.

Hay bellezas que tienen algo de repulsivo. La *Degollación de los Inocentes,* de Tintoretto, no es una estampa edificante; la entrada de Zaratustra a los negros arrecifes del Reino de los Muertos resulta un párrafo filosófico ligeramente atractivo si se lo compara con la similar experiencia del Bosco. Es en tal sentido que *Sobre héroes y tumbas,* puedo decirlo al fin, me parece también un libro profundamente bello. El juicio que Graham Greene dio, hace unos años, sobre *El túnel* resume bastante bien la opinión que he escuchado a mucha gente acerca de esta nueva novela. Sin embargo, quien recordando a *El túnel,* su estructura seca, como de cuento, espera reencontrarla aquí, se asombrará. La riqueza barroca del lenguaje, su vastedad selvática; el mecanismo arquitectónico, donde el pasado y el presente se intrincan en un tiempo que es simultáneamente histórico y personal, fluyendo hacia un futuro —cuando Martín vuelva del sur— que avanza, incluso, más allá del final de la novela; lo subjetivo de los personajes imbricándose al diálogo exterior, atravesando un Buenos Aires verdadero (por lo fantasmal), una ciudad imprecisa y, por lo mismo, auténtica, distinta del Buenos Aires hecho con convenciones de tarjeta postal y obelisco, que ningún porteño, por lo demás, tiene tiempo de ver como no sea en fotos o en el cine: el Buenos Aires turbio, difuso, que presentimos al viajar en el subterráneo, al volver de madrugada; todo esto, digo, abre un abismo formal entre *El túnel* y *Sobre héroes y tumbas.* Queda, por supuesto, la nostalgia (quizá la melancolía) de lo absoluto: el hombre con la muerte a cuestas y su emperrada cabalgata de héroe derrotado, pero hacia la frontera. Quedan la misma angustia de Castel y su angelismo al revés, su tristeza atroz, el túnel, el socavón por dentro. Queda, en fin, el mismo novelista. Hace años, los críticos suecos compararon *El túnel* con la *Sonata a Kreutzer;* de este paralelo, suficiente para consagrar a cualquier escritor contemporáneo, surge, al leer *Sobre héroes y tumbas,* un profundo contraste (previsible entonces) entre la visión tolstoniana del mundo y el torturado universo de estos personajes terribles, dilacerados por la desesperación, que se lastiman cuando se aman (o, sencillamente, se devoran), o, como Bruno, necesitan contar un chiste cuando sienten que la piedad los vuelve débiles. León Chestov, al analizar en *La filosofía de la tragedia* las obras de los dos más grandes rusos de su tiempo, ha señalado, con implacable lucidez, la misma raíz trágica en el autor de *Guerra y paz* y el de los *Karamazov;* sólo que en Dostoievski, arrancada como por un huracán, la raíz está al aire. Aquí, también. Y no es casual que la pureza de Martín —que deambula por los distintos infiernos de Alejandra, de Wanda, de Quique, de Molinari o Bordenave, con la misma simplicidad con que llega y pasa por el pequeño mundo de D'Arcángelo o de Bucich, sin presentir siquiera que existe el de Fernando— se dé en cierto modo bajo la forma en que se da en los Mischkin o en los Alioscha.

Sábato pertenece a la vasta familia del subsuelo. No sólo maneja con natural soltura a los personajes «subterráneos», sino que evidentemente los prefiere para expresarse, y, dejándose arrastrar por ellos, nos introduce al mundo donde los Castel, las Alejandra, los Fernando Vidal Olmos recuerdan a esas flores que crecen junto a ciénagas, fascinantes más que hermosas, con algo de inhumano en su contradictoria belleza. Liberado allí, dispuesto a utilizar todas las posibilidades de la palabra, Sábato no desdeña ninguno de los elementos formales que pudieran servir a sus propósitos. Ni el realismo sicológico, ni el opuesto tono de pesadilla del «Informe» —que es en sí mismo, y entre otras cosas, un trozo ejemplar de literatura fantástica—; ni la representación del lenguaje del arrabal porteño, en boca de Humberto J. D'Arcángelo (de quien nos queda para siempre un gesto, en la página 89, que no transcribo aquí porque, separado de la situación, perdería su hermoso sentido), ni la de ese otro dialecto, el de Quique, jerigonza tan extravagante como la de D'Arcángelo, pero más antipático. Un Quique que entre bromas y veras dice varias cosas pensadas alguna vez seriamente por Sábato, nos deja un párrafo antológico sobre los apellidos argentinos, y a quien Sábato —y en esto reside la verdadera grandeza del libro— sabrá humanizar

de pronto, sólo con otro gesto: el de su soledad (o su desolación) porque «... siempre es terrible ver a un hombre que
se cree absoluta y seguramente solo, pues hay en él algo
de trágico, quizá hasta de sagrado...». Esto importa en
Sobre héroes y tumbas por encima de las interpretaciones
fastuosas de los críticos o el maravillado horror de las señoras ante una escena de antropofagia. Ya que —como más
o menos lo dice el Pontano del *film* de Antonioni— suele
suceder que lo que un artista escribe con desesperación es
citado con satisfecho regocijo. Con esa picardía de dama de
beneficencia que susurra entre palmito y palmito: «—¿Has
visto, Catalina?, ayer se derrumbó una cantera; hay como
quinientos enterrados vivos.» Importa la carga de tremenda
humanidad, de optimismo «a pesar de todo» que navega por
dentro estas páginas. E importa lo que (para mí) es su clave
fundamental: la pureza de Martín.

Martín, el muchacho que atraviesa este libro sin conta-
minarse, con una especie de aturdimiento invulnerable, es
quizá la vértebra profunda, la clave oscura (aun para el propio Sábato) de toda esta enorme parábola novelística. En
apariencia, Alejandra, Fernando, el propio Bruno —forma
de Martín adulto, forma «contemplativa, abúlica» de lo que
acaso sólo Martín concretará algún día—, en apariencia, estos personajes están más delineados que el chico áspero, un
poco torpe, que pasa por su adolescencia con la misma per-
plejidad con que, una noche, atravesará las iglesias incen-
diadas, y justamente así «como estallidos de nafta en la noche» recordará luego su amor con Alejandra. Sin embargo,
hay en él algo fundamentalmente vivo, incorruptible, que
ya se prefigura —como en los cantos del coro trágico, pero
al revés: anticipando la esperanza— en la profecía del Loco
Barragán, algo como un destino imparable, proseguido y
siempre hacia algún límite, que, de ningún modo, se alcanza en la última página de la novela. Última página que es,
en rigor, la primera de otra gran parábola: la de Martín. De
ahí esa ilusión de tiempo «fluyendo», de proyección más
allá, que si tiene algún símil (aparte de la vida misma) equivale, en literatura, a lo que Leonardo vio como la más alta

posibilidad de la pintura: el movimiento. No es casual, y es la característica más evidente de *Sobre héroes y tumbas,* y, por lo mismo, la que más se presta a confusión en el observador superficial, que muchos de los personajes del libro parezcan fragmentarios, como concebidos según el aforismo de Nietzsche («Di tu palabra y rómpete»), pero justamente este modo quebrado, caótico incluso, de narrar como quien ilumina alternativamente los paneles de un gran fresco, oponiendo unos a otros, inventando algo así como una «dialéctica de situaciones», es lo que apuntala mi opinión acerca del profundo sentido de Martín en la novela. Como en los cines de barrio, la función empieza cuando él llega. Demiurgo atolondrado, inconsciente de su propia existencia, Martín origina a su alrededor a Wanda, a Quique, a Molinari, a D'Arcángelo. Todo se entreteje sutil e imperceptiblemente alrededor de su figura desprolija y flacucha, y la palabra «extraviado» —usada por Sábato en su doble sentido— sirve, mejor que ninguna, para situarlo en ese mundo del que, cuando él se marcha, como si apagara la luz de una linterna mágica, se oscurece el papel y queda el recuerdo atroz de Alejandra, la omnipresencia de Bruno (personaje al que, no me explico por qué, Sábato no atribuyó expresamente la narración de la novela; artificio, en todo caso, tan válido y tal vez menos remoto que el de imaginar un segundo narrador, vinculado también a la familia Olmos), y queda, con su infierno lateral, como la otra clave del libro, el horroroso presentimiento de Fernando Vidal Olmos.

«Informe sobre ciegos» es, sin lugar a dudas, uno de los fragmentos más alucinantes que se han escrito desde *Eureka* o los *Cantos de Maldoror. Eureka,* el único gran poema cosmogónico de toda la literatura moderna, fue, quizá, una hazaña mental imposible de repetir: la concepción poética de un hombre dispuesto a llegar a cualquier límite de la imaginación humana. Una obra así sólo se puede escribir en las puertas mismas de la locura. *Maldoror* es el testamento de un suicida; de un muchacho, por lo demás, que se mató a la edad en que el resto de la gente comienza a pensar qué hará en los próximos cincuenta años. Ninguno de los dos, ni Poe ni Lautréamont, era novelista; creo que podría escribirse, partiendo de allí, un volumen entero acerca de la función terapéutica de la novela, y de por qué los Akutagawa, los Maupassant, los Strindberg —cuyo mundo creador es fragmentado, agudo, vasto y múltiple, y hecho como de pequeños mosaicos separables— van a parar al manicomio. La diferencia que existe entre «Informe sobre ciegos» y obras como las citadas, o como Arthur Gordon Pym, es que, si bien en todos los casos (y también en el «Informe») el autor está rematadamente loco, *Sobre héroes y tumbas* es una novela de Ernesto Sábato, quien felizmente inventó a Fernando, que a su vez escribió el «Informe». Algo así como narrar Doktor Faustus en vez de sellar el pacto con el diablo o acostarse con la Hetaera Esmeralda.

El «Informe» de Vidal Olmos es, dije, la otra clave de *Sobre héroes y tumbas*. Su clave nocturna. El mundo de la pesadilla pura, pero absolutamente lógica, una vez aceptada su monstruosa petición de principio, opuesto al mundo de las realidades diurnas. Héroe de las cloacas, profeta del subsuelo, este campeón de la inmundicia es, creo, un ejemplo único de atrevimiento literario. Basándose en un hecho simple (y bastante normal), la repulsión que le producen los ciegos, elabora un sistema de conjeturas tan poderoso que, para ser francos, da un poco de pena que la Secta no exista. La muerte, el sufrimiento, la lucha y el delito, las cuatro crisis de la existencia humana que Jaspers llamó «situaciones límites» —y donde el conflicto fundamental del hombre entre su mortal relatividad y lo absoluto se agudiza más trágicamente—, presentes en toda la novela, proponiendo en cada página su hondo interrogante filosófico y la búsqueda de una justificación metafísica, alcanza aquí, en el «Informe», su forma más violenta y paradojal. Sólo la poesía (en la acepción ilimitada de este vocablo, acepción que también alcanza a la prosa y que, a veces, sólo es posible en la prosa) podía penetrar hasta el fondo de estos subsuelos del alma, y —como quien bajó al infierno y surge purificado de él— volver limpia a la superficie. No puede asombrar, pues, que «Informe sobre ciegos», a medida que avanzamos en su lectura, vaya creciendo hacia la poesía, transformándose en un poema insólito, traspasado de alusiones oscuras, irracionales, como de escritura vertiginosa, sin tiempo de ser pensada; ni debe asombrar que, por ese camino, Sábato alcance, de pronto, los más hermosos párrafos de su novela. El paciente constructor de libros, el ideólogo sistemático o contradictorio de tanto ensayo, el miniaturista de *Uno y el Universo,* entró una noche al inmundo acuario de las cloacas, como quien desciende al límite mismo de la condición humana, y, siguiendo el ejemplo atávico del gorila puesto a transformarse en hombre, manoteó, chapoteante, el único e irrefutable y antiguo instrumento, el viejo lenguaje esotérico de los ordenadores del cosmos. De Moisés a Zoroastro, pasando por Rimbaud, Poe, Dante, Lautréamont, Nietzsche, Thomas Mann o Dostoievski, cualquier antecedente de este «Informe» es plausible. Su impresionante originalidad, sin embargo, es lo que deslumbra en él. La entrada al infierno-cloaca, seguida de un sopor como de sueño * y la posterior navegación por el repugnante légamo, como por un Estigia fétido; los pájaros vengativos que arrancan los ojos al Prometeo escatológico como al otro, al de los altos fuegos, las entrañas; y la previsible vinculación de la ceguera de Edipo, que se acostó con su madre, con el holocausto de Olmos, que se acostó con su hija, tienen la originalidad esencial (al estado purísimo) que sólo se consigue interrogando, hacia el Origen, las más tenebrosas cimas del corazón humano. Por momentos, el espanto se acumula y, desequilibrándose, pareciera que se desborda. Se me hace difícil, por ejemplo, no comparar la horrenda economía con que Poe narra la escena de antropofagia en Gordon Pym, y el minucioso sadismo de Vidal Olmos cuando sospecha lo ocurrido en el ascensor.

No forzaré vínculos anecdóticos entre Pym y Vidal Olmos: además de innecesarios (lo que es bastante) son inexistentes. Sin embargo, he advertido una coincidencia esencial, no en tema, sino en el desarrollo de ambos relatos. Paralelis-

---

* C. F. La *Divina Comedia,* Canto III, antes del cruce del Aqueronte.

mo que ilustra dos intenciones absolutamente opuestas. En ambos, hacia el final, el realismo narrativo va dando paso a una suerte de frenesí, de arrebato poético; la anécdota deja de importar como tal; crece en significaciones enigmáticas. El viaje no es un viaje, los ciegos son un pretexto; a medida que Gordon Pym se acerca al Polo y Olmos al centro del laberinto, el horror físico se transforma en miedo metafísico; aparecen las palabras *Venganza y Castigo*. La lógica estalla y se abandona a lo incomprensible. Los dos relatos, de pronto, se truncan. Una figura humana, muy blanca, velada, es la última visión de Pym; una mujer muy hermosa, nocturna, la de Fernando. Retrospectivamente, todo se cubre de incalculable horror, que tiene algo de místico.

Una sicoanalista, con ese cretinismo literario tan propio en casi todos sus colegas, hizo, de Gordon Pym, un análisis que Poe (que detestaba los símbolos) no pudo refutar (porque ya se había pescado su más tremenda borrachera). Por el contrario, Sábato explícitamente delata aquí el amor incestuoso de Alejandra con su padre; este carácter simbólico, incuestionablemente metafórico, no sólo lo salva de los sicoanalistas sino que confiere al «Informe» una repentina coherencia dentro de la novela. Con él se descifra el misterio de Alejandra y Fernando, la (como ya dije) clave onírica del libro. De allí, justamente, que sea un disparate imaginarlo separado de la tetralogía; programa editorial, por lo demás, que algún novelista sugirió con énfasis. Pero así como el diablo y los demonios pertenecen, de hecho, a la Teología, y sin ellos sería inadmisible, no ya la idea del castigo, sino más gravemente la de Dios, los candorosos arcángeles y la Salvación Eterna; así en la unidad estructural de esta novela, sin el infierno de Fernando sería ininteligible el sentido fundamental del libro, la salvación de Martín; eso como una corriente secreta, que lo atraviesa. O como el remoto tropel de una cabalgata.

Hacia el final de la novela vuelven a aparecer los mugrientos ex-hombres de Río Bamba. Traen, como una llaga, el cadáver despellejado, ya incorruptible, casi inmortal de Lavalle. Y es la antigua cópula de la vida y la muerte, disparando furiosamente por la historia, hacia no importa qué provincia, al otro lado de los cerros. Cada cual hallará aquí la simbología que se merezca; cada cual, luego, responderá a su modo la arrogante blasfemia de Martín («... si el Universo tenía alguna razón de ser, si la vida humana tenía algún sentido, si Dios existía, en fin, que se presentase allí, en su propio cuarto, en aquel sucio cuarto de hospedaje... 'Hasta la madrugada', se dijo...»); y más tarde, al encontrarse con Hortensia —esa forma femenina y casi grotesca de la salvación—, inventará, cada uno, su propia arquitectura del milagro. Yo me inclino por el gran sarcasmo, la gran ironía, la gran trivialidad que Martín —como en esos *films* de Carlitos, donde uno intuye lo que él ignora— engrandecerá a fuerza de querer salvarse, de querer irse al limpio sur, de ser libre para buscar a un camionero y, con él, junto a él, empezar orinando limpiamente contra el cielo, bajo las estrellas.

Sábato informa sobre ciegos

Carlos Catania

I

Evite sospechas, por favor: no voy a ponerme a contar el «Informe». Trataré de informar a mi vez. Le diré de qué manera ha incidido sobre este lector escritor de un escritor. No quiero desaferrar opiniones ni suplantar imágenes ya logradas. Sólo intento exponer las mías, dar mi versión. Usted, lector atento, si pone un poco de pasión, podrá sin duda enriquecer considerablemente mis hipótesis, expuestas desde luego a todas las implicancias del error. Aparte de irreverente sería pretencioso aspirar a un agotamiento del tema. Bajar donde Sábato ha penetrado tan profundamente y antes que nosotros, es arriesgarse a encontrar de todo. Fíjese el detalle: hace unos días leí las anotaciones subsiguientes a Norah (que, para su información, es

mi amiga adulta en el exilio). Después de escucharme atentamente asintió, dijo que estaba bien, pero insinuó una
posibilidad: los ciegos podían ser también lo *abstracto*.
Logias y saetas perseguidoras, vigilándonos perennemente,
decidiendo cada acción e impulso, imponiendo los objetos
provocadores de la risa y el llanto, determinando nuestro
destino, ya sea éxito, fracaso, muerte o sublimaciones. Los
ciegos, asimismo, semejantes a la ballena blanca, podían
significar la «policromía incolora del ateísmo».

¿Qué le iba a decir a Norah? Tenía razón.

Usted también la tendrá si se lo propone seriamente.

Recuerdo esta circunstancia: hacia 1962, aproximadamente, Sábato dio una charla en la Universidad Nacional
del Litoral, en Santa Fe, mi ciudad, acerca de la novela en
general. Respondió a las innumerables preguntas de los
alumnos hacinados allí para ver y oír al autor de *Sobre
héroes y tumbas*. Se llegó al «Informe», como era de esperar. Durante casi diez minutos, una joven profesora desarrolló una teoría sicológica —interesante, dicho sea de
paso— sobre el tema mencionado, dejando a Sábato con la
boca abierta. Nunca olvidaré aquella expresión del escritor.
Parecía querer decir: «¿Y *yo* he querido expresar en el
'Informe', *todo* eso?»

Tampoco voy a detenerme a juzgar si el sentimiento de
estar ante un abismo en la oscuridad, que los ciegos producen en Sábato, pertenece a determinado trauma sicológico. Probablemente tenga orígenes recónditos. Esto me
obligaría asimismo a echar una miradita a la reacción colérica que asociaciones de no videntes desencadenaron con
motivo del «Informe», y realmente no me interesa. Analista, venga a trabajar en grupo.

Son fenómenos, a mi juicio, secundarios.

Me concierne señalar por de pronto: nos hallamos ante
un surrealismo imperfecto. «No sé qué he querido decir»,
declara Sábato, pero Bretón lo hubiera puesto sin titubear
en el libro de las traiciones. Ya he señalado la imposibilidad
de una disensión total: uno se lleva jirones de las ciudades
abandonadas. Sábato conservó parte de aquel botín adhe-

rido a despecho de convicciones. Repetiré la barbaridad: si el «Informe» es surrealista, está viciado de simbolismos inconscientes, de sicologías y de sueños. Esta afirmación contradictoria bastaría para reconocer el matiz impuro cobrado aquí por aquella tendencia. Es algo así como un acontecimiento aparentemente inofensivo de la niñez, de pronto convertido, merced a un instrumento amplificador, en motor de una obra de arte. En cierto sentido, el surrealismo pertenece a la niñez de Sábato.

El «Informe sobre ciegos» es una rebelión inconsciente, vale decir un homenaje, al recuerdo de lo más incontaminado, lo más auténtico, resultante de aquel encuentro. Sin embargo supera al modelo y lo desquicia. Es, en todo caso, una glorificación agresiva [1]. Si el adorno del comentario ningún beneficio produce al acto mismo, señalaré aquí la inclinación contraria, un acto que *recuerda* a otro. El «Informe» está ligado al surrealismo por el desdén con que es tratado el imperio de la lógica (pero hay *otra* lógica). Breton decía que el hombre, al despertar, tiene la falsa idea de reemprender algo que vale la pena. Sábato, por su parte, cree: las profundidades del hombre ocultan extrañas fuerzas capaces de aumentar aquellas advertidas en la superficie, o de luchar victoriosamente *contra ellas*.

No tengo la menor duda: Breton, de haber conocido la frenética aventura de Fernando, le hubiera entregado como primera medida (refocilantemente) la llave que le permitiera introducirse de una vez en el mundo de los ciegos. Aquí se tocan con Sábato: ambos creen en la armonización de dos estados a simple vista antitéticos, conciliados en una surrealidad o sobrerrealidad: el sueño y la realidad. ¿Cómo negar que se identifican también en una lucha encarnizada contra la moral usual? Asimismo concuerdan en la indulgencia con que tratan a las ensoñaciones científicas, y en el hecho de que la vida está en *otra muerte*.

Pero el «Informe sobre ciegos» tiene un motivo de discrepancia radical con el surrealismo: es una *clave*.

---

[1] Fernando Vidal Olmos recuerda con Domínguez a *viejos amigos:* a Matta, Esteban Francés, Breton, Tzara, Peret, Ferri (no a Víctor Brauner, por cierto).

No obedece Sábato a un automatismo puro, ni mucho menos. La experiencia indica: leyendo *Pez soluble* no puedo evitar *distraerme*. No hablaré de trucos de atención convencionales ni de lógica simple. Diré que las imágenes me son suplantadas de modo fulminante por otras. Si esto es lo que Breton persigue, lo logra superlativamente. Sábato, por el contrario, mantiene una línea de acción. La línea que Breton pone en marcha es la oculta de su asociación síquica y, como ella, el resultado de la lectura es de igual manera un «sentir» *automático,* casi independiente completamente de la conciencia.

Los surrealistas eran obsesos y dubitativos; pero eran todavía, creo, procedistas. Buscaban la crisis de la conciencia; ese punto en que las contradicciones dejan de ser tales. Paseando por la zona prohibida encendían sus linternas intentando dar alcance a otras zonas no reveladas. Breton, abandonando la actitud desdeñosa asumida en 1929, declara en 1935: el objeto del arte se encuentra en el lugar intermedio entre lo *sensible* y lo *racional.* Ah, vamos...

Pese a tantas coincidencias, Sábato sigue siendo un mal surrealista. Nada mejor que el «Informe sobre ciegos» como ejemplificación de los nueve elementos característicos de la novela contemporánea, consignados por Sábato en *El escritor y sus fantasmas,* aunque esto se aplica más ajustadamente, como es natural, a la totalidad de su novela, según trato de demostrar hacia el final de este estudio. Pero esto bastaría: el surrealismo del novelista argentino es tal en la medida de estar *sobre* la realidad (una manera de decir *debajo de*). Valoración del mundo subconciente y expresión de lo infrasensorial, es cierto, pero no radical ausencia de conducción. Repito: Sábato tenía un plan. Sabía que el «Informe» debía estar allí y no en diferente lugar. Por otro lado, esta tercera parte se integra al todo. Necesitaba incorporarse. La necesidad deviene intención.

En el «Informe sobre ciegos» está Sábato exponiéndose de pies a cabeza, olímpico o modesto, piadoso o sanguinario, envilecido o catártico, directo o lleno de argucias, diciendo infinitas cosas más de las previstas por él; empapando de diversas significaciones un mismo hecho, revolviendo tumultuosamente tripas, corazón, mente, extremidades, sistema nervioso, conocimiento, instinto, ontología, sexo. Por encima de todo se adivina un amor extraño, intenso, hacia el ser humano, una piedad inmensa y un modesto optimismo. Considerado en este aspecto recuerdo ciertas palabras de Gide apuntadas en mi cuaderno:

Prefiero ser un débil optimista a uno de esos charlatanes que se creen profundos cuando son exagerados y nebulosos; realistas cuando son ambiciosos y cínicos; sobrehumanos cuando son inhumanos. Desprecian al hombre porque piensan que todos somos despreciables como ellos. Pero el hombre no es despreciable. Es digno de ser amado e inquietante.

Sería un lugar común decir: Sábato baja a los infiernos. Se ha hablado tanto de infierno y apocalipsis que para reiterar estos descubrimientos, plenamente justificados, no se necesita mucha imaginación. ¿Qué clase de infierno, en todo caso? Afirmamos comúnmente que lo celestial está arriba y lo infernal abajo. Siempre ha sido así. La porquería, irremediablemente, va a parar al subsuelo. Lo «bueno» se incorpora —ornitóptero seguro— a la celeste aviación: tiene alas y se remonta, quizás por esa costumbre propia del hombre consistente en levantar las pupilas hacia las constelaciones cuando los astros le son favorables. Yo mencionaré el infierno, sí, pero negándome, fuera de la novela, a considerarlo vertical. Este infierno de Sábato, para emplear un término de Gracián reputado cursi por Borges, es *portátil*. Ahora escrito suena definitivamente cursi: uno imagina carritos rodando o maletines prácticos. Patentiza, no obstante, una carga de la inconciencia, sólo en el momento de la *confrontación*. Me permito apropiarme de esta expresión camusina: designa que el hombre por un lado y el universo por otro, son bastante ligeros. No hay duda en ellos que espante. Necesitan ponerse uno *frente* a otro para que la conciencia de la desproporción llene el maletín... si es que se mantiene la tensión. Y Sábato la mantiene ¡de qué manera! Hace la guerra con ganas, y la confrontación se convierte en un asalto casi suicida.

En momentos impensados, las defensas civilizadas (léase *conformadas*) son sorprendidas por la campanilla, cuyo sonido penetrante llega hasta la más fina piel del «yo», sensiblemente *anormal*. Huyen espantados los centinelas refulgentes. ¡Que no se diga! Como quiera opere el sonido, como quiera lo tratamos, ha dejado desierta, en un segundo, la plaza de armas hasta ahora custodiada (¿custodiada?). En adelante seguirá llenando nuestros niños para siempre, tristes y aterrados oficiales ya sin tácticas medianamente decentes. Dos caminos se abren, dos resoluciones: realizar una investigación, como Fernando, o ponerle sordina y telón a las vergüenzas de la fortaleza violada. Como quiera que elijamos, el sonido primero será transportable, inseparable. Hay una acústica interior reservada a esa campanilla del ciego, y toda una vida, miserablemente fuera de foco o enceguecida de lucidez, se desdoblará tarde o temprano en los oviductos cuya desembocadura es a un tiempo principio y fin: un útero-tumba fatal.

Sábato ha vomitado en el «Informe sobre ciegos» su ser hacia los cuatro puntos cardinales. Quiero decir que allí combate la totalidad del solitario: su esencia, su existencia, su entidad y su sustancia. Elijan. Sábato *es* el «Informe». Y como Sábato no es así sino también asá, hallamos en este capítulo formidable infinidad de claves contrapuestas, cantidad increíble de sentidos, sugerencias, cerraduras y bifurcaciones. Aquí puede meter su llave el analista y el desesperado, el filósofo estricto o el detector de esperanza, el poeta o el charlatán, tu jefe o mi tía soltera. Vale. Intentar la penetración en el «Informe sobre ciegos» es musitar el abracadabra junto al pecho de un hombre (Sábato) y reandar el camino de su existencia: se puede *partir* del «Informe». ¿Vamos?

¿No cree, sin embargo, que nuestras modestas esperanzas e interrogaciones previas, nos permiten desde el comienzo una cierta familiaridad? Yo pienso que sí, y tengo tanto miedo como usted. Venga...

El capítulo de referencia, es verdad, vale por sí mismo; aun aisladamente constituye un monumento de pocos antecedentes en la literatura universal. Una aventura (realismo de la anécdota), su desarrollo ontofenomenológico (clima metafísico), su simbología onírica (lo más cercano al surrealismo) y su persistencia reflexiva *pese al* misterio (sicologismo moderado), convierten a este relato en el modelo más acabado de síntesis que, en mis permitidas lecturas, he podido hallar. Dotar a este capítulo de los pormenores apuntados significa haber luchado hasta el agotamiento. Esto puede entenderlo cualquier escritor serio, incluso no «gustando» del «Informe».

Si se tiene la paciencia de considerar lo expuesto más atrás, el «Informe sobre ciegos» reviste las características de una total obra de arte. Vale por sí misma. Haberla *incluido* en *Sobre héroes y tumbas* ha sido una especie de temeridad algo irreflexiva. Es un hecho semejante a las iluminaciones de los estrategas, de los santos o de los locos que, de buenas a primeras, en un impulso perentorio y alucinante, dejando a un lado todas las garantías de la lógica, indican con el brazo firme: *¡por allá debe ser!*

II

¿Cuándo comenzó esto que ahora va a terminar con mi asesinato?

Violar el gran secreto de los ciegos, vale decir del Mundo de las Tinieblas, es situarse de una vez por todas en relación al salvajismo del universo. Dicho de otro modo, el delito consiste en ese deseo ofuscante y curiosamente expiatorio de buscar la luz allí donde menos brilla, en los sótanos del alma. El universo nos ha escupido su silencio al rostro. ¡Maldito sea! Es nauseabundo. Nos han dicho sin hablar, sólo a través de los efluvios de su corpulencia desmedida; nos han dicho: hormiguita, insignificante montoncito de bosta, redúcete hasta dejar tu esqueleto en el desierto. Es tu castigo por haber creído que alguna vez te pertenecí.

Entonces, en un arranque tipo David, también le hemos escupido nosotros y ha sido como tirar agua contra el ciclón. Su risa sarcástica acrecentó el odio y el deseo de la Gran Osadía. Ese deseo nos ha parecido el único por el cual vale la pena vivir. Al término de la aventura, paradójicamente, quizás hallamos inútil e ilusorio, incluso carente de sentido, todo intento de supervivencia y la insignificancia de la aventura misma. *Quizás.*

Allá va Fernando, tras los usurpadores del equilibrio original, convertido ahora (el equilibrio) en nostalgia magullada. El estupro no puede quedar así. Ah, no. Voy detrás de un culpable al que nunca daré caza: la justicia no está de mi parte, pero yo soy un hombre y me muero de orgullo y de pena. Quiero ver siquiera la guarida, la sombra, oír el eco de las pisadas de esos chantajistas, ya que sería demasiado pedir tenerlos cara a cara. Esos bichos no están expuestos a la claridad del día. Abundan en subterráneos, como corresponde a animales de piel fría y sangre helada; habitan en cavernas, viejos pasadizos, caños de desagüe, alcantarillas, pozos ciegos. Pululan justamente en regiones alejadas y profundas; terrenos a los que pasamos cotidianamente por arriba, ignorados adrede, temerosamente obviados en virtud de los resplandores cáusticos, pero notablemente sedantes de la superficie.

Las avanzadas de estos monstruos están constituidas por *ciegos.* Una ineptitud física corporiza a los ejecutores de la conciencia pasiva. Poseen, por encima de una pegajosa paciencia, un histrionismo virtuoso y una fortaleza de esclavos. Son el *contacto.* (*Delante de mí, enigmática y dura, observándome con toda su cara, vi a la ciega que allí vende baratijas. Había cesado de tocar su campanilla; como si sólo la hubiese movido para mí, para despertarme de mi insensato sueño, para advertir que mi existencia anterior había terminado, como una estúpida etapa preparatoria, y que ahora debía enfrentarse con la realidad.*)

Sábato da vida propia, «real», a los devoradores de la inocencia. Tocadores de campanitas en momentos especiales, configuran los estratégicos enlaces establecidos por el gran secreto a fin de mediar ante nuestra conciencia rebelde. Sus rostros, eficazmente abstractos, se *posan* de improviso sobre el mío o el tuyo, desamparadamente concretos, pertenecientes al hoy y al aquí, al camino y a la muerte. El tiempo de ese encuentro ya no es Tiempo: da acceso a la eternidad. En otras palabras: la conciencia queda brevemente suspendida en un punto no concerniente al hombre como tal sino a la esencialidad del ser, conforme a la lógica hegeliana. De la mano de Fernando, Sábato nos conduce al mundo alucinante, imperio de fantasmas, zona indiferenciada, irreductible a simples representaciones o percepciones. Los descomunales descubrimientos, su corporización, el impetuoso significado, son como imágenes sin ubicación mental previa. Responden, por así decirlo, a fenómenos cidéticos. *(Así fui advirtiendo detrás de las apariencia el mundo abominable. Y así fui preparando mis sentidos, exacerbándolos por la pasión y la ansiedad, por la espera y el temor, para ver finalmente las grandes fuerzas de las tinieblas como los místicos alcanzan a ver al dios de la luz y de la bondad. Y yo, místico de la Basura y el Infierno, puedo y debo decir: ¡CREED EN MÍ!)*

Sábato ha elegido a Fernando Vidal Olmos para la *persecución,* ese hombre que acaba de hablar como un Cristo. Es un privilegio. Sea por exceso de humildad, sea por tentación diabólica, Sábato le ha puesto su propia fecha de nacimiento. Yo no podría decir, contradiciendo a Sábato, que Fernando representa su parte *peor.* Sábato se mutila en exceso. Me inclino por considerarle su lado *nocturno.* Silenciaría la fuerte inclinación de llamarlo «bueno» o «malo». Aquí no hay lugar para éticas convencionales. *Es* ya una ética. Todo. Afirmaría en cambio su existencia como síntesis *activa* de las perplejidades comunes al uno y las reflexiones pertenecientes al otro. Me refiero a Martín y Bruno. En todo caso el crimen de Fernando es a un tiempo su virtud. Su endemoniada honestidad lo salva.

Es cierto: la suerte ha recaído sobre un hombre lujurioso, asceta, solitario, sadista sexual, delincuente, despreciativo del rebaño; un hombre que se muerde constantemente

las uñas. Se dice que el «Informe sobre ciegos» es el diario
de un paranoico, y mucho lector sensato y asustadizo así
lo pregona, con una especie de alivio. Lo dice Sábato, con
extremada cautela y mucho pudor. Está bien. Aceptado.
¡Cómo iba Martín a escribir semejante testamento! Pero
Sábato quizás no reparó en un detalle: Fernando arrastra
consigo a la humanidad. Es un representante que se *animó*.
Es un descubridor ejemplar. Va en nuestro lugar, como
Colón o Amstrong. Pone su planta en terreno común, único patrimonio en condominio, de la criatura humana, cuya
pertenencia, en la mayoría de los casos se elude. Fernando
es un mártir de causas sin bandera. Su aventura vale para
todos los personajes de *Sobre héroes y tumbas*. Más que
nada vale para nosotros, usted y yo, devoradores de carne
sazonada; para la gente que llama No Videntes a ciertos
demonios, quizás «por ese temor que induce a muchas sectas
religiosas a no nombrar nunca la Divinidad en forma directa».

No perdamos de vista el detalle: la *sombra* puede comenzar a deformarse en cualquier momento si uno no con-
centra toda su atención en ella, toda su voluntad para mante-
nerla estable (...*dediqué casi todo el tiempo de mi vida a la
observación sistemática y minuciosa de la actividad visible
de cuanto ciego encontraba en las calles de Buenos Aires;
en ese lapso de tres años compré centenares de revistas inútiles, compré y arrojé ballenitas por docenas de docenas;
adquirí miles de lápices y libretitas de todo tamaño; asistí
a conciertos de ciegos...*).

Durante la investigación preliminar, al igual que Fernando, suele acometernos una inexplicable abulia. El fal-
sificado mundo de lo cotidiano ofrece cantidad apreciable
de tonificantes espejismos. En estos almohadones congruen-
tes se retarda la aventura proyectada. Más todavía; se la
ridiculiza distorsionándola. Uno se vuelve sagaz y acomoda-
ticio hasta la podredumbre. Sin perspectiva religiosa, con
artillería lista, en sus mullidos pliegues, la conciencia se dedica al cultivo de su panículo adiposo. Proclama a grandes
gritos la engreída inutilidad de todo sondeo, renegando de

la molestia *moral* que ello produce. Al afirmar la transparencia de la vida, reclama para sí el derecho a otra ceguera. Una secta muy diferente expone de este modo su patente de tránsito: los No Videntes *Sin* Bastón Blanco. Andan con soltura por las calles, saludan al prójimo, comen masitas, florecen en manicomios sensatos, se apolillan en los variados favores del mundo luminoso y enuncian el sagrado deber de sacar jugo a la vida.

Frente a ellos hay poderosas razones para sentirse irrisorio: detentan verdades macizas. Quisiéramos explicarles que para sacar jugo de la vida es necesario tener entre manos la pulpa del fruto, no su cáscara, porque si no, seremos como aquel empleado de la Universidad que, en la Facultad de Medicina, practicaba la necrofilia con muertos en estado de *rigor mortis*. Así, ¿cómo hacer el amor a la vida sin sentir su circulación y latido?

Pero el miedo, motor de la ignorancia, ya se ha instalado como en su casa: se prefiere la ecuanimidad del cadáver. Dirán que somos amargados, negros, derrotistas, moralizantes, voluntariosos... Dirán: son seres *sin esperanza*. ¡Ellos (oílos, Fernando) dirán eso! Ellos, ejercitados para una moral del artificio. Ellos, a quienes se les frunce, y que en medio del pánico eligen la necrofilia universal. Ninguno podrá seguir los pasos de Fernando Vidal Olmos, como no lo conduzca la intención de deleitarse con el espectáculo. Césares en su tribuna circense, seguramente conceden sin variar el perdón, de puro cagones que son. Después de todo, la verdadera locura de Fernando, lector de Hegel y asaltador de bancos, hubiera consistido en ser como los demás, como ellos.

Pero, cuidado, espectadores, pudiera ser, pudiera ocurrir —depende del espesor panicular— que la campanilla fuese oída *de verdad* durante la representación, en el trayecto, como un mazazo, como un accidente de tránsito, ya que ningún paniculo descarta al músculo; sólo lo cubre.

Entonces sentiremos como un dominio *fuera* de nosotros. (*Si, como dicen, Dios tiene el poder sobre el cielo, la Secta tiene el dominio sobre la tierra y sobre la carne. Igno-*

ro si, en última instancia, esta organización tiene que ren-
dir cuentas, tarde o temprano, a lo que podría denominar-
se Potencia Luminosa; pero, mientras tanto, lo obvio es
que el universo está bajo su poder absoluto, poder de vida
y muerte que se ejerce mediante la peste o la revolución, la
enfermedad o la tortura, el engaño o la falsa compasión, la
mistificación o el anónimo, las maestritas o los inquisidores.)

En la noche *invernal* y *solitaria*, describe Sábato, no
hay más transeúntes que Fernando y el ciego. Equivale a
establecer la situación de un hombre frente al universo silencioso y extraño en persecución del abismo separativo.
Esto, para mí, es obvio, pero Sábato se cuida muy bien de
apartarse en forma notoria hacia un lenguaje de conceptos.
Reflexiona procurando marcar el borde de algo «natural».
La narración nunca pierde de vista una intriga real, donde
los hechos, en la primera parte, se desarrollan en el terreno
de lo posible, de una *cruda realidad*. Los poderes infernales
de la secta, dice Sábato, podrían tener explicación en alguna
retorcida teodicea. Ha sido necesario (por mí) subrayar lo
de retorcida, porque la teodicea de Fernando, si en cierto
sentido es una investigación destinada a explicar la existencia del Mal, no pretende justificar la bondad de Dios.
En el mejor de los casos el Bien estaría representado por
el Seno.

Su séptima hipótesis (la de Fernando) expone a Dios
como derrotado *antes* de la Historia por el Príncipe de las
Tinieblas, quien sigue gobernando mediante la Secta Sagrada de los Ciegos. Las otras posibilidades (ya de su época de
asaltante) niegan la existencia de Dios, o la aceptan bajo
condición de que éste es un canalla, o existe, pero a veces
duerme y sus pesadillas son nuestra existencia, o tiene accesos de locura y éstos constituyen nuestra existencia. Otra:
Dios no es omnipresente, no puede estar en todas partes.
A veces está ausente ¿en otros mundo?, ¿en otras cosas?
Otra más: Dios es un pobre diablo, con un problema demasiado complicado para sus fuerzas. Lucha con la materia
como un artista con su obra. Algunas veces, en algún momento, alcanza la grandeza de Goya, pero por regla general

es un desastre. Así están construidas estas tenaces convicciones.

En un corto ensayo, Luis Wainerman, muy agudamente, apunta esto, que creo importante transcribir, fragmentadamente; dice así: «Algunos críticos han considerado que el 'Informe sobre ciegos' constituye una novela aparte dentro de *Sobre héroes y tumbas*. Esto podría ser cierto desde el punto de vista tan relativo de la unidad de acción, pero no de la cosmovisión de la obra. Para comprender el sentido total de las ficciones de Sábato, debemos partir de su antropología y de su teodicea (o explicación del origen del mal). Cualquier otro enfoque que tomemos, sea de las estructuras novelísticas en absoluto, sea de sus contenidos, ha de caer inevitablemente en las tuberías de su concepto del hombre, concepto que, a su vez, tiene como numen el mito de los ciegos. ¿Qué es lo más sagrado del hombre? Su magnetismo, porque le permite la resistencia a los poderes malignos, así como el ejercicio del mal lo vincula a sus principios demoníacos y dinámicos y hace de él un hombre libre. Pero ¿quiénes son los hombres sagrados?: aquellos en que el magnetismo tiene un carácter de imprescindibilidad, los ciegos. Al no orientarse por imágenes, al usar las fuerzas más sutiles para las tareas más burdas, adquieren una preeminencia que los distingue del resto de la especie humana. Su magnetismo equivale al radar de los murciélagos. Pero resulta que lo sagrado no se menciona; el que lo hace, el poeta que, al decir de los románticos, expone su cabeza a la divinidad, lo pagará con la locura. Los ciegos, entonces, deben ser dichos de múltiples maneras para engañar al dios, dios que, en las religiones pesimistas, asiente con el demonio del mal en el mundo y ha puesto a los ciegos con ese fin. ¿De qué armas dispone nuestra sociedad para defenderse de lo demoníaco? De las religiones oficiales, del sicoanálisis, y de la ciencia. Para resumirlo en una palabra: de lo objetivo, de lo que da la imagen del mundo. Pero en las religiones oficiales laten el demonio y la anarquía, en el siconanálisis el inconsciente y la locura, y en la ciencia, el engaño y la destrucción. Las maneras como el poeta corporiza lo demoníaco, son siempre más ambiguas, infinitamente variadas, y difíciles de esquematizar. En el caso de Sábato la pregunta es: ¿de qué manera se expresa la ceguera? Puede decirse que en todas las capas de su obra, en su macro y micro mundo hallamos formas de conducta en las cuales se ha introducido el peritoneo de la secta de los ciegos, el manto que cubre todas las formas del mundo inferior, ese en que, al decir de los agnósticos, nos ha tocado vivir. Los hechos infantiles de Fernando están ligados también a la ceguera: de chico apresaba gorriones y les pinchaba los ojos con una aguja. Los de Castel siempre están relacionados con la vista: en el momento de más desesperación, inexplicablemente, se ve en su pieza de enfermo, alucinado, *mirando* la nieve a través de la *ventana*. Las visiones de Martín, del Ejército Fantasma, el espíritu científico de Fernando, su curiosidad, sus persecuciones de lince, son gamas que van del adormecimiento de la vista hasta su agudización» [2].

Fernando elabora una teología «afirmativa» en el sentido analógico que atribuye a una posibilidad de Dios. Puedo afirmar en este sentido: el asaltante de bancos practica una teosofía en que el demonio es objeto del saber. Busca, no sólo una *speculatio* sino la adopción de una forma de vida que, en este caso, se limitará a la experiencia y posterior inmolación [3].

Antes de hacer girar el picaporte de la puerta sin llave, cuya abertura lo conducirá a la revelación del infierno, Fernando Vidal Olmos, sin olvidar su objetivo, sino, por el contrario, a causa de éste, nos ha paseado un poco por el mundo de arriba. Un cierto barroquismo retardativo acentúa la impaciencia del lector (¿no es el suspenso barroco

---

[2] «Sábato y el mito de los ciegos». Aparecido en el periódico *La Nación,* de Costa Rica, C. A., por Luis Wainerman.

[3] Sin duda, un estudio serio en este aspecto develaría otro tipo de significaciones. Nada me autoriza a referirme a la corriente defendida particularmente por Blavatsky, Olcott y Besant. También conozco detalles de la teosofía de Rudolf Steiner. Intuyo que un especialista podría hacerlo con fortuna, ya que Sábato, me parece, ha barajado en el «Informe» estas cuestiones con disimulo y precaución. Lamentablemente, no puedo referirme a un tópico del cual sólo tengo algunas pobres nociones casuales.

por antonomasia? Digo); antes de la cueva, parece indicarnos Sábato, hay que recorrer primero los caminos pavimentados del mundo. Fernando incursiona en el barrio de los Bancos, señala el mito de la enseñanza primaria, expone al arquetipo de Norma Pugliese, se ensaña con las publicaciones difamantes, alimento elaborado para eunucos mentales, echando siempre mano de una ironía que destaca la precariedad de todo; crea un antagonista radical en la figura egregia de la señorita Inés González Iturrat, con quien Norma y otras chicas comentan libros, van a exposiciones, conferencias, asistiendo a visitas comentadas por Romero Brest (ah, este Sábato).

El escritor no abandona (ni siquiera) en el «Informe» su empecinado fustigar sobre las cursilerías de una sociedad establecida en la renguera de sus valores. Como de costumbre, la exposición demoledora de sus verdades tiene ese sabor a cosa limpia, sin compromisos, sin golpes bajos. Todo lo que Sábato dice suena a verdad, es contagioso, convincente. Uno *cree* en Sábato, aunque duela, o cree en que *él* está creyendo; bueno, el que no cree es porque ha recibido un palo en alguna herida aún sin cerrar. Ése probablemente lo odie: qué suerte. Aquel siniestro sentido del humor nos envuelve alevosamente durante un período más o menos largo. Después, precipitadamente, nos deja caer indefensos, entregados, en brazos de un rigor lacerante. Somos nosotros los que vamos en lugar de Fernando. Y al ocupar su lugar somos como extraños y a la vez impetuosos viajeros con un discutible destino. La lectura nos *obliga*. Quedarse fuera, no participar, es no *entender* el «Informe». Quizás sintamos algo muy parecido al asco, a la repugnancia, a una ingenua náusea. Sí, señor.

¿Quién que ahonde en los pliegues de la conciencia puede respetarse?

Fernando, canalla ejemplar, detesta la universal infamia de los sentimientos honestos. La sensibilidad popular, piensa, está consagrada por la hipocresía institucional. Imbuido de un ansia brutal de justicia, realiza la radiografía corrosiva de las supersticiones veneradas por los profanos e indiferentes de la existencia. Se adiestra en parasitología. Es un autocrítico feroz. Coquetea teóricamente con sus excrementos exponiéndolos a la luz y reivindicando el mérito de no engañar a nadie. Integrante voluntario del ejército cacófago, solicita ser *comprendido*. Podrá argüirse: se trata de un ser enfermo, sicológicamente pervertido. Pero su pensamiento, de un orgullo luciferino, es asimismo de una coherencia impecable y, por lo mismo, curiosamente moralizador y altruista.

¿Quién no admira una conciencia inquebrantable, por endemoniada que sea? Hasta los santos sienten atracción por Satán (*la gente no comprendía lo que me pasaba, me veía concentrarme, con la mirada fija y ajena, y creía que me estaba volviendo loco, sin comprender que era al revés, precisamente al revés, puesto que, merced a aquel esfuerzo, lograba mantener la realidad en su sitio y en su forma*).

Sábato codea a este elegido (el persecutor se hace en realidad perseguir) con reconocibles personajes: el tipógrafo Iglesias o la señora Etchepareborda. La maestría para hacer de las vulgaridades de esta última un elemento inquietante, no tiene nombre. Sábato exprime misterio de las cosas más simples. Hace ir a Fernando, por ejemplo, al excusado público, cuyas paredes son pizarras testimoniales recogiendo la angustia anónima en forma de leyendas procaces, inscritas en el calor pestilente del refugio, allí donde damas y caballeros dejan automáticamente de serlo, aflojando máscaras e intestinos sin que nadie interfiera (espantosa semejanza con el útero también), armándose de un singular optimismo que más tarde ayudará al enfrentamiento con el mundo exterior, donde todos los pantalones van levantados con sus braguetas púdicamente clausuradas. Lo hace caminar por calles conocidas: Rivadavia, Bartolomé Mitre... Lugares y nombres corrientes. Ocurre entonces lo siguiente: la obsesión del personaje, desarrollada y guiada por la ciudad y sus gentes, convierten a éstas en *otras cosas*. Buenos Aires cotidiano se transforma en Buenos Aires recóndito.

Aprestarse a abandonar un mundo sólido exige preparación. Uno elige al cabo la faena dura o el suicidio. El carácter insensato de la existencia tal como se presenta, arrollada por la avalancha gesticulante de lo diario, determina una acción. El pensamiento que justifica y maldice no detiene la avalancha: la revela. Y aunque la pretensión sea extravagante, merece hacerse la prueba. Me es imposible negar la caricia de esta mano y el placer que experimento; estoy vivo cuando transpiro en la cuesta, me detengo un rato a contemplar la belleza de este valle, o mezclo mi cuerpo con la callada multitud del bus. Una alegría profunda y silenciosa sacude mi cuerpo cuando esta mujer que deseo me recibe con idéntico temblor, durmiéndose luego tibia a mi lado; las conversaciones con mi hija indican que la vida otorga un sentido a todas las vidas. Pero la misma fugacidad de los sentidos anuncia el advenimiento precipitado e implacable de la noche. Pero ¿qué es la noche? La noche no es nada. Vivo para este momento, pero quiero conocer las máquinas destructoras y resolver luego si la sucesión de momentos plenos y sin porvenir valen la pena. Sé que existen sótanos: no basta denunciarlos y explicar que existen. Esto lo han hecho muchos con buena fortuna y reconocimiento. Hay que *vivirlos*.

Tampoco es pertinente comunicar que hoy, a las once y cuarenta y cinco minutos del día tal, se ha oído la campanilla y que se está haciendo todo lo posible, en consecuencia, para ver qué pasa. Una conciencia honrada va hasta el final o se cubre con su propio escarnio. La campanilla no pasa de ser una sensación. Si se quiere ir *más allá* será necesario buscar sus fundamentos concretos, que bien pueden no serlo, o limitarse condenadamente al pensamiento. Tengo el arte o esta profesión; soy un pobre muchachito o reflexiono maduramente. Lo mismo da. Lo único que poseo de esta condición es un rico honor y las profundas alegrías diarias, que me llevarán, con el tiempo, de los extremos a la nada, y que probablemente no se parezcan un ápice al honor y a las alegrías de los demás. Qué importa. Mi moral es mía y no tengo prejuicios.

Así, al cabo de la investigación entrenamiento, después de haber adiestrado su pensamiento, Fernando decide convertirlo en acción. Semejante a un personaje kafkiano, hesita frente a la puerta condenada. Pero el paso está libre. La puerta *nunca* ha estado cerrada. El mundo oscuro de los zopilotes del alma no es inaccesible. Es el hombre quien escamotea su existencia. Pero la entrada no constituye más que eso: el nacimiento de un cuello de útero reversible. Ahora es necesario recorrer, explorar estas regiones. Ver si en aquellos páramos dudosos hay lugar para un corazón caliente y una mente ansiosa de luz. *(Ningún sonido, ninguna voz, ningún rumor ni crujido se oía en aquel imperio fúnebre, y una indecible melancolía se levantaba como una bruma de aquel territorio de misterio y desolación.)*

Es cierto, Fernando; tenés razón: si te hubieran arrancado los ojos, si la muerte te hubiera recibido en la *bolsa,* si hubieras, en fin, no nacido, la esperanza tampoco estaría ahora a través de esta penosísima marcha a través de los inmundos pantanos. El camino hacia la vida, el camino hacia la muerte, se parecen. La vidamuerte y la muertevida te convierten en un Ulises estrafalario seguido del Cíclope-Anciano, que se las sabe todas y que, aparentemente, te *ilumina.* Además te mete mucho miedo. Los pájaros torturados en la niñez son ahora los fantasmas del presente. No caben ya en tu mano: ahora parecen desproporcionados bichos que tu nostalgia descomunal convierte en pterodáctilos. Ahora ya sos un hombre. ¿Sabés lo que eso significa?: te devuelven el picotazo. Ser hombre es recibir en carne propia la desmesura. Ser hombre es ser picoteado sin piedad. El barro amenaza cubrirte la cabeza y vos recordás aquella gruta donde alguna vez estuviste a salvo. Para entrar o para re-entrar primero debés ofrecer tus ojos a los picos de la venganza. Para entrar tenés que ser ciego. Que te castren los ojos. Edipo sin grandeza, Edipo loco. Hacia ella vas, hacia la gruta, y nada te importa. Tus fuerzas apasionadas indican que el destino arrastrado desde su origen tendrá su lugar de cremación en el origen mismo. Vos estarías *salvado.*

Feliz —dice Goethe— del que termina su vida donde la empezó. Vamos, mantené en esta pesadilla tu cabeza en la misma posición. ¿No querés nacer? Pronto tendrás esa sensación de cerrazón y seguridad, pronto estarás *dentro de.* Ya no habrá un onceavo hermanito. Si al nacer comienza la peregrinación hacia la nostalgia, acabarás por hacer el camino al revés: de la nostalgia al origen. *(Me creí solo en el mundo, y atravesó mi espíritu, como un relámpago, la idea de que había descendido hasta sus orígenes. Me sentí grandioso e insignificante.)*

¿Así que toda desesperación de la existencia clava sus banderas a la salida? Entonces, ir hacia el infierno, hacer frente a los duendes adulterados por el Tiempo, significa meter la nariz y el alma en las causas primeras, allí donde los renacuajos vitales cederán más tarde lugar a los sapos metafísicos.

Las *fuerzas* de la secta son poderosísimas. Si bien no es posible vencerlas del todo, queda la posibilidad de tenerlas presente y, de este modo, contrarrestar su empedernida tendencia a determinarnos. La secta ocasiona desastres pavorosos: convierte en antropófagos a una puta redimida y su enamorado español (en una secuencia que es todo un estudio de las relaciones humanas); determina la muerte de María Iribarne, casada con un ciego, ¿recuerdan?, en manos de un tal Pablo Castel, pintor; convierte en inútiles todos los intentos de fuga: después de largos y costosos viajes Fernando vuelve a encontrarse con su destino, ineluctablemente *(pero está visto que yo no puedo hacer nada que a la larga no me lleve al dominio prohibido)* pone en escena, en fin, comedias increíbles, como aquella del matrimonio formado por una pareja no vidente: él era paralítico y ella se complacía en gemir bajo sus propias narices el placer proporcionado por otros hombres. Es inútil: para el arriesgado investigador es falso y sin sentido todo escape. La China o Roma, Egipto o San Francisco, Francia o Argentina... ¿Dónde está la diferencia? Llevarás la secta metida en el más remoto tuétano de tu más insignificante hueso. Después de todo es *tu* secta.

El contraste trazado por Sábato entre la realidad interior y la falsedad externa es notablemente osado e indiscutible. A medida que Fernando desciende va encontrando la verdad: *¡abominables cloacas de Buenos Aires!* Esta patria de la inmundicia es el reino de la basura: allí se convierte en excremento todo lo que arriba alimenta la euforia vital del hombre. Lagartos, serpientes, ratas, comadrejas, ciegos... Habitantes de los deshechos. Este lugar existe *a pesar* (¡cuántos *a pesares!*) de todos los subterfugios, de todos los azulejos del cuarto de baño. La presencia tersa de esa piel que ahora beso no invalida la existencia de un tumor maligno. Cerca de los desperdicios, aspirando la fetidez de tanto destino, el individuo se coloca en el último peldaño del hombre. Allí se producen arcadas horribles, pavor, titubeos. Pero uno sabe a qué atenerse. Allí donde van a parar los restos se está rozando la desdicha de la humanidad, acaso su verdad. No hay nada que perder, nada que ganar. Sólo la muerte puede acercar a una verdad más profunda.

Las gentes, nosotros, suelen tener conciencia de las precarias fantasías ofrecidas por el mundo. Éste tiene una buena provisión de vacunas. A menudo, casi siempre, son utilizadas como trincheras. Se ignora de ellas lo único cierto: su inutilidad. ¡Qué pesada carga transporta la *normalidad!* Yo admiro sin ironías esa capacidad para lo inane. Este esfuerzo descomunal (ya que supone asimismo fortaleza) encuentra su recompensa en la apariencia de garantía que otorga; en la sensación de continuidad, de eternidad sádica. ¡Si lo sabré! Semeja la inevitable y emocionada alegría experimentada ante un cadáver, frente al cual nos sentimos mágicamente transportados de filosofía humanitaria. En cambio, el hombre de las cloacas, el testigo y partícipe de la inmundicia, reconoce la fulminante fugacidad de todo. ¡Cómo no reconocerlo si está en contacto con el *resultado* de tanta pasión! Frente al portento agacha la cabeza, se somete sin trampas. No para rendirse, sino para seguir cavando hacia el presunto lugar de su descomposición. Nunca lo encandila el sol ni se deja engañar por la blandura. Sigue adelante.

¿Hacia dónde?

Hacia la Nada. *(Y todo marchaba hacia la Nada del océano mediante conductos subterráneos y secretos, como si Aquellos de Arriba se quisiesen olvidar, como si intentaran hacerse los desentendidos sobre esta parte de su verdad. Y como si los héroes al revés, como yo, estuvieran destinados al trabajo infernal y maldito de dar cuenta de esa realidad.)* Pero lo sabe. Los de Arriba parecen ignorarlo, y como ignoran, viven protegiendo la impermeabilidad de sus células. Aquí abajo, Fernando, Sigfrido de las tinieblas, comparte la suerte de los malditos. Hay una fraternidad profunda en los sótanos. Se comparte, se comparte... El hombre, revelador de su condición total, recaba de la experiencia infernal un extraño amor, aquel común a la condena. ¡Somos camaradas de este yugo, hermanos! ¡Avancen, avancen sin desmayo y sin esperanza, héroes patas para arriba! ¡Entonen la verdadera *Internacional!* Sigan por sus túneles y tengan la bondad de mirar hacia allá, muy arriba: una pequeña luminosidad indicará semafóricamente que no todo es negro en estas rutas entubadas, pero indicará también que los ventanucos son inalcanzables. ¡Yo me río de las escaleras *ad-hoc!* Son un maravilloso engaño. Sus escalones son brillantes y agusanados. Qué importa. Se respira, se respira... Puedo tomar a la derecha, girar hacia la izquierda, sentarme un rato a meditar sobre las causas de este absurdo sin causa.

La única salida —decía Chestov— está en la *sin salida.*

Cantidades de escalerillas, pasadizos, aberturas y demás, encontraremos a nuestro paso. ¿Que estamos atrapados? Siga... ¿Que es absurdo lamentarse del absurdo? No me venga con vulgaridades, cabrón. Obligará a que le responda: somos libres de recorrer la prisión. ¿O qué? La prisión es grande y queremos agotar los rincones, cada pulgada de sus piedras; explorar sus celdas y el origen de ciertos resplandores, aunque toda nuestra existencia se vaya en ello. Somos espeleólogos de nuestra propia cueva, de nues-

tro hueco, o no somos nada. Es una vocación que manten-
dremos hasta el fin. En esto nos diferenciamos —¡al menos!— de la simple y bigotuda rata.

Descubrir el misterio central de la existencia (algo vago,
¿verdad?), será para Fernando Vidal Olmos descender hasta
el *origen*. La vida es pues una aventura cíclica. Se retorna;
siempre se retorna. El colmo de la nostalgia sería la muerte,
y entonces quién sabe si no se resuelve en otro *material*.
Sería, digo, ya que con ella *cesa* la nostalgia. Sin embargo,
la nostalgia de mi muerte es la muerte de los demás. Cada
milímetro avanzado en la investigación es una dosis apreciable de melancolía abultando la cantimplora. Detenerse
para beber no es detenerse. Significa que se tiene sed y que
el agua será una y mil veces transpirada. Dejaremos el charco; sólo el charco. Al principio o al final aguarda la *bóveda,*
la gruta, la cavidad. *Todo* está en los polos tangentes, metido allí para siempre. Tumbatumba. Tumbatumba. Tumbatumba. Escuchen. Parece un tambor. Oigamos. Temble-
mos. Tarzán no vendrá.

Edgar Rice era un hombre.

Los frenéticos muñecos con cuerda propia son, ante
esta realidad, infantiles fantasmagorías. Aquella preparación
de Fernando le ayuda a no ser engañado: lo desaparecido
para la gente común son para él indicios de voces y estructuras malignas, descubiertas gracias al afinamiento de los
sentidos.

Su «Informe sobre ciegos» es la biblia de lo abominable
como contrapuesto a la apariencia. La verdad *es* abominable. La verdad es, como en el origen de la filosofía, lo *permanente* del ser humano. Por eso, si yo digo que lo abominable también es su grandeza, estoy lejos de la concepción
idealista kantiana y de la indagación objetiva de Husserl.
Hacia ninguna de las dos. Lo ubico fuera de toda concepción. Es la libertad de la conciencia; la conciencia desatada.
Florece en el terreno de la sensación y de la imagen: se
piensa, se vive. Es el arte, la creación. Sobre todo el arte de
la novela. Pasión y ansiedad, esperanza y temor, que nada
tienen que ver con los pequeños, dañinos y misérrimos

mieditos, ni con las esperanzas del idiota, ni con la pasión del titubeante acomodador de sentimientos. ¡Candorosos soñadores, sacudan el opio de vuestras venas! Atiendan: nadie les pide sufrir. Solamente no perder el limitado control, tener los ojos claros frente a la oscuridad, como los niños, como los locos, como los santos, como los Grandes Poetas, como un calloso hombre de campo. Atiendan: ¿y si después de tantas vueltas, promesas y mentiras, fuera éste el verdadero paso hacia una revolución, una revolución total? ¿Y si lo fuera?

Hasta qué punto —reflexiona Fernando— las palabras luz y esperanza deben estar vinculadas en la lengua del hombre primitivo, lo prueba el hecho de marchar en los túneles hacia cierta *luminosidad*.

La ceguera, pienso, pudiera ser también la nostalgia motivada por un Edipo permanente. Homero era ciego. Hizo quemar el único ojo del Cíclope. Hay una castración simbólica en la añoranza del hueco original. Yo era tu preferido, madre: quiero volver a ti. Desde que me *dejaste* no he cesado un segundo de hacer el camino de vuelta, de retomar lo perdido, o intentarlo. Descubrir las escorias del mundo es ansiar y ansiar mil veces, millones de veces, la protección de tu pelvis, ir venciendo miedos pensando en la recompensa de tu calor, o utilizando tu añoranza como bandera. Las esperanzas que me animan *se basan* en aquel recuerdo animal. Entre tantas torres destruidas se alza la estatua colosal, esa que nunca caerá, la más fuerte de todas, haciendo brillar el faro de su centro *umbilical*. Ernesto Fernando Sábato Vidal Olmos tiene la sensación de que, en aquel reducto poderoso, encontrará, por fin, el sentido de su existencia. Los volcanes apagados de la ciencia, lo absoluto, la religión, los partidos, están secos hasta la raíz en relación al Ojo Fosforescente imantando el espíritu. En otros tiempos quizás las torres habrían sido reductos de gigantes *feroces* y *misántropos*. Ahora, en la cercanía y conciencia del comienzo-fin, se alzan deshabitadas y cenicientas en el desolado páramo. Son veintiuna. ¿Por qué veintiuna? Siempre me lo he preguntado sin hallar una respuesta. Se entenderá que tampoco he interrogado a Sábato. A él menos que a ninguno. Analistas…

Fernando experimenta una metamorfosis (*algo atroz me sucedió a medida que ascendía por aquel resbaladizo, crecientemente cálido y sofocante túnel: mi cuerpo se iba convirtiendo en el cuerpo de un pez. Mis extremidades se transformaban repugnantemente en aletas y sentí que mi piel se cubría de duras escamas*). ¿Es un símbolo del origen acuático de la especie humana, individualizado en la bolsa de agua protectora antes del parto, cuando la futura vida, aún informe, parece un «pescadito que se mueve»? Analista: *help*.

El peregrinaje *hacia* la deidad y *desde* la deidad, cueva luminosa y tumba sombría, es para mí el itinerario penoso, pero despierto, de una vida. Las conclusiones que de semejante ruta puedan extraerse, si bien no son muy sólidas, ingresan al ámbito de una experiencia real. La deidad-madre, la madre tierra, esa fecundidad por la que *somos,* nos imanta ahora. No basta reconocer su reinado; hay que *poseerla.*

¡ERA ELLA!, grita Fernando cuando la Ciega, irradiando una especie de fluido eléctrico, despertando violentamente su lujuria, se acerca desnuda. Otra vez dejo en manos de los analistas las implicancias sicológicas de este coito infernal y transmutante. Desde luego, la referida reencarnación tiene en parte su explicación en la pasión de Fernando por su hija. Justifica un final determinado desde el principio de la aventura. Tiene que ver con Alejandra y el fuego.

Fernando, sin saberlo, ha escrito el «Informe» por todos aquellos que no podemos escribirlo debido a que *nada* tenemos que escribir, impotentes ante nuestros monstruos. Lo ha escrito por todos los que, de una manera u otra, viven alimentándolos sin darles frente ni adentrarse en sus guaridas.

Se dice que Martín es un santo. Ahora digo: Fernando también lo es.

Pero especialmente me interesa Sábato y su duda. Lo imagino luchando sanguinariamente con este capítulo. Cuántas horas de locura, cuántas de placer mortificante, cuántas de dolor. Creo haber oído que lo escribió en alguna región del sur, rodeado de nieve. No me extraña. El color blanco lo tranquiliza; relaja sus nervios. Quien conoce la profunda e hiriente punzada que se siente al escribir podrá tener una idea aproximada de esta pasión.

Finalmente la reflexión: quizás aquel fabuloso mundo de los ciegos nada tenía en su contra. Quizás se trataba de una organización a *su servicio;* cortesanos preparados minuciosamente para el ejercicio de sus funciones cavernícolas; fantasmas cuya semilla se arrojó al comienzo en el centro de nuestro corazón; o gusanillos que *ya venían* como formando parte de nuestro ser, semejantes a glándulas inocentes e inservibles que nuestra mayor o menor pasión por la existencia recibida, por este brete en que nos han metido, por este túnel, convierte a la postre en dragones... o en lagartijas escuálidas.

Depende, como digo, de la pasión.

La pasión es todo.

*Ernesto Sábato**

Riccardo Campa

* Este estudio es parte de cierto conjunto mucho más extenso que el profesor Campa tiene en preparación. Le agradecemos su gentileza al colaborar con nosotros en este *Homenaje a Ernesto Sábato*.

«Soy un latinoamericano y, por tanto, alguien doblemente atormentado». Un estudio sobre Ernesto Sábato no puede dejar de comenzar con esta declaración que hizo en el curso de una entrevista. Es la confesión de un desterrado espiritual, consciente de sus innumerables contradicciones íntimas, que, proyectadas sobre el ambiente y sobre la historia, conducen a una visión agitada de las relaciones humanas y de los vínculos entre el hombre y los acontecimientos. Su formación intelectual y su posterior vuelco a la literatura lo confirman claramente. Una doble cultura, con un doble orden de intereses y «tentaciones» se encuentran en lo íntimo de cada página de sus novelas. El hecho mismo de escribir novelas constituye para Sábato la profesión de una extrañísima fe: la de la ambigüedad. Obligado a veces a escribir ensayos, o sea, a teorizar sobre los fenómenos —por su propia necesidad de poner orden en su mundo inmediato— también ellos muestran el doloroso andar del monólogo interior, páginas proustianas de nuestro tiempo.

En Sábato, cualquier expresión es una confesión. O sea, que mientras traduce un fundamental complejo de culpa frente a la existencia —inalcanzable no sólo en su conjunto sino también en cada uno de sus componentes— remite a la formulación absoluta del misterio, cuya rebeldía es una de las más sutiles y aun casi inadvertidas precauciones del espíritu contra los peligros del cientificismo que impera en Occidente en las últimas décadas.

Por este motivo, Ernesto Sábato —escritor de conducta tradicional, carente de instancias experimentales, alguien para el cual las palabras no son estructuras que puedan ser desmontadas, fragmentos de roca cuyas estratificaciones puedan ser disociadas mortificando el básico núcleo emotivo, sino íntegras y significativas hasta el más violento límite de lo humano, como apariciones de las cuales su doble silencioso y por eso mismo más intenso, habita *in interiore homine*— se coloca en esa línea de extrema avanzada, aunque la menos sospechosa de vanguardismo, que actúa subterráneamente en el presentimiento de una nueva era mística. Esta consideración sobre el valor de la palabra es, para la lectura de Sábato, particularmente importante: sus dos novelas se abren con frases que son transparentes «avisos al lector» sobre la manera de afrontar su lectura. El tema a tratar se expone en los términos secos de una crónica judicial, que tienden a alejar la tragedia (porque en ambos casos se trata de una tragedia) del punto de observación. En *El túnel:* «Bastará decir que soy Juan Pablo Castel, el pintor que mató a María Iribarne; supongo que el proceso está en el recuerdo de todos y que no se necesitan mayores explicaciones sobre mi persona.» En *Sobre héroes y tumbas:* «Las primeras investigaciones revelaron que el antiguo Mirador que servía de dormitorio a Alejandra fue cerrado con llave desde dentro por la propia Alejandra. Luego (aunque, lógicamente, no se puede precisar el lapso transcurrido) mató a su padre de cuatro balazos con una pistola calibre 32. Finalmente, echó nafta y prendió fuego.»

La tendenciosa inautenticidad de este comportamiento monacal no sólo se evidencia en las páginas siguientes y, poco a poco, en el libro todo, terminando por invertir completamente los principios adoptados al comienzo a favor de un intimismo casi paroxístico, sino también en el ambiguo eco que inmediatamente comienzan a despertar esas frases iniciales y en el espacio impreciso que este eco supone y reclama. Una renuncia casi despreciativa al narrar caracteriza ambas aperturas: el autor parece obligado por órdenes superiores, como en la escuela; las palabras se suceden como trabajosamente; el rigor formal es sólo aparente, se advierte un profundo cansancio que ya invalida programáticamente la nobleza que es implícita a una tragedia. El autor no rodea al lector, más bien lo desanima; y aun el que se sienta atraído por el suspenso se siente incómodo, con la sospecha que lo engañará su curiosidad por algo descontado y, en definitiva, poco interesante. Y más aún a quienes adviertan que los hechos expuestos serán marginados respecto de otra cosa indefinida, cuya naturaleza interesa descubrir al autor antes que a nadie. Se comprende asimismo que él no está seguro que su interés coincida con el del lector: por tanto, los hechos narrados, caros al autor por motivos que él mismo ignora y que poco a poco intentará precisar, podrán resultar más o menos apasionantes para el lector, pero por razones completamente distintas. De dónde la conciencia de una traición, ya sea respecto de los sucesos que se cuentan —que serán instrumentalizados por el autor para sus propias investigaciones, prescindiendo de la importancia de la historia misma— ya sea respecto del lector, a quien la componente lógica que predomina podrá persuadir y, de ese modo, alejar su atención de las «exageraciones» de los sucesos, que, sin embargo, son los verdaderos motivos por los cuales se escribió la obra.

La enemistad entre el autor y el lector se manifiesta en seguida y abiertamente en *El túnel:* «Aunque ni el diablo sabe qué es lo que ha de recordar la gente, ni por qué.» En *Sobre héroes y tumbas* se mimetiza en las primeras páginas con una conciencia más madura y con mayor humildad: «Tenía pavor por los seres humanos: le parecían imprevisibles, pero sobre todo perversos y sucios.» Perversa y sucia es para Sábato la comprensión amorosa, que reduce los contornos desmesurados de los acontecimientos a las modestas dimensiones de lo que falsamente se define como «humano»: como un mar que se aplaca sólo después de haber devorado los desechos de las estructuras construidas por el hombre. La «impredicibilidad» no sería en sí misma letal: lo sería en cambio la mirada —cargada de comprensión y de «amor»— que el pequeño ser humano aterrorizado por la grandeza dirige sobre las cosas, la mirada con que circunscribe los acontecimientos, los amputa, irrumpe entre objeto y sujeto, los compara sobre una longitud de onda en la que de lo imprevisible únicamente se capta el elemento indisciplinado.

Castel mata a María, la mujer apasionadamente amada, porque la mujer, aun en su fundamental ambigüedad, por múltiples signos demuestra abandonarse a la comprensión: «Existió una persona que podría entenderme. *Pero fue, precisamente, la persona que maté.*»

La grandeza y la belleza deben ser oscuras y sagradas. De otro modo decaen, entremezclan sus connotaciones con lo episódico. Su alusividad platónica, la concentración de inteligencias inexpresables se diluyen en «buenas acciones» para la educación de los sentimientos. Y esto es lo que Sábato más teme. El hombre simplemente bueno y amoroso degrada la profunda ambivalencia del ser al nivel de la constructividad, esto es a la deformación de la idea.

Sin embargo, el hombre comprometido con la existencia es irremisiblemente empujado a la constructividad. Por consiguiente, necesita conformarse a una progresión lógica que sea la imitación a la cual puedan aferrarse los acontecimientos que él sabe producir en el ámbito irracional: aun esta operación «buena» en el sentido humano —y por tanto falsa— se realiza con aquel «pesimismo de la inteligencia

y optimismo de la voluntad» de que nos hablaba Gramsci;
con fría pasión, en otras palabras. La condición natural del
hombre es la siguiente: «Mi cabeza es un laberinto oscuro.
A veces hay como relámpagos que iluminan algunos corre-
dores. Nunca termino de saber por qué hago ciertas cosas.
No, no es eso...», le dice Castel a María. Pero verdaderamente —piensa, y a través de él, el propio Sábato— es me-
nester oponerse a este abandono mediante «un gran esfuerzo
mental»: «Mi cerebro estaba constantemente razonando,
como una máquina de calcular... En cierto modo, ¿no había
encontrado a María gracias a mi capacidad lógica? Sentí que
estaba cerca de la verdad...»

Esta María-verdad está a punto de ser alcanzada y poseída. En consecuencia será modificada por la voluntad in-
saciable del hombre depredador, se convertirá en botín y
dejará de ser activa. Sin embargo, sólo persiguiéndola el ser
humano comprueba su propia dignidad, aun sabiendo que
al alcanzarla terminará la recíproca libertad: «Sentí que estaba cerca de la verdad, muy cerca y tuve miedo de per-
derla: hice un enorme esfuerzo y grité...»

Entre tantos caminos posibles, ¿cuál adoptar? Una vez
más el voluntarismo que rechaza cualquier clase de premio:
«Imagine usted un capitán que en cada instante fija mate-
máticamente su posición y sigue su ruta hacia el objetivo
con un rigor implacable. Pero que *no sabe por qué va hacia
ese objetivo*...» No es del todo cierto que el «capitán» no
sepa hacia dónde va, pero se comporta como si así fuera
para mantener íntegra la libertad de emanación del objetivo,
para que éste no se deje halagar y conminar por la voluntad
del hombre, concluyendo así de maravillarlo y vivificarlo.

Pero lo que Sábato quiere demostrar en *El túnel* —porque verdaderamente quiere «demostrarlo»— es que el amor
lúcido, *amor mathematicus* diría, quiere impedir a la mujer-
verdad descender de sí misma para terminar entregándose
a la posesión total. El primer plano de lectura nos dice que
la mujer es evasiva, que jamás se deja poseer por completo;
o, mejor aún, que se da entera para luego replegarse por
entero dentro de sí rodeando de ambigüedad su propio mun-

do, en una conjunción de tierno sometimiento y de impenetrabilidad, conjunción contradictoria y a la vez absurdamente coherente. Y es por esa imposibilidad de alcanzar una posesión total que Castel termina por matarla. Pero un plano más subterráneo de lectura nos dice que justamente el *amor mathematicus* del protagonista, tan bien conducido a través de los meandros del mundo fenoménico, tan vigilado, despiadado y ebrio, podría dominar fácilmente el secreto de la mujer, secreto que ofrece más de un apoyo válido para penetrar completamente en él. Pero Castel parece ignorar estos indicios, eludir las conclusiones lógicas de ejercicio voluntario. Y ésta es una nueva demostración de la profunda inautenticidad de la existencia, cuyo testimonio es el verdadero contenido, el «mensaje» de esta obra.

Castel prefiere no saber a no poseer. Matando a María preserva la libertad y la dignidad, la salva de la degradación que sufriría si se hiciese comprensible, si se replegase en la infinita estupidez de adoptar la convención del «bien» para darle alegría a él, indigno —como todos— de la grandeza: «Sentía que en lo más profundo de mí alguien me aconsejaba tristeza.»

En su calidad de artista, Castel es testimonio, no protagonista de la existencia. Por tanto, debe continuar viviendo pero con tristeza, tendiendo a la locura. Su misión es la de aislar el misterio y transmitirlo íntegro. Una pasión de tipo hegeliano lo ha inducido a actuar como si fuera posible, o al menos positivo desde el punto de vista humano, adueñarse de la suma del saber, de la verdad.

Pero sólo pueden lograrse sus despojos, una inerte parte del tejido sagrado, como después de una alucinada visita a un santuario. Y para impedir que María se transforme en la mortificada reliquia de sí misma, Castel la mata.

Otro personaje enigmático de *El túnel* muere, se suicida: el ciego Allende, marido de María. Este personaje clave inicia un proceso más complejo y preciso que será profundizado en *Sobre héroes y tumbas*. La última palabra que le grita a Castel es la palabra «insensato», admonición incomprensible en ese contexto, pero claro «aviso» para colocar en la entrada de la segunda obra. Castel, en la prisión, la recuerda una y otra vez, tratando de descifrar su significado. Pero en la línea tan coherente del segundo plano de lectura, el más profundo, comprendemos perfectamente por qué «un cansancio muy grande o quizá un oscuro instinto» se lo impidieron cada vez. La narración concluye con un sello de clarividencia, de tono neoplatónico: «Y los muros de este infierno serán, así, cada día más herméticos.»

* * *

Interrogado sobre el contenido de sus novelas el autor ha declarado: «Castel representa mi lado adolescente y absolutista, María el lado maduro y relativizado» (a propósito de *El túnel);* «es el drama de seres que nacen y sufren en este país angustiado... el anhelo de lo absoluto y de lo eterno, condenado a la frustración y a la muerte» (a propósito de *Sobre héroes y tumbas).* Respecto a esta segunda novela, consintió, a pedido, que quizá Alejandra encarna a la nación. Con seguridad, al hacer este tipo de declaraciones, debe de haber sentido el mismo tipo de «fastidio» o la misma «fatiga» que hace exclamar a Castel a propósito de algunos críticos ocasionales: «mis cuadros siempre les confirmaron sus estúpidos puntos de vista». Otra vez estamos ante la consabida «operación tinieblas»: para Sábato es una mistificación tanto la puntillosa pretensión de claridad y definición como la deliberada oscuridad, que no es más que una paráfrasis de la claridad. Por eso sus novelas, como los cuadros de Van Gogh, son de lectura clara e incluso ágil. Y también como en esa pintura hay una cantidad de elementos «fascinantes»: suspenso, ambiente, carácter, sonido, color, técnica, rigor de ejecución. En su nivel, las palabras comunican todo lo que se puede comunicar, se exponen sin claroscuros, permiten contar los hilos de la tela. Justamente por eso son obras embarazosas, como la silla o el pino de Van Gogh: terminan por revelar la componente aberrante del comportamiento humano, señalan la oscuridad interior. *La revolución está en el contenido.*

Reflexiónese un instante en los títulos que Sábato ha puesto a sus novelas. *El túnel* es ciertamente un largo camino oscuro, pero también contiene una promesa de luz, de salida. Sólo que, aparte el delito, en la última página, el último personaje es un ciego, se ratifica expresamente la imposibilidad de comunicarse con el mundo externo. Y los «muros» son cada día más «herméticos». El túnel no tiene salida o, mejor todavía, sólo lleva a las auténticas tinieblas, sin contrapunto de luces, que constituyen el contenido y el mundo explícito de *Sobre héroes y tumbas,* así como la inautenticidad del existir era el contenido de la primera novela. El título de esta segunda novela es aún más manifiesto: claramente fúnebre, la ceremonia conmemorativa anuncia las celebraciones de los falsos vivos, relega los acontecimiento a una remota dimensión litúrgica, gestos y palabras forman parte de un ritual antiguo, gastado por el uso y ahora incomprensible en su función. Pero al mismo tiempo es un título engañoso, justamente por su falta de sutileza, por su opaca pesadez: como siempre, Sábato hace un uso mágico de las palabras, más precisamente un uso de alquimista. Sus elaboraciones sirven para preparar campos de fuerza en los que las palabras quedan en libertad de tomar significados a su gusto, a veces de modo contradictorio, para comunicarse en otros planos que el meramente literal; que sin embargo es tomado en cuenta y valorado en la misma medida que los otros: Sábato nunca se alía con los que desafían las palabras por principio. Por el contrario, tiene por ellas un respeto casi fetichista, las maneja con cautela, sin apropiárselas, advierte en ellas la integridad mágica del misterio, rememorando, de ese modo, las antiguas culturas precolombinas de su continente. *Sobre héroes y tumbas* constituye así un catalizador, convoca de inmediato y de entrada los necesarios planos de atención. Se siente que se preparan ceremonias que no carecen de dignidad y solemnidad, pero también se perciben forzamientos del sentido común y, sobre todo, caricaturas de la claridad: los héroes, en efecto, se alinean junto a las tumbas, no son monumentalizados en ellas. Lo que da, por otra parte, el verdadero significado de «sobre», término que debe entenderse literalmente, no en el sentido latino de «de».

Que esta nueva novela se desarrolla bajo el signo de una engañosa claridad es confirmado por la «noticia preliminar», con su promesa de una nueva y posible luz sobre el signicado de las muertes con que concluye la narración; luz que emanaría —emblemáticamente para Sábato— de un «Informe sobre ciegos» contenido en la novela. «Lo que pudo parecer al comienzo la consecuencia de un repentino ataque de locura» se explicaría, paradójicamente, con un informe tan circunstanciado como inverosímil y poco pertinente sobre una historia subterránea de descensos, cloacas, emboscadas, brujas y fantasmagóricas arquitecturas en el más grande espíritu victorhuguiano.

Además de constituir un clásico en sí mismo, no es equivocado considerar este «Informe» como el eje mismo de la novela. Constituye, en efecto el epicentro de un poderoso movimiento de reajuste de la realidad aparente, cuyas ondas se propagan mucho más allá del contenido de las dos historias: la superficial y la subterránea. Pero es erróneo considerar este mundo subcutáneo como una suerte de malvado inconciente que se organiza a nuestras espaldas y en perjuicio del orden racional. En rigor, para Sábato esas tinieblas cuyo fondo no es posible percibir, son una iniciación: un estado de «comienzo absoluto», carente de connotaciones dialécticas. Los ciegos del «Informe» no aparecen en el mundo de los videntes más que para arrastrarlos, fascinados, hacia los antros subterráneos donde ninguna luz se opone a su ceguera. Pero, ya que no ven, ¿cuál es la necesidad que impulsa a Sábato a colocarlos en un ambiente a su vez ciego y, para colmo, laberíntico? La componente sicoanalítica (seno materno), fácilmente identificable, no basta para explicar esta necesidad de Sábato. Que un escritor eminentemente «historizado» como Sábato se refugie instintivamente en las condiciones de «antes de la luz» o «antes del diálogo» (entre los ciegos, en efecto, no existe ningún tipo de comunicación: ellos proceden a lo largo de una tangente de misteriosa inflexibilidad) puede ser una explicación convincente para *El túnel,* pero no para *Héroes,* novela en que la perfecta organización de lo incomprensible, de tipo kafkiano, sufre una ulterior tensión intelectual. El inconciente, elementalmente organizado en signos, no aparece más como una presencia inquietante que amenaza a cada momento con obstaculizar el camino a los procesos racionales, los que por principio están empeñados a integrárselo. Aquí, el inconciente constituye una abierta impugnación, total, tanto más temible (o, para Sábato, auspiciosa) por utilizar los instrumentos de lo racional, parafraseando de manera grotesca y espectacular su metodología. En otros términos, aquí es el inconciente el que pretende integrar para sí lo racional, reabsorberlo en su condición de «nada de hecho» que consienta un nuevo curso del espíritu. Pero esto no se dice. Ni por un instante Sábato alienta la tensión contemplativa con concesiones a la «absurda metafísica de la esperanza» que persigue y señala con fría ironía en las especulaciones positivistas (de pobre gente, de pequeños ahorristas) o, más precisamente, en especulaciones del tipo de «como si hubiera habido algo importante en la historia de la humanidad que no haya sido exagerado: desde el Imperio Romano hasta Dostoievski».

Incluso cuando dice «dejémonos de zonceras y volvamos al *único tema que debería interesar a la humanidad*» (es decir la oscuridad absoluta, la nada programática), Sábato ironiza sobre ese «interés», pasando por alto la intención expresa de asumirse en esas cursivas para formular largas y mediocres reflexiones de este género: «Esos enanos imaginan (también ellos tienen imaginación, claro, pero una imaginación enana) que la realidad no supera su propia estatura» o bien «tienden a considerar lógico (otra palabrita que les gusta) lo que simplemente es sicológico».

Hasta la abierta simbología de un fragmento como «La soledad absoluta, la imposibilidad de distinguir los límites de la caverna en que me hallaba y la extensión de aquellas aguas que se me ocurría inmensa» es rápidamente reprimida e invalidada en su cargada imaginación por la prolija —desde el punto de vista del contenido— y sin duda pleonástica consideración siguiente: «Me creí solo en el mundo y atravesó mi espíritu, como un relámpago, la idea de que había descendido hasta sus orígenes.» Y en una extrema mimesis de la tonalidad: «Me sentí grandioso e insignificante.»

Se advierte una disciplina precisa: el descenso a los infiernos, premeditado en *El túnel* mediante la puesta en evidencia de las «exageraciones» de los acontecimientos (que produce una constante fuga de las acciones desde su centro y demuestra el «desorden obsesivo» de las cosas que el autor pretende desenmascarar), se ejecuta y realiza en la segunda novela hasta el punto de arrastrar consigo al mismo experimentador. La legión freudiana, superada la euforia infantil que obtiene al poseer y usar un nuevo instrumento de trabajo —y que hace correr el peligro de asimilar la función con la finalidad— ha sido íntegramente aceptada y llevada a sus últimas consecuencias: el investigador de la neurosis finalmente —como debía ser— se contagió por completo. Es decir, en este caso, quien se encargó de avizorar el advenimiento de la Nada (sea fin o principio, a Sábato no puede ni debe interesarle, coherentemente con su hipótesis de partida, con su presunción básica sobre la ambigüedad) se ha «nadificado» o, mejor dicho, ha adoptado la sistemática anulación de sus propias experiencias, una vez más desde su interior, comportándose como el más improbable de sus personajes.

Con respecto a ellos, se observan dos especies, aunque ambos inesperables. Los personajes masculinos —Castel en *El túnel* y Martín en *Héroes*— encarnan las nostalgias del autor: monocordes, obsesionados, provienen del medioevo, del pánico del Año Mil, no están siquiera ayudados por la grandeza de un papel que los sobrepasa y que ellos mismos no saben descifrar (como en Dostoievski). El Hado los ignora, pecan y lo saben, anhelan un castigo que no se les puede conceder porque más allá de su locura no existe ni crimen ni castigo (incluso el crimen de Castel es fantasmagórico, profundamente inmotivado: María llevaba consigo la muerte, como más explícitamente la llevará Alejandra). El autor tiene nostalgia de esta condición mítica del ser humano —monadismo, sentido del pecado, dialéctica, evolución—, pero debe condenarla. Castel y Martín están condenados a vivir.

No así los personajes femeninos, a quienes Sábato confía el papel primordial de la esfinge: son los freudianos «custodios del sueño» de los vivientes. Como los sueños, efectivamente, ellas atraen la atención de los durmientes, consintiéndoles el reposo de la pasión; es decir, la locura a su existir. Precisamente como los sueños, aparecen y desaparecen en la vida de los hombres por su propia iniciativa, tienen siempre «otra» existencia de la cual sólo aportan indicios vagos y contradictorios. Y hasta cuando parecen consentir en una «cita» llevan consigo su propio «más allá».

Un ensayo de Ernesto Sábato
«Sobre los dos Borges»

David Lagmanovich:

Tomamos el texto de Ernesto Sábato al que se refieren estas páginas de su libro *Tres aproximaciones a la literatura de nuestro tiempo* [1]. Creemos que ese texto constituye uno de los más logrados ensayos literarios de Sábato: ensayo en el que es posible encontrar algunas de sus ideas más características, al par que una forma de expresión altamente personal y coherente. Para examinarlo, trataremos de mantener la mira en esta unión o integración de sustancia y superficie que vemos como uno de los rasgos más acusados de la personalidad literaria de este autor.

---

[1] Santiago, Chile, Editorial Universitaria, 1968. (Colección Letras de América.) Los números de páginas entre paréntesis corresponden invariablemente a esta edición.

El ensayo

Al calificar «Sobre los dos Borges» como un logrado ensayo literario, no estamos usando el vocablo *ensayo* en un sentido general. Tratamos de usarlo en uno más específico y preciso: aquél al que acudimos cuando queremos distinguir el ensayo, de una parte, del tratado, la monografía y el artículo; de la otra, del cuento y cualquiera otra construcción narrativa en prosa. ¿Que no sabemos, en verdad, qué es un ensayo? Bueno: sabemos lo suficiente como para caracterizarlo, si no para definirlo en forma excluyente y tajante. Por ejemplo, como útil punto de partida podemos recordar la caracterización de Enrique Anderson Imbert, en un ensayo suyo titulado «Defensa del ensayo» [2]:

> Como no creo en los géneros tampoco creo en las definiciones. Una aproximación escolar sería ésta: el ensayo es una composición en prosa, discursiva pero artística por su riqueza en anécdotas y descripciones, lo bastante breve para que podamos leerla de una sola sentada, con un ilimitado registro de temas interpretados en todos los tonos y con entera libertad desde un punto de vista muy personal. Si se repara en esa definición más o menos corriente se verá que la nobilísima función del ensayo consiste en poetizar en prosa el ejercicio pleno de la inteligencia y la fantasía del escritor. El ensayo es una obra de arte construida conceptualmente; es una estructura lógica, pero donde la lógica se pone a cantar. [...] Y el ensayo es, sobre todas las cosas, una unidad mínima, leve y vivaz donde los conceptos suelen brillar como metáforas.

Relativa brevedad, amplitud del registro, punto de vista personal, brillo «artístico» en la exposición de las ideas, todo ello se puede ejemplificar perfectamente con aspectos de la obra ensayística de Ernesto Sábato, ya en sus anteriores libros de ensayos [3], ya en las páginas que motivan este comentario.

---

[2] En *Ensayos,* Tucumán, Argentina, 1946, pp. 119-124. La cita corresponde a las pp. 123-124.
[3] *Uno y el universo,* Buenos Aires, Sudamericana, 1945; *Hombres y engranajes,* Buenos Aires, Emecé, 1951 (3.ª edición corregida, 1970); *Heterodoxia,* Buenos Aires, Emecé, 1953; *El escritor y sus fantasmas,* Buenos Aires, Aguilar, 1963.

La citada caracterización de Anderson Imbert evoca la que sir Edmund Gosse, al escribir sobre los ensayos de Montaigne en la oncena edición de la Eiciclopedia Británica, formuló al señalar que, en este «nuevo y extraño libro» [4],

> introdujo la moda de escribir, en forma breve e irregular, con digresiones e interrupciones constantes, sobre el mundo tal como éste se aparece a la personalidad individual de quien escribe,

Y también se puede relacionar con la que la misma fuente, en una edición más moderna [5], ofrece sobre el ensayo en general, al menos desde el punto de vista de los literatos de habla inglesa: para ellos el ensayo es

> una composición de extensión moderada, por lo general en prosa, que trata, en forma amena y rápida, del tema escogido y, a la vez, de la relación existente entre ese tema y el escritor.

De estos nuevos textos surgen otros dos rasgos dignos de ser tenidos en cuenta en una caracterización del ensayo literario: su frecuente condición digresiva y el hecho de que el ensayo establece una relación entre el ensayista y el tema que trata. Tenemos así, en un intento de síntesis, las siguientes características básicas del género: 1) brevedad; 2) amplio registro temático; 3) aceptación de la digresión, es decir, tono conversacional; 4) recursos artísticos en la exposición de las ideas; y 5) punto de vista personal, hasta acotar, frecuentemente, el terreno de la íntima relación entre el escritor y el tema que trata.

Todas estas condiciones se dan en el ensayo de Sábato «Sobre los dos Borges». Objeto de estas líneas será el mos-

---

[4] Citado en: *Encyclopaedia Britannica,* edición de 1970, vol. 8, p. 713. Cito mi propia traducción. El texto original dice: «It was in the delightful chapters of his new, strange book that Montaigne introduced the fashion of writing briefly, irregularly, with constant digressions and interruptions, about the world as it appears to the individual who writes.»

[5] *Ibid.* Cito mi propia traducción. El texto original dice: «But to the English mind the true essay is a composition of moderate length, usually in prose, which deals in an easy, cursory way with the chosen subject, and with the relation of that subject to the writer.»

trar algunos de los procedimientos constructivos y estilísticos que llevan al escritor al logro de sus objetivos. Antes, sin embargo, convendrá que hagamos un breve repaso del contenido del ensayo, siguiendo para ello las divisiones propuestas por el mismo Sábato.

Contenido

El ensayo está dividido en seis secciones, que aquí resumimos con sus títulos. 1) «El argentino y la metafísica». Contra la opinión de algunos observadores superficiales, europeos o nacionales, nada tiene de extraño que haya en la Argentina una literatura de fuerte acento metafísico; lo explican circunstancias históricas características de la nación; ese tono es tan auténtico, que se da inclusive en algunas letras de tango. 2) «Argentinidad de Borges». Es falsa la opinión que atribuye condiciones de apátrida a Jorge Luis Borges: «tanto sus virtudes como sus defectos caracterizan a cierto tipo de argentino»: problemática temporal, inclinación metafísica, léxico, estilo; pese a errores de visión política, a Borges «de alguna manera, le duele el país». 3) «El juego metafísico». Por temor a la realidad, Borges se refugia en el juego dentro de un mundo inventado y en «la tesis platónica, tesis intelectual por excelencia»: toma, como un sofista, sólo los aspectos más intelectuales de cualquier discusión, juega con «palabras sobre palabras» y no cree en ninguna de las posibilidades que manipula. 4) «Negativa al tiempo que hiere». Una constante tenazmente reiterada en Borges es la hipótesis de que la realidad sea un sueño. Pero para un racionalista, hasta el sueño y la magia deben ser armoniosos e inteligibles: de ahí la predilección de Borges por los enigmas y las ficciones policiales. «La muerte y la brújula» es el paradigma de esta atracción borgiana por una literatura que construye problemas de pura lógica y geometría. 5) «Viaje al Topos Uranos y (ambiguo) regreso». A pesar de todo, la realidad termina por participar, de alguna manera, en sus ficciones. Allí aparece «el Borges oculto, el Borges que tiene pasiones y mezquindades como todos nosotros, el Borges 'contradictorio y culpable'». Pero su regreso es siempre ambiguo; siempre se queda a mitad de camino. Su ambigüedad revela «el secreto culto por lo que a él le falta: la vida y la fuerza»; en virtud de ese culto participa, a medias, de «la literaria barbarie del pasado: lo bastante lejana como para haberse convertido en un conjunto de (hermosas) palabras». 6) «And yet, and yet...» Borges termina siempre por escapar al único mundo verdadero, pero no sin reconocer de alguna manera su realidad: («El mundo, desgraciadamente, es real; yo, desgraciadamente, soy real.») En esta confesión final está el Borges rescatable: «el poeta que alguna vez cantó cosas humildes y fugaces, pero simplemente humanas», el escritor que «después de su frívolo periplo por filosofías y teologías en las que no cree, vuelve a este mundo menos brillante, pero que cree».

Sintetizando aún más, podemos resumir así la marcha general del ensayo: *a*) la literatura argentina tiene una clara inclinación hacia la metafísica, y Borges es un ejemplo cabal de argentino; *b*) Borges se refugia en un mundo ficticio, pero en algún grado también la realidad accede a ese mundo: he ahí los dos Borges; *c*) el Borges perdurable es aquel que en sus páginas refleja la realidad del mundo de Buenos Aires en el que ha vivido.

Al resumirlo así advertimos que este ensayo tiene una estructura armoniosa y simétrica. Los seis apartados que resumimos primero parecen establecer una secuencia lineal; pero las ideas van formando otro juego, un juego de ecos complementarios. De la disquisición sobre literatura argentina pasa a Borges, de Borges al examen de la literatura fantástica de raíz racionalista, de ésta a Borges otra vez, y de la figura de Borges a una predicción sobre el lugar que éste ha de ocupar en la literatura argentina. Es decir, así:

literatura argentina	→ Borges →	literatura fantástica	← Borges ←	literatura argentina

Buen ejemplo, pues, de la preocupación de Ernesto Sábato con algunos temas fundamentales: su país, la literatura que lo representa o debiera representarlo (o a pesar de todo lo representa), y la figura de uno de sus máximos cultores, cuya función y significado parece sentirse obligado a elucidar.

Reelaboración

Pero estas ideas no son nuevas: una de las características del ensayismo de Sábato es su permanente reelaboración. En su mayor parte las ideas, y a veces las palabras mismas, de este ensayo aparecen en trabajos anteriores, comenzando por su primer libro de 1945. No tendría objeto, en un trabajo de este tipo, llevar a cabo un minucioso rastreo de las apariciones y reapariciones de un párrafo o de una idea; nos limitaremos, en consecuencia, a señalar algunos casos a título de ejemplo.

1. Caracterización de Sarmiento. En *Heterodoxia*[6], bajo el título «Civilización y barbarie», aparece este pasaje:

> Sarmiento llevaba a Quiroga bien dentro de sí: es al caudillo lo que el super-yo al inconsciente. Lo insulta, lo escarnece, lo ridiculiza, ¡pero cuánto lo admira, qué secretamente lo comprende y lo siente!

En el ensayo que ahora comentamos[7], al examinar los sentimientos de finitud y transitoriedad determinados por la fragilidad de los centros urbanos, dice Sábato:

> *Facundo* es la biografía de un jefe feudal, en quien él personifica la barbarie. Y con violenta genialidad, pero con pueril astucia, proyecta contra ese caudillo, que es su *alter ego*, los exorcismos que en rigor están destinados a su propia alma poseída por los demonios.

[6] P. 26.
[7] P. 34.

2. Motivos de Borges. En primer lugar, en *Uno y el universo* [8]:

> La teología de Borges es el juego de un descreído y es motivo de una hermosa literatura. ¿Cómo explicar, entonces, su admiración por León Bloy? ¿No admirará en él, nostálgicamente, la fe y la fuerza? Siempre me ha llamado la atención, asimismo, que Borges admire a compadres y a guapos de facón en la cintura.

Y en «Sobre los dos Borges» [9]:

> Debajo de esta ambigüedad creo advertir el secreto culto por lo que a él le falta: la vida y la fuerza. ¿Qué otra explicación encontrar a la admiración que este estricto literato profesa a esos apopléticos creadores? ¿Qué otra explicación al culto de sus antepasados guerreros, por sus valientes de suburbio, por los vikingos y longobardos?

3. Un ejemplo más: las reflexiones sobre algunas características del género policial. Veamos primero un párrafo de *Uno y el universo* [10]:

> Induce a error la necesidad —inevitable, por convención literaria— de dar nombres precisos a los personajes y lugares. Se ve que Borges siente esta limitación como una falla. No pudiendo llamar *alfa, ene* o *kappa* a sus personajes, los hace lo menos locales posible: prefiere remotos húngaros y, en este último tiempo, abundantes escandinavos.

Similarmente, en *Heterodoxia* [11]:

> Como corresponde a un temperamento platónico, el caballero Auguste Dupin no es propenso a andar por los tejados, ni a disfrazarse, ni a manejar el revólver: simplemente construye cadenas de silogismos. Su criminal podría —y tal vez debería— ser designado por el símbolo 22akM-gamma.

---

[8] Pp. 26-27.
[9] P. 58.
[10] Pp. 24-25.
[11] P. 42.

De ahí a «Sobre los dos Borges» [12] no hay más que un paso:

> Edgar Poe inventó ese relato estrictamente racional en que el detective no corre por los tejados sino que construye cadenas de silogismos; y en que su criminal podría (y tal vez debería) ser designado por un símbolo algebraico.

No es preciso multiplicar los ejemplos para advertir esta característica del ensayismo de Sábato: la constante relaboración y refundición de sus materiales. Para completar el panorama, quizá corresponda mencionar que la totalidad del ensayo que comentamos, casi *verbatim,* se encuentra también en *El escritor y sus fantasmas* [13]; y que un capítulo de *Sobre héroes y tumbas* [14], en que Bruno y Martín ven a Borges en la calle, hablan de él y luego prosiguen la misma conversación con el padre Rinaldini, presenta aproximadamente el mismo material, quizá dando algún énfasis mayor a la problemática de una literatura nacional y al carácter irremisiblemente argentino de la personalidad literaria de Jorge Luis Borges.

Para una caracterización

Uno de los rasgos fundamentales del ensayo, como dijimos más arriba, es su carácter personal: aquello que tiene

---

[12] P. 51.

[13] Pp. 244-257. La mayor diferencia entre esta versión y la que analizamos está en la omisión, en la versión de 1968, de la mayor parte de este párrafo *(El escritor y sus fantasmas,* pp. 256-257): «Cansado del ingenio y del brillo, patéticamente modesto frente al drama de la condición del hombre, nos habla finalmente de verdad, finalmente nos confiesa lo que está en lo menos seductor pero en lo más profundo de su alma. En esta confesión final está el Borges que queremos y debemos rescatar, el poeta que alguna vez cantó cosas humildes como un crepúsculo o un patio de Buenos Aires, y otras trascendentales como la fugacidad de la vida y la realidad de la muerte. No sólo al prosista que nos enseñó a todos los que vinimos después del exacto y deslumbrante poder de una conjunción de palabras sino, y sobre todo, al que con ese instrumento sin par supo decir en instantes memorables de su obra la miseria y la grandeza de la criatura humana frente al infortunio, a la gloria y a la infinitud.»

[14] Es el capítulo XIII de la segunda parte, «Los rostros invisibles»: cito por la 2.ª edición, Buenos Aires, Fabril Editora, 1963 (Los libros del mirasol), páginas 181-187.

de visión individual intransferible, de toma de posición de un hombre frente a un tema, a un problema o al mundo. Pero éstos no son rasgos de contenido solamente, ni únicamente de forma; ellos pueden buscarse, por conveniencia metodológica, en el segundo y arbitrario ámbito señalado, pero tienen que ver con la totalidad indivisible que es la obra literaria.

Procuraremos, pues, ofrecer algunos rasgos para la caracterización del ensayo en Ernesto Sábato, a propósito de este ensayo de Sábato sobre Borges. Fundamentalmente, nos interesa registrar lo que podríamos llamar el «tono» personal de Ernesto Sábato, aquello que él agrega al ensayo argentino contemporáneo. Nos fijaremos primeramente en algunos rasgos aislados, y luego en un pasaje concreto que podemos tomar como ejemplo de su prosa.

1. *Polémica.* Ya hemos visto que las dos primeras secciones del trabajo considerado comienzan con negaciones: se niega la extrañeza ante la aparición de una literatura de preocupaciones metafísicas en la Argentina, se niega la presunta falta de argentinidad de Borges. El tono es francamente polémico, aunque no se identifica explícitamente (sino tan sólo en forma general) a los destinatarios de los tiros polémicos de Sábato. Mejor dicho, la polémica es mantenida por Sábato en el orden de las ideas, con sólo una caracterización genérica de quienes pueden ser considerados sus antagonistas. Veamos algunos ejemplos:

> Observadores europeos superficiales pueden suponer tan absurda una literatura de acento metafísico en la Argentina como la fabricación de ciclotrones en Laponia (32).
> Que los europeos que ignoran este complejo proceso se sorprendan de la índole metafísica de nuestra mejor literatura, es comprensible. Más singular es que se sorprendan los argentinos, que lo viven (36).
> Cierto tipo de nacionalista de derecha que añora una Argentina químicamente pura, quiere que sigamos escribiendo de los (inexistentes) gauchos (36).
> Y la prueba de que esta angustia no es cosa de intelectuales sofisticados y europeizantes, como esos críticos pretenden,

es que la encontramos hasta en ese humilde suburbio de la literatura que son los letristas de tango (37).

Nacionalistas de derecha y nacionalistas de la izquierda
lo acusan de «europeísta»: no entienden que hasta en eso *no
es* europeo (40).

Visto el problema así, es absurdo que nos señalen como
un mérito la (indirecta) pintura de Buenos Aires que el autor
realiza en ese cuento (54).

Los que «suponen» absurdos, los que «ignoran» el proceso, los que «acusan», los que «señalan», no son identifi-
cados por Sábato; pero de estas menciones oblicuas, de este
permanente estado de alerta de la prosa, depende en gran
medida su fuerza.

2. *Paradoja.* Como es importante también señalar
el calibre de las municiones que se utilizan en esas hostili-
dades: alto calibre, pero esas municiones provienen de las
fábricas del humor y la ironía. La argumentación, con gran
frecuencia, reposa en métodos tan poco ortodoxos como la
reducción al absurdo y el uso constante de la paradoja como
instrumento expositivo. El ensayo que consideramos proporciona los siguientes ejemplos:

> Según esta singular doctrina, el «mal metafísico» sólo pue-
> de acometer a un ciudadano de París o Praga; y si se tiene
> presente que ese mal es consecuencia de la finitud del hombre,
> hay que concluir que para esos delirantes la gente se muere
> sólo en Europa, estando habitado este territorio por inmorta-
> les folklóricos (36).
>
> Para estos perentorios sociólogos de la literatura, Borges
> practica un arte deleznable *porque* pertenece a la vieja clase
> dominante; método en virtud del cual el socialismo debería
> haber sido inventado por algún obrero metalúrgico, no por el
> burgués Marx y el industrial Engels (42).
>
> Para ser consecuentes con esos críticos inconsecuentes,
> nosotros, escritores argentinos, deberíamos escribir únicamen-
> te sobre la caza del avestruz en lengua aborigen (43).
>
> Tan impertinente sería esa pretensión descriptiva como la
> de Pitágoras tratando de darnos el color local de Crotona a
> través de su teorema de la hipotenusa (54).
>
> Como si en la palabra hipotenusa de Pitágoras apareciese
> a su lado (calificándola) una palabra tan ajena al orbe mate-
> mático como «absurda» o 'perniciosa' (55).

Los innominados antagonistas de Sábato, pues, deben enfrentarse con un polemista que no escatima esfuerzos para destruir sus argumentos, los que son minimizados a través de la reducción al absurdo.

3. *Exageración.* En el curso de esas argumentaciones, un rasgo sale a relucir con frecuencia: la exageración, la necesidad de impresionar al adversario (y al lector, que potencialmente lo es) con hechos cuya magnitud es desmedida, insólita o impresionante. Así ocurre, por lo menos, en los casos siguientes:

> Pocos países en el mundo deben de haber en que se hayan producido en tan corto tiempo tantas sustituciones de valores y jerarquías (35).
> Y no habíamos terminado de definir nuestra nacionalidad cuando el mundo del que surgíamos empezó a derrumbarse en la mayor crisis que registra la historia (35).
> En una ciudad caótica levantada sobre la nada, un conglomerado que pasó en medio siglo de doscientos mil habitantes a siete millones (fenómeno sociológico único en el mundo) (36).
> Que una danza tenga que ver con el pensamiento es rigurosamente insólito (39).

No decimos que Sábato mienta en estos casos. A lo que nos referimos es a su evidente necesidad de dominar, aplastar, liquidar al interlocutor con la polémica constante, con la reducción al absurdo como norma, y con esta desenfadada versión del principio de autoridad transferido a la magnitud o importancia de las nociones con las que se enfrenta.

4. *El adjetivo-disculpa.* Pero no todos los procedimientos de esta prosa implican una suerte de agresión al lector. También hay recursos mediante los cuales se atrae al lector hasta considerarlo un cómplice, hasta sumarlo al propio bando en la discusión. Uno de ellos es el adjetivo anticipado y parentético [15], a la inglesa, curiosamente, un uso

---

[15] Claro está que también hay otro uso del adjetivo en el que la adjetivación se carga de poder descriptivo o identificatorio. Así en el siguiente pasaje, que citamos esquematizado para mostrar, al mismo tiempo, la adjetivación y la aparición de períodos simétricos en la prosa:

que también aparece, y con cierta frecuencia, en la prosa
de Borges: yo lo llamo (veremos en seguida por qué) el adjetivo-disculpa. Ante todo, los ejemplos:

> Buscaba [Sarmiento] en la ciencia positiva, en la fuerza
> material de la locomotora, en la rápida comunicación del te-
> légrafo la (candorosa) defensa contra los demonios que des-
> pertaban de noche en lo más profundo de su alma de ameri-
> cano (34).
> Quiere que sigamos escribiendo de los (inexistentes) gau-
> chos (36).
> Y el carácter nacional no se revela con los (fáciles) recur-
> sos del folklore (44),
> el abismo que hay entre una literatura que se propone un de-
> leitoso juego y otra que investiga la (tremenda) verdad de la
> raza humana (46)
> considera esas historias con ironía, con distancia, con mode-
> rado (intelectual) asombro, como arte combinatorio (48)
> es absurdo que nos señalen como un mérito la (indirecta) pin-
> tura de Buenos Aires que el autor realiza (54).
> Viaje al Topos Uranos y (ambiguo) regreso (54)
> del tremendo Nietzsche retendrá la (atractiva y literaria) tesis
> del eterno retorno (58)
> lo bastante lejana como para haberse convertido en un con-
> junto de (hermosas) palabras (58).

Es decir: cuando Sábato usa esta fórmula, le está haciendo un guiño de complicidad al lector. Le está diciendo: «ya
sé que usted lo sabe»; está insinuando: «perdone que lo
repita». Son los trucos del polemista, especialmente del polemista político: no basta derrotar al contrario, sino que hay
que ganarse la simpatía del público. Y se gana su simpatía
elogiando discretamente su inteligencia: «esa defensa es
candorosa, claro está»; los «gauchos son inexistentes, naturalmente». Y así sucesivamente, hasta que, por la vía de esos
paréntesis, el lector entra dentro del armazón prosístico de
Sábato y ya no tiene interés en salir de allí.

---

del vasto Quijote nos recomendará (...);
del áspero Dante se recreará en (...);
del tremendo Nietzsche retendrá (...);
del hosco y atormentado Schopenhauer (...). (58)

5. *Autocorrección.* No carecen de importancia tampoco, en este mismo plano de la relación entre el escritor y el lector, las correcciones de curso que se ejercitan constantemente en la prosa ensayística de Sábato. Como expresión de esa autocorrección aparecen fórmulas del tipo *(y X),* que ajustan el párrafo a una perspectiva levemente distinta, también dirigida con un gesto de sombrero al lector: ¿se le ha ocurrido a éste tal posibilidad, verdad? Ahí van los ejemplos:

> Edgar Poe inventó ese relato estrictamente racional en que el detective no corre por los tejados sino que construye cadenas de silogismos; y en que su criminal podría (y tal vez debería) ser designado por un símbolo algebraico (51).
> Con el suplementario (e irónico) agregado de que el cuarto en que calcula los crímenes es su celda de la penitenciaría (51).
> El cuento podía (y en rigor debía) haber empezado con las rituales palabras del universo matemático (52).
> El autor que pone el ingenio como el más alto atributo de la literatura y que hace de un argumento ingenioso la base (y hasta la esencia) de muchos de sus cuentos ejemplares (56), nos dice en otra parte (y con razón) que la literatura como juego formal es inferior a la literatura de hombres como Cervantes o Dante (57).
> El vicioso Sócrates, el hombre que profunda (y acaso dramáticamente) sentía la precariedad de su cuerpo envilecido (59).

En todos estos casos, lo incluido en el paréntesis representa un contenido correctivo o complementario. Con la misma actitud pueden relacionarse las fórmulas de corrección acumulativa, en las que, sin necesidad de paréntesis, se va ajustando la visión hasta que la imagen queda en el justo foco que Sábato le quiere dar:

> y Borges, el corporal Borges, el sentimental Borges, acaso dramáticamente sufridor de sus precariedades físicas (...) (59).

El uno y el otro, procedimientos de autocorrección, destinados a «escribir como se habla»: es decir, destinados a conquistar al lector mediante la presentación de una imagen de espontaneidad que contrapese en alguna medida la aspereza polémica.

En la misma área, es frecuente también la acumulación de significados en una dirección determinada, como medio de refuerzo e intensificación, mediante la conjunción *y*. Veamos un ejemplo típico. Sábato acaba de afirmar que lo peculiar del ser humano es lo que él llama «el espíritu impuro»; entonces, después de punto y aparte, leemos:

> Y por eso aquella suerte de opio platónico no nos sirve. Y termina pareciéndonos que todo es un juego, un simulacro, una infantil evasión. Y que si aun aquel mundo fuera el mundo verdadero, confirmado por la filosofía y la ciencia, este mundo de aquí es para nosotros el solo verdadero (61).

Los tres procedimientos que hemos agrupado aquí son, como se ve, similares: ellos imparten un movimiento a la prosa en el sentido de una búsqueda, la búsqueda permanente de la exactitud y, al mismo tiempo, también la búsqueda de un punto de contacto, o de entendimiento, o de compromiso con el lector.

6. *Recapitulación*. Y, como en todo buen orador, en el discurso de Sábato también es preciso a veces recapitular, para sintetizar una posición, para fijar un ejemplo, para resumir un punto de vista. Para ello hay dos procedimientos principales. El primero es el más clásico, pues se apoya en la correlación:

> El mundo platónico es su hermoso refugio: es invulnerable, y él se siente desamparado; es limpio, y él detesta la sucia realidad; es ajeno a los sentimientos, y él rehúye la efusión sentimental; es eterno, y a él le aflige la fugacidad del tiempo. Por temor, por repugnancia, por pudicia y por melancolía, se hace platónico (54-55).

Supongo que se nota muy claramente el *crescendo* de las estructuras simétricas (es A, y él N; es B, y él X, etc.), hasta culminar en el *forte* con que Sábato enumera (por N, por X, por Y y por Z) la forma final de su correlación.

Relacionado con este procedimiento (la recapitulación correlativa) vemos otro, que consiste en apuntalar el conte-

nido de un párrafo mediante otro que lo corrobora, generalmente encabezado por *ya que* o *puesto que,* y separado del
anterior por causa larga (punto o punto y coma, sólo excep-
cionalmente coma), en la forma indicada por los siguientes
ejemplos:

> Pero tampoco eso puede reprochársele, pues nadie puede
> ser culpado de no ser poderoso (42).
>
> Escritores que no le llegan ni a las rodillas repudian en
> forma total su literatura, con lo que demuestran que ni siquie-
> ra son buenos revolucionarios; ya que un movimiento que no
> advierte lo que hay de trascendente en una sociedad no está
> maduro para reemplazarla (42).
>
> En la demostración de un teorema es indiferente el nom-
> bre de los puntos o segmentos, las letras griegas o latinas que
> los designan; ya que no se demuestra la verdad para un trián-
> gulo en particular sino para el triángulo en general (52).
>
> Cuando en verdad lo digno de una gran literatura es el
> espíritu impuro [...]. Puesto que lo peculiar del ser humano
> no es el espíritu puro sino esa oscura y desgarrada región in-
> termedia del alma (60).

Procedimientos de recapitulación, o quizá mejor, de ce-
rramiento del período, que dan a la prosa de Sábato (también en la novela) [16] un ritmo especial que es parte de su
personalidad.

Un párrafo

Hemos mostrado media docena de características de la
prosa ensayística de Sábato: tono polémico [17], gusto por la

---

[16] Nótese, por ejemplo, el uso del procedimiento que hemos llamado «recapitulación» en *Sobre héroes y tumbas,* ed. citada, p. 29:
> La «esperanza» de volver a verla (reflexionó Bruno con melancóli-
> ca ironía). Y también se dijo: ¿no serán todas las esperanzas de los
> hombres tan grotescas como ésta? Ya que, dada la índole del mundo,
> tenemos esperanzas en acontecimientos que, de producirse, sólo nos pro-
> porcionarían frustración y amargura; motivo por el cual los pesimistas
> se reclutan entre los ex esperanzados, puesto que para tener una visión
> negra del mundo hay que haber creído antes en él y en sus posibili-
> dades.

[17] El carácter polémico de su prosa ensayística es explícitamente reconocido por Ernesto Sábato en la «Justificación» que aparece al frente de la 3.ª edición corregida de *Hombres y engranajes,* pp. 11-12:

paradoja como método de discusión, exageración frecuente
en la presentación de rasgos que se consideran insólitos o
importantes, uso del adjetivo parentético anticipado, mecanismos de autocorrección y formas usuales de recapitulación. Antes de concluir, quisiéramos mostrar un párrafo de
Sábato, quizá el más bello de este ensayo:

> Y Borges, el corporal Borges, el sentimental Borges, acaso
> dramáticamente sufridor de sus precariedades físicas, un ser
> que como muchos artistas (como muchos adolescentes) buscó
> el orden en el tumulto, la calma en la quietud, la paz en la
> desdicha, de la mano de Platón intenta también acceder al
> universo incorruptible. Y entonces construye cuentos en que
> fantasmas que habitan en rombos o bibliotecas o laberintos no
> ven ni sufren sino de palabra, pues son ajenos al tiempo, y el
> sufrimiento es el tiempo y la muerte. Son apenas símbolos de
> ese marmóreo más allá. De pronto, parecería que para él lo
> único digno de una gran literatura fuese ese reino del espíritu
> puro. Cuando en verdad lo digno de una gran literatura es el
> espíritu impuro: es decir el hombre, el hombre que vive en
> este confuso universo heracliteano, no el fantasma que reside
> en el cielo platónico. Puesto que lo peculiar del ser humano
> no es el espíritu puro sino esa oscura y desgarrada región in-
> termedia del alma, esa región en que sucede lo más grave de
> la existencia: el amor y el odio, el mito y la ficción, la esperan-
> za y el sueño, nada de lo cual es estrictamente espíritu sino
> una vehemente y turbulenta mezcla de ideas y sangre, de vo-
> luntad consciente y de ciegos impulsos. Ambigua y angustiada,
> el alma sufre entre la carne y la razón, dominada por las pa-
> siones del cuerpo mortal y aspirando a la eternidad del espíri-
> tu, perpetuamente vacilante entre lo relativo y lo absoluto,
> entre la corrupción y la inmortalidad, entre lo diabólico y lo
> divino. El arte y la poesía surgen de esa confusa región y a
> causa de esa misma confusión: un dios no escribe nove-
> las (59-60).

Estas reflexiones no forman un cuerpo sistemático ni pretenden sa-
tisfacer las exigencias de la forma literaria: no soy un filósofo y
Dios me libre de ser un literato: son la expresión irregular de un
hombre de nuestro tiempo que se ha visto obligado a reflexionar sobre
el caos que lo rodea. Y si las refutaciones de teorías y personas son
muchas veces violentas y ásperas, téngase presente que esa violencia se
ejerce por igual contra antiguas ilusiones mías, que sobreviven en letra
muerta, en algún libro, a su muerte en mi propio espíritu; en ocasiones, a su añorada muerte. Porque también podemos añorar nuestras
equivocaciones.

Dos cosas podemos distinguir en este párrafo (que creemos central en el ensayo de Sábato): estilo y ritmo.

No es un muestrario de todas las características de estilo que hemos señalado antes, sino más bien un ejemplo de la actualización de algunas, precisamente aquellas más necesarias en este momento, en que la argumentación que Sábato viene desarrollando (ya en la quinta sección de su ensayo) está llegando al máximo, y ha de resolverse en un aflojamiento de la tensión pocos párrafos más adelante. En primer lugar, todo el párrafo transcripto es una recapitulación *(Y Borges...)* que a su vez encierra, dentro de sí, recapitulaciones menores *(Puesto que lo peculiar del ser humano...).* Luego, la discreta reaparición de la paradoja, del argumento imprevisto y vistoso: *un dios no escribe novelas.* En tercer lugar, los procedimientos de autocorrección o enfocamiento, esenciales en este momento en que el escritor está llegando al final de su argumentación: *Y Borges, el corporal Borges, el sentimental Borges...; un ser que como muchos artistas (como muchos adolescentes) buscó...; el hombre, el hombre que vive en este confuso universo...* Las actitudes agresivamente polémicas, la exageración y los gestos de complicidad con el lector no aparecen ya, porque la discusión ha avanzado lo suficiente como para que Sábato se preocupe solamente por la imagen final que su ensayo va a dejar en el lector. Y este párrafo culminante es indispensable para esa imagen final.

Lo es por todo lo dicho, y también por algo más que no podemos dejar de mencionar si queremos entender su prosa: por el profundo sentido rítmico de su escritura. Como bien aconseja, al hablar del llamado «ritmo de la prosa», Enrique Anderson Imbert [18], no se trata de buscar, con elemental obstinación, figuras métricas en la prosa de un autor. El verdadero ritmo de la prosa es otro, porque no depende del contar sílabas y acentos sino de la función que unos períodos sintácticos asumen con respecto a otros. Y bien: des-

---

[18] *Qué es la prosa,* 2.ª ed., Buenos Aires, Columba, 1963; véase especialmente el capítulo VI, «El ritmo de la prosa», pp. 21-29.

de este punto de vista, la prosa de Sábato es bien característica; sus ritmos son específicos, no prestados del verso.
La más simple demostración consiste en volver a copiar,
con la mínima ayuda de una nueva disposición tipográfica
(pero sin cambiar ni la puntuación ni ningún otro factor),
las primeras líneas del párrafo que estamos considerando:

```
      Y Borges,
      el corporal Borges,
      el sentimental Borges,
      acaso dramáticamente sufridor de sus precariedades físicas,
  5   un ser que
      como muchos artistas
      (como muchos adolescentes)
      buscó
      el orden en el tumulto,
 10   la calma en la quietud,
      la paz en la desdicha,
      de la mano de Platón intenta también acceder al universo in-
                                                       [corruptible.
      Y entonces
      construye cuentos
 15   en que fantasmas que habitan en rombos o bibliotecas o labe-
                                                          [rintos
      no viven
      ni sufren
      sino de palabra,
      pues son ajenos al tiempo,
 20   y el sufrimiento es el tiempo y la muerte.
```

No estamos insinuando que esto sea verso. Creemos, sí,
que todo lector (y, aún más, todo oyente) percibe, sin necesidad de pedantes auxilios, la poderosa andadura rítmica
de esta prosa. Precisemos algunos de sus rasgos externos.
1) El *crescendo* intensificador de 1-3 (en olas rítmicas cada
vez más ampliadas). 2) Las estructuras paralelísticas en 6-7,
en 9-11, en 15, en 16-17. 3) El contraste sabiamente ordenado entre los tres breves períodos de 1-3 y la larga ola
de 4; de nuevo, entre los tres escindidos períodos de 9-11
y el vasto lanzamiento impulsivo de 12; la misma figura
repetida entre el grupo 13-14 y la dilatada estela de 15;
hasta terminar (en el contraste entre 16-19 y la moderada

extensión de 20) con una repetición última de la misma figura, pero dentro de una modalidad súbitamente reflexiva, acongojada por esa presencia de la temporalidad y la muerte que no puede separar de la consideración de su problema. Ritmo, sí: ritmo profundamente identificado con el curso profundo del pensamiento, hecho una sola cosa con él.

Y así se nos revela, sobre toda otra consideración, Ernesto Sábato en este ensayo en el que acomete la elucidación del significado personal —íntimo y grave— de la figura de Borges [19]: como un maestro en la presentación de sus ideas en un estilo polémico y poderoso, a la vez que amigable, conversador y hasta lírico: un estilo que perpetúa la pasión argentina por la frase brillante y el impacto afectivo de una meditada argumentación.

---

[19] Que la figura de Borges no es una preocupación totalmente ocasional para Ernesto Sábato lo prueban las siguientes publicaciones suyas (en muchas de las cuales hay cierta repetición o reelaboración de los mismos conceptos presentados en el ensayo que hemos analizado): «Desagravio a Borges», *Sur* (94): 30-31, julio 1942; «Los relatos de Jorge Luis Borges», *Sur* (125):69-75, febrero 1945; «Una efusión de Jorge Luis Borges», *Ficción* (4):80-82, noviembre-diciembre 1956; «Sobre el método histórico de Jorge Luis Borges», *Ficción* (7): 86-89, mayo-junio 1957; «Los dos Borges», *Índice*, 15(150-51);6-7, julio-agosto 1961; «En torno de Borges», *Casa de las Américas*, 3(17-18):7-12, 1963; «Borges y Borges», *Revista de la Universidad de México*, 18:22-26, 1964; «Borges y Borges, el argentino y la metafísica», *Vida universitaria* (Monterrey, México), 12 abril 1964. Deben tenerse también en cuenta, como se indica en el texto de este artículo, las referencias a Borges que figuran en los diversos libros de ensayos de Sábato.

Ernesto Sábato: Síntoma de una época

Solomon Lipp

Ernesto Sábato es una de las figuras más destacadas del ambiente intelectual de la Argentina contemporánea *. Ensayista y novelista, es un escritor que se ha lanzado con todas las fibras de su ser a la lucha desesperada con los problemas de nuestro tiempo. Siempre ha habido escritores que se han contentado con el arte «desinteresado», los que se han ocupado principalmente de mundos fantásticos, los que han preferido observar, en contraste con los que han convertido su obra en instrumento por el bienestar social, los que participan activamente en la creación de una literatura de «servicio», los que «agonizan».

La novela del siglo XX parece haber acentuado este fenómeno, sobre todo con la aparición del «escritor ago-

* La versión original de este estudio fue presentada el 7 de diciembre de 1963 en Wellesley College ante la New England Modern Language Association.

nista», quien describe la condición del hombre en medio del caos actual. Sábato es uno de los que se han sentido atraídos a la dimensión metafísica que posee hoy día la novelística. Parece obsesionado con los temas de la soledad, el absurdo, la muerte, la desesperación, pero también la esperanza. Las dos novelas y los varios ensayos y artículos que ha publicado revelan, en gran parte, la actitud de que nuestra vida no es más que un gran pozo de sufrimiento, y que, como dice uno de los protagonistas de su primera novela, *El túnel,* «nada tiene sentido» [1]. Vivimos en un mundo insignificante, «nos enfermamos, sufrimos, hacemos sufrir, gritamos y morimos» [2]. Somos islas pequeñas en un océano nebuloso de soledad.

Bien se puede empezar el análisis de la obra de Sábato con la intención suya, expresada en la advertencia de su primer libro de ensayos, intitulado *Uno y el universo* (1945), donde afirma que quiere «abandonar esa clara ciudad de las torres» [3]. La torre es para él un refugio donde todo está en orden, un mundo de seguridad y de comodidad [4]. Prefiere ir «en busca de un continente, lleno de peligros, donde domina la conjetura» [5]. Y casi dos décadas más tarde, en una entrevista publicada en la revista cultural *Vuelo* de Buenos Aires, reafirma y subraya esta intención. «Como en toda época de crisis», dice, «hay un poderoso anhelo de verdad, una desconfianza hacia el juego y la frivolidad» [6]. Esta actitud se manifiesta en la literatura mundial, y conduce a una «literatura comprometida». La implicación queda bien clara: «Compromiso con el hombre, con la circunstancia histórica en que se vive...» [7].

El clima espiritual que caracteriza el ambiente actual de la Argentina se refleja en la obra de Sábato. El pueblo

[1]   Ernesto Sábato, *El túnel* (Buenos Aires, 1951), p. 46.
[2]   *Ibid.*
[3]   Ernesto Sábato, *Uno y el universo* (Buenos Aires, 1945), p. 14.
[4]   «Las torres de marfil en que tantos escritores y artistas se refugiaron, fueron siempre ilusorias y egoístas; hoy serían trágicamente mezquinas.» Ernesto Sábato, *El otro rostro del peronismo* (Buenos Aires, 1956), p. 9.
[5]   *Uno y el universo,* p. 14.
[6]   *Vuelo,* Buenos Aires, mayo 1963, p. 1.
[7]   *Ibid.*

argentino parece haber sido engañado. Es escéptico, pesimista, hasta cínico. Este desaliento ha infiltrado en todos los niveles de la vida. Por eso, el rasgo actual parece ser la angustia. Este angustioso meditar sobre la criatura humana, atormentada por el caos de su existencia y la necesidad de asumir plena responsabilidad por sus acciones, ya lo encontramos en otros autores como, por ejemplo, en Eduardo Mallea. Éste nos habló, hace dos décadas, como lo hace ahora Sábato, del rostro algo deforme de su patria, de la Argentina «invisible» que odia la injusticia, que protesta contra una existencia banal y materialista, representada por una Argentina «visible». Para Mallea, el escritor debe actuar en el destino de su tiempo; lo hace trágicamente, participa, comunica, combate. «El escritor-agonista realiza su obra mediante el compromiso y el riesgo de su propia existencia» [8]. Y en otro libro suyo escribe:

> La creciente angustia metafísica se mezclaba en mi ánimo al espanto y la execración hacia los hombres impuros, hacia los falsificadores [9].

Los protagonistas de Sábato son individuos atormentados. A este respecto, escribe Francisco Ayala, después de haber hecho una visita a Buenos Aires:

> El estado de ánimo que pude hallar entre mis amigos y conocidos cuando llegué a Buenos Aires, era de un abatimiento inmenso, con todos los matices que van desde la cólera al cinismo [10].

Posiblemente sirve este enajenamiento del pueblo para explicar los versos siguientes de Jorge Luis Borges, quien nos habla de Buenos Aires:

> Y la ciudad, ahora es como un plano
> De mis humillaciones y fracasos;
> Desde esta puerta he visto los ocasos

---

[8] Eduardo Mallea, *El sayal y la púrpura* (Buenos Aires, 1947), p. 22.
[9] Eduardo Mallea, *Historia de una pasión argentina* (Buenos Aires, 1945), página 51.
[10] Francisco Ayala, «La Argentina a medianos de 1962», *Cuadernos*, París, número 66 (noviembre 1962), p. 50.

Y ante ese mármol he aguardado en vano...
No nos une el amor sino el espanto;
Será por eso que la quiero tanto [11].

Para Mallea y Sábato, al hombre solitario le espanta el mundo que lo rodea. Se siente abandonado en este clima de melancolía, un clima que revela, como lo ha expresado un distinguido crítico, «la relación agónica entre lo externo y lo interno» [12]. El escritor, testigo de su época, da forma a esta inquietud.

Martín, uno de los personajes de Sábato, exclama: «¡Éste es un país asqueroso! ¡Aquí los únicos que triunfan son los sinvergüenzas!» [13]. En otra obra del autor, dice Castel: «Somos pequeños seres de carne y hueso, llenos de fealdad, de insignificancia» [14]. Bruno, otro protagonista que escucha y sabe reflexionar, dice:

> Los argentinos somos pesimistas, porque tenemos grandes reservas de esperanzas y de ilusiones, pues para ser pesimista hay que previamente haber esperado algo. Éste no es un pueblo cínico, aunque está lleno de cínicos... es más bien un pueblo de gente atormentada... (gente que) protesta, siente rencor. El argentino está descontento con todo, y consigo mismo... está lleno de resentimientos...[15]

Estos resentimientos explican, en parte por lo menos, el fenómeno de Perón. El resentimiento es un resorte poderoso que ha provocado el ascenso del demagogo. Perón sabía aprovechar y canalizar todos los resentimientos acumulados. Cabe agregar aquí que, según Bruno, la propor-

---

[11] Jorge Luis Borges, «Buenos Aires», *La Nación,* Buenos Aires, 11 de agosto de 1963. Que se fije el lector en los títulos de tres *best sellers* que compró el autor de este artículo cuando estuvo en la Argentina en el año 1962: José Rodríguez Tardini, *La crisis argentina;* Eduardo Tiscornia, *¿Qué pasa con la Argentina?;* Octavio González Roura, *Me duele la Argentina.* Hay que agregar que se notó un cambio después de las últimas elecciones presidenciales. Empezó a soplar un viento más optimista, aunque ahora, según la prensa, reaparecen los momentos críticos.

[12] Emilio Sosa López, *La novela y el hombre* (Universidad de Córdoba, 1961), pp. 142-143.

[13] Ernesto Sábato, *Sobre héroes y tumbas* (Buenos Aires, 1961), p. 37.

[14] *El túnel,* p. 114.

[15] *Sobre héroes y tumbas,* p. 168.

ción de pesimistas en Buenos Aires es mucho mayor, por la misma razón «que el tango es más triste que la tarantela o la polca» [16]. El tango, en fin, «es un pensamiento triste que se baila» [17].

Se ha dicho con frecuencia que los personajes de Sábato son algo ambiciosos y contradictorios. Pero Sábato parece no preocuparse. Basta, dice, que el novelista sea verdadero; no tiene que ser coherente [18]. La coherencia la buscamos en las matemáticas o en los sistemas filosóficos, no en la literatura. Los seres humanos no se comportan según las reglas de la lógica. Una novela no se escribe con la cabeza, afirma Sábato, sino con la pasión, con el subconsciente, con todo el organismo. Resulta, a menudo, que las cosas que se escriben son oscuras; el novelista mismo no conoce su significado. Es muy posible que empiece el autor a hacer planes preliminares, planes «cerebrales», pero tarde o temprano son éstos atropellados por los personajes de la obra, los que cobran fuerza propia y terminan, a veces, dominando al autor, dictándole condiciones.

En esto, Sábato no hace más que seguir la tradición de la novela contemporánea. En contraste, por ejemplo, con la novela del siglo pasado, la que nos ofreció un cuadro objetivo del mundo externo, la novela contemporánea nos hace descender a lo más oscuro del «yo», un «yo» que oscila erráticamente entre la felicidad y el dolor, entre el éxtasis y la angustia. No se trata sólo de una subjetividad, la que se asocia con rasgos románticos, sino de un subconsciente, y hasta un inconsciente. La novela ya «no ofrece aquella lógica que ofrecía la antigua novela, escrita como estaba bajo la influencia del espíritu racionalista» [19]. Aquí se trata, más bien, de «la irrupción del subconsciente y del inconsciente, mundos oscuros por excelencia» [20].

---

[16] *Ibid.,* p. 160.
[17] Ernesto Sábato, *Tango* (Buenos Aires, 1963), p. 11.
[18] Ernesto Sábato, *El escritor y sus fantasmas* (Buenos Aires, 1963), p. 25.
[19] *Ibid.,* p. 197.
[20] *Ibid.*

Uno y el universo es una colección de ensayos filosóficos,
arreglados alfabéticamente, según el título de la idea principal de cada artículo. Es un tipo de literatura que tiene
sus antecedentes en Alfonso Reyes y Carlos Vaz Ferreira.
La filosofía, o mejor dicho, la actitud filosófica de Sábato
(porque aquí no hay sistema filosófico bien ordenado), es
destruir la existencia de falsas convenciones. Quiere el autor que la inteligencia obre para desvanecer errores, prejuicios, estereotipos, verdades «cómodas». La ironía es su
técnica predilecta. La utiliza en contra de los detractores
del hombre. «Regalo a otros la posibilidad de humillarlo.
Elijo... el optimismo, la dignidad, la fe» [21].

En un libro posterior, Hombres y engranajes [22], nos
ofrece Sábato un diagnóstico de nuestro tiempo. Para situarlo bien dentro del marco debido de referencia, hay que
tener en cuenta que todo hombre que haya meditado sobre
los problemas de este mundo habrá experimentado la ansiedad de sentirse ajeno y aislado. Pero aparte de esta angustia que ha sido una característica de todos los tiempos,
surge otra ansiedad que no se refiere al cosmos sino al
mundo social en que vivimos. Se caracteriza esta ansiedad
por el miedo; y no sólo miedo, sino también esceptismo y
pesimismo en cuanto a nuestro porvenir.

La obra de Sábato es una interpretación histórica de un
proceso que comienza en una época dogmática, la Edad Media, época bien estructurada y armónica, y termina en el
momento actual de incertidumbre. Estamos en la noche metafísica, dice Sábato, solitarios y angustiados. El mundo que
hemos construido corre el peligro ahora de derrumbarse [23].
En los últimos cincuenta años ya hemos presenciado dos
guerras mundiales, dictaduras totalitarias, campos de concentración. Todo esto nos ha revelado la clase de monstruo
que hemos creado. El siglo XIX, siglo de optimismo, de una

---

[21] Uno y el universo, p. 41.
[22] Ernesto Sábato, Hombres y engranajes (Buenos Aires, 1951).
[23] Ernesto Sábato, «Sobre el derrumbe de nuestro tiempo», (Introducción
de Hombres y engranajes), Sur, Buenos Aires, núm. 192-194 (octubre-diciem-
bre 1950), p. 87.

ciencia arrogante, del Progreso de las Ideas, nos ha llevado al siglo XX, siglo de carnicerías mecanizadas, del asesinato en masa de judíos, del fin del liberalismo. Vivimos en el siglo del miedo. Hemos aprendido trágicamente que la ciencia no es buena en sí misma, que no garantiza nada, que lo que falta son ideas y valores éticos, que somos gigantes técnicos e infantes éticos.

La crisis que estamos sufriendo, según Sábato, es el fin de una concepción de la vida, una concepción que tiene sus orígenes en el Renacimiento. El Renacimiento se produjo mediante tres paradojas [24].

1. Fue un movimiento individualista que terminó en la masificación.

2. Fue un movimiento naturalista que terminó en la máquina.

3. Fue un movimiento humanista que terminó en la deshumanización.

Esta paradoja monstruosa, la deshumanización de la humanidad, fue causada por dos fuerzas poderosas: la razón y el dinero. La ciencia y el capitalismo, dos caras de la misma realidad, produjeron al hombre-masa, de quien escribió Ortega y Gasset hace más de tres décadas [25].

Frente al capitalismo surgió el marxismo, el que quería romper la alianza del dinero y la razón, y poner la razón al servicio de la humanidad. Pero también el socialismo empezó pronto a utilizar la ciencia y la máquina. Los superestados totalitarios, con su concepción basada en la máquina y en la totalización, dieron origen a la rebelión del espíritu contemporáneo.

Como resultado, el hombre contemporáneo se ha vuelto «problemático». Además de no saber lo que es, sabe que no sabe. Por eso, estamos angustiados, perplejos; «somos actores de una oscura tragedia...» [26]. Y esta realidad que nos atormenta, que nos hace buscar un orden y un porqué, nos hace crear una literatura problemática.

---

[24] *Ibid.*, p. 88.
[25] José Ortega y Gasset, *La rebelión de las masas* (Madrid, 1930).
[26] *El escritor y sus fantasmas*, p. 41.

La máquina con que el hombre había querido conquistar el mundo, ahora lo domina a él. ¿Para qué sirve esta máquina si no puede resolver sus dilemas, si no puede aliviar su angustia? Y en lugar de hablar de la esencia de las cosas, el escritor contemporáneo se interesa por la existencia del hombre. De esta manera se acercan la literatura y la filosofía. La sociedad moderna de «hombres-cosas» (¡vocablo muy bonito!) masifica los instintos y los gustos. Para eso se utiliza la prensa, la radio, el cine, la televisión. «Y al salir de las fábricas y de las oficinas, donde esos esclavos de la máquina o del número, entran en el reino ilusorio creado por otras máquinas que fabrican sueños» [27].

Estos problemas que nos angustian, este universo abstracto, esta Gran Maquinaria, nos hace producir un arte como rebelión. Estos problemas hicieron aparecer a un Franz Kafka, quien expresó en *El proceso,* de una manera tan espantosa, el desconcierto del hombre contemporáneo en el universo enigmático. El mundo «cosificado» ha resultado en una «cosificación» de este hombre, y ahora ha empezado a rebelarse.

Se refiere Sábato a lo que prefiere llamar el dilema Berdiaeff-Sartre [28]. Son éstos los representantes de dos orientaciones antagónicas. Para Berdiaeff, dice Sábato, el proceso histórico es una serie de desastres, y por eso el hombre debe buscar el sentido de su vida *fuera* de la historia, i.e., en la eternidad. Por eso, muy fácil caer en la desesperanza si le quitamos al hombre la creencia en Dios. En ese caso termina nuestra existencia en una muerte definitiva. Vivimos en un mundo sin sentido.

En cambio (sigue Sábato), al considerar el otro extremo, Jean Paul Sartre, parece que tenemos que terminar forzosamente en la pura desesperación. Si es que se ha perdido la ilusión de ser eterno, ya quedan aniquilados los valores de la vida. Esta concepción trágica, esta desilusión, esta angustia, son las características que se manifiestan en la literatura

---

[27]   *Ibid.,* p. 67.
[28]   «Sobre el derrumbe de nuestro tiempo», p. 89.

actual. Por eso, son sus temas: la soledad, la falta de comunicación, lo absurdo, la desesperación, el suicidio.

Pero, ¿no hay otra alternativa?, pregunta Sábato. ¿Hay que optar o por Berdiaeff o por Sartre; o por Dios o por la desesperación? ¿Qué es lo que nos lleva a luchar, sigue preguntando Sábato, a escribir, a pintar, a discutir —a los que no creemos en Dios— si es que tenemos que elegir entre el sentido de nuestras vidas y el absurdo? ¿Creemos en Dios sin saberlo?

¿Por qué luchamos cuando el mundo no parece tener sentido? ¿Por qué trabaja y produce el hombre si no existen motivos válidos y razonables que expliquen y justifiquen esto? ¿No es que el mundo debe de tener un sentido? ¿No es posible que nuestro instinto sea más penetrante que nuestra razón? «¿Por qué *pensar* sobre la inutilidad de nuestra vida...?»[29]. ¿No es nuestro instinto el que nos induce «a vivir y trabajar, a tener hijos y criarlos, a ayudar a nuestro semejante»?[30]. Y en otro lugar, donde se trata del mismo tema, afirma que el hombre no es «ni simple razón pura ni mero instinto»[31]; ambos atributos deben «integrarse en los supremos valores espirituales que distinguen a un hombre de un animal»[32]. Esto nos debe hacer luchar por una nueva síntesis: no debemos desterrar la razón y la máquina, sino relegarlas a sus zonas debidas. El hombre tiene que dominar la ciencia y la máquina; si no, éstas bien pueden sujetarlo a él.

El hecho básico es el hombre con el hombre. La existencia es una relación entre el ser humano y su prójimo. No estamos completamente aislados. Los momentos de solidaridad que experimentamos ante la belleza o ante el dolor son puentes que unen a los hombres e impiden la sujeción de éstos por la soledad y la desesperación. Esto es lo que hace luchar a Sábato, a pesar de su visión melancólica. Y pese a la tristeza y la enfermedad, sigue luchando el hombre

---

[29]   *Ibid.,* p. 90.
[30]   *Ibid.*
[31]   *El escritor y sus fantasmas,* p. 83.
[32]   *Ibid.*

contra los elementos, sigue creando obras de belleza en un
mundo hostil. Esto debe convencernos de que el mundo
tiene algún sentido misterioso, «de que, aunque mortales
y perversos, los hombres podemos alcanzar de algún modo,
la grandeza y la eternidad. Podemos levantarnos una y otra
vez sobre el barro de nuestra desesperación» [33]. Ya no es
el individuo, sino la persona, la que rige. Y la persona «es
síntesis de individuo y comunidad» [34]. La novelística ha des-
cubierto la importancia del Otro. La misión de la novela
no es sólo la de ocuparse del «yo», de su sumersión en zonas
tenebrosas, sino también la de describir y analizar a este
yo «en relación con las otras conciencias que lo rodean» [35].
En fin, la novela de nuestro siglo es una novela del hombre
en crisis.

La trayectoria del pensamiento filosófico de Sábato se
refleja en las dos novelas que ha escrito. Cuando escribió
la primera, *El túnel,* hace quince años, era todavía muy joven, y como él mismo dice, expresó sólo el lado negativo de
la existencia. «En todo caso», escribe Sábato a manera de
prólogo, «había un solo túnel, oscuro y solitario: el mío» [36].

El túnel es el drama de la incomunicación. Como Sábato la describe, era la intención suya la de escribir un cuento
de un pintor que se vuelve loco porque no puede comunicarse con nadie, «ni siquiera con la mujer que parecía ha-
berlo entendido a través de su pintura» [37]. Castel, el pintor
introvertido, odia y desprecia todo lo que lo rodea. Sólo le
interesa María y se enamora de ella. Pero las evasivas de ella,
el silencio, las dudas de Castel en cuanto a la sinceridad de
su amante, todo lo enloquece. Trata constantemente de poseerla por completo, pero sin éxito. Sus frustracciones lo
llevan al homicidio.

El ritmo de la obra adquiere un *crescendo* hasta alcanzar un pujante clímax. Como dice Sánchez Riva, Castel «tie-

---

[33] «Sobre el derrumbe de nuestro tiempo», p. 92.
[34] *El escritor y sus fantasmas,* p. 83.
[35] *Ibid.,* p. 87.
[36] *El túnel,* p. 10.
[37] *El escritor y sus fantasmas,* p. 14.

ne el demonio en el cuerpo y comunica a todo el relato su febril vehemencia» [38]. Es tímido y violento al mismo tiempo; oscila desde las inhibiciones más extremas hasta los impulsos más desenfrenados. Se trata aquí de una naturaleza exageradamente sensible, hasta neurótica. La sociedad representa para él una fuerza a la cual es necesario someterse, más bien que adaptarse. Su actitud hacia la gente es la de un profundo desprecio; está lleno de resentimientos, de una cólera que va creciendo cada vez más hasta el punto de estallar. Y ¿cuándo llega Castel a este punto? ¿Cuál es el momento más propicio? Claro, el momento del amor, el momento en que el hombre experimenta su sentimiento más profundo, su deseo de lo absoluto.

Castel quiere el amor total. Simbólicamente, puede decirse que expresa la adolescencia, el lado absolutista, en contraste con María, la que representa la madurez relativista y moderada. Busca desesperadamente lo que nunca va a alcanzar: la integración total en el amor. Representa el fracaso de lo absoluto en presencia de lo relativo. Y como resultado, claro, Castel tiene que matar a su amada. Lo hace para preservar la pureza del objeto de su amor.

Hay otro aspecto que debe notarse. Sábato cree que en una novela las angustias metafísicas por las cuales están preocupados los personajes no pueden ser representadas en su forma pura. Los protagonistas más bien las oscurecen con sus pasiones. Por consiguiente, las ideas filosóficas se transforman en estados sicológicos, la desesperación metafísica se convierte en celos, en frustraciones, en homicidio.

Castel vive en un mundo lleno de sombras, de manchas, de repugnancia. Se repite este *leit motiv* continuamente. Exclama por ejemplo:

> ...A veces creo que nada tiene sentido. En un planeta minúsculo en medio de dolores... morimos, mueren y otros están naciendo para volver a empezar la comedia inútil [39].

---

[38] Arturo Sánchez Riva, «Ernesto Sábato: *El túnel*», *Sur,* Buenos Aires, número 169 (noviembre 1948), pp. 82-87.

[39] *El túnel,* p. 46.

En otra ocasión, dice: «En general, la humanidad me pareció siempre detestable» [40].

¿Y Sábato mismo? En la entrevista ya mencionada, confesó que escribe para no morirse de tristeza, «en medio de este país desdichado» [41]. Pero, a fin de cuentas, no quería que el público sacara una impresión imprecisa y errónea. Además, se maduraba en el transcurso de los años, después de haber terminado *El túnel*. Por eso, quería dejar una impresión de *esperanza,* más bien que desesperanza. ¿Y el resultado? Su segunda novela, *Sobre héroes y tumbas*. Pero tenemos que esperar hasta que lleguemos a la cuarta y última parte de esta obra, para encontrar esa metafísica de la esperanza que ya vimos en sus ensayos. En las tres primeras partes, el autor bucea la agonía y la convulsión de nuestro tiempo a través de los personajes atormentados de un Buenos Aires caótico.

Se trata del trágico amor de un adolescente, Martín, por una muchacha, Alejandra: amor trágico, como resultado de la incapacidad de entrega a su novio, de parte de Alejandra; amor trágico, a causa de las inhibiciones de Alejandra: inhibiciones porque existe la sospecha de que haya algo anormal en las relaciones entre Alejandra y su padre, Fernando.

Se caracteriza la estructura de esta novela por varios símbolos y ecuaciones que funcionan en planos distintos de la realidad: todo descrito con fuertes toques del método sicoanalítico. Martín, igual que Castel, busca algo. Los dos esperan encontrar este *algo* en la mujer. Ambos manifiestan el mismo deseo de comunicación, el mismo anhelo de lo absoluto. Y ambos tropiezan con obstáculos, con frustraciones.

En el plano Martín-Alejandra, el plano horizontal y superficial, fracasa Martín. En el segundo plano, el plano vertical, fracasa también. Este segundo nivel nos parece en la forma del ensimismamiento de Martín; quiere buscar refugio en el regazo de la Mujer, volver a la Madre-Tierra. Como

---

[40] *Ibid.,* p. 51.
[41] *Vuelo,* p. 3; también, *El escritor y sus fantasmas,* p. 26.

le dice Canal-Feijoo: «...la idea de Mujer en la Madre está en la de Tierra, en la de Muerte, en la de Noche»[42]. Martín nunca había tenido hogar, y quiere desesperadamente agarrarse de su Tierra, de su Argentina, pero al mismo tiempo, esto le repugna porque identifica a su patria con la idea de la mujer —en este caso, su madre— y recuerda, al pensar en ella, que era una «madre cloaca». Se refiere Martín a «su madre, carne y suciedad... oscura masa de pelos y olores, repugnante estiércol de piel...»[43].

También se puede percibir la identificación que hace Sábato entre Alejandra y la realidad argentina.

> Parecía [pensaba Martín] como si ella [i.e., Alejandra] fuera la patria. Patria era infancia y madre; era hogar y ternura, y eso no lo había tenido Martín... Ella era un territorio oscuro y tumultuoso, sacudido por terremotos...[44].

Ve en Alejandra el refugio, la salvación, pero existen tantos obstáculos que impiden su realización. No ha de ser. Alejandra y su padre van a perecer juntos en el incendio de la vieja casa.

La Argentina, para Martín, es un «territorio enriquecido y devastado por el amor, la desilusión y la muerte»[45]. También para Alejandra, la existencia «carece de sentido», porque «el mundo es una porquería»[46], como ella dice repetidas veces. «Qué lindo sería irse lejos», exclama Alejandra, «irse de esta ciudad inmunda»[47]. Pero continuamente tiene que «volver una vez más a aquel territorio oscuro y salvaje en que parecía vivir»[48].

Buenos Aires es la ciudad de la Nada, ciudad de basura, donde el pesimismo, «para mantenerse fuerte y siempre vigoroso, necesita de vez en cuando un nuevo impulso pro-

[42] Bernardo Canal-Feijoo, «Ernesto Sábato: *Sobre héroes y tumbas*», *Sur*, Buenos Aires, núm. 276 (mayo-junio 1962), pp. 90-99.
[43] *Sobre héroes y tumbas*, p. 103.
[44] *Ibid.*, p. 167.
[45] *Ibid.*, p. 15.
[46] *Ibid.*, p. 95.
[47] *Ibid.*, p. 94.
[48] *Ibid.*, p. 40.

ducido por una nueva y brutal desilusión»[49]. Compárese lo
citado con lo siguiente de Eduardo Mallea: «Este país es un
gran pájaro adormilado que necesita sacudirse y levantar
el vuelo...»[50]. Y en otro lugar:

> ¡Ah, ciudad, ciudad, enorme ciudad opulenta, ciudad sin
> belleza, páramo, valle de piedra gris: tus tres millones de
> almas padecen tantas hambres profundas! En tu corazón éra-
> mos como una doliente sangre...[51].

En fin, se trata aquí del rostro de la patria, rostro que
parece deforme a veces. Pero aunque tiene manchas, Sábato
lo quiere entrañablemente. Hay dolor ante los desgarramientos que se suceden, hay crítica amarga, pero al mismo
tiempo salta a la vista la pasión por la tierra, el amor y
el orgullo. Nos presenta Sábato, a través de la memoria del
bisabuelo de Alejandra, un desfile panorámico de episodios
históricos del país (otro plano de la novela): la época Ro-
sista, la mazorca, la guerra civil entre Buenos Aires y las
provincias, la retirada militar del general Lavalle, los meses
de la revolución antiperonista, los obreros ametrallados, las
iglesias ardiendo. Y el incidente Lavalle hace pensar en «los
desastres de la guerra». Porque Sábato, con fuertes toques
goyescos, nos describe los dos años de desilusión y de muerte: el sol que pudre el cuerpo del general Lavalle... «el
espantoso olor del general podrido». Difícil es borrar de la
memoria la cabeza cortada del coronel Bonifacio Acevedo,
la que es arrojada por la ventana de la vieja quinta. Todavía
queda grabada la imagen de la hija que se vuelve loca, después de encerrarse en su cuarto con la cabeza del padre.
Como ha dicho un crítico, «muchos momentos sombríos
desfilan por los recuerdos de la novela. Momentos de desesperación, de lucha entre hermanos, de caos»[52].

Pero esta vez ha querido Sábato terminar de manera
optimista. A pesar de las guerras, la miseria humana, y las

---

[49] *Ibid.*, p. 28.
[50] *El sayal y la púrpura*, p. 12.
[51] *Historia de una pasión argentina*, p. 50.
[52] Raúl José Artigas, S. J., «Sobre héroes y tumbas», *Estudios*, Buenos
Aires, núm. 548 (octubre 1963), p. 605.

características negativas del ser humano, seguimos luchando,
seguimos viviendo. Nuestra existencia parece basada en una
esperanza perenne. En el ciclo eterno siempre terminamos
con la esperanza: el nacimiento, la esperanza, la desilusión,
y nuevamente la esperanza. Como lo expresa Bruno:

> Si la angustia es la experiencia de la Nada... ¿no sería la
> esperanza la prueba de un Sentido Oculto de la Existencia,
> algo por lo cual vale la pena luchar? Y siendo la esperanza
> más poderosa que la angustia (ya que siempre triunfa sobre
> ella, por que si no, todos nos suicidaríamos), ¿no sería que ese
> Sentido Oculto es más verdadero, por decirlo así, que la famo-
> sa Nada? [53].

Y es por eso que Martín no se suicida, lo que piensa
hacer al final del libro, cuando se queda solo después del
incendio, en solitud absoluta. Para eso, nos presenta Sábato
a dos oscuros protagonistas menores: la pobre provinciana,
Hortensia Paz, y el camionero Bucich, analfabeto, los que
van a ayudar a Martín. Simbólicamente, quiere decir esto
que no está perdido todo, a pesar de lo trágico que ha sufrido Martín. El país tiene sus reservas, hasta en la forma de
una pobre provinciana inculta y un camionero analfabeto.
Estas reservas, hay que buscarlas en el pueblo. Y el país
tiene grandes potencialidades. «¡Qué grande es nuestro país
pibe!» [54], exclama Bucich al final del libro. «Es tan lindo
vivir» [55], dice Hortensia con entusiasmo. Y por eso, sale
Martín con Bucich hacia el *sur* del país, aquel territorio que
no sabe nada del pasado, regiones limpias, «lugares que
parecían no haber sido ensuciados aún por los hombres...» [56].
Parece una especie de contrapunto sinfónico, un contraste
con lo que había pasado antes: el general Lavalle había encontrado su muerte en el *norte*.

Sin duda, los personajes principales de esta novela representan aspectos distintos de la personalidad del autor

[53] *Sobre héroes y tumbas*, p. 178.
[54] *Ibid.*, p. 417.
[55] *Ibid.*, p. 408.
[56] *Ibid.*, p. 410.

mismo. Son reflejos de las ambivalencias y conflictos interiores que le sacuden a Sábato y —debe agregarse— al lector también. Porque Sábato le agarra a uno por la solapa y no lo suelta hasta dejarlo caer como un trapo. Por ejemplo, muchas dudas e ilusiones que el adolescente Martín expone ante el maduro Bruno, son las mismas que ha experimentado Sábato en la transición —como él mismo lo afirma— «entre esas dos terribles edades» [57]. En otras palabras, el joven Sábato está hablando a un Sábato de mayor edad. En cuanto a Fernando, padre de Alejandra, éste representa, dice Sábato, «mi parte nocturna y maligna» [58].

Sábato pertenece al grupo de escritores argentinos que se han sumergido en los valores universales mediante la problemática angustiosa de su país. Se trata aquí del sentimiento de espanto que el mundo circundante produce en el hombre. Sábato expresa la soledad y la tristeza de su país. También expresa la verdad insólita y algo paradójica: que la Argentina no puede resolverse por el dilema «civilización o barbarie», como lo quería Sarmiento. «Un pueblo será siempre civilización y barbarie, por la misma causa que Dios domina en el cielo, pero el Demonio en la tierra.»

Sábato ha querido que el público no lo recuerde sólo como el autor de El túnel sombrío (aunque parece que hay túneles en todas sus obras). Quería explicar al mundo quién es, qué quiere y qué espera. Y como él mismo confiesa [59], tenía un miedo atroz que se muriera antes de terminar la última parte de Sobre héroes y tumbas. Porque es en esta parte donde nos muestra que además del dolor, de las crisis, y de la perversidad humana, existe también la solidaridad entre los hombres compañeros, existe la esperanza.

---

[57] Vuelo, p. 9.
[58] Ibid.
[59] Ibid.

Ernesto Sábato
y la teoría de la nueva novela

Iván A. Schulman

«Si no sabes lo que eres, ¿cómo sabrás lo que buscas, cómo sabrás a dónde vas?», preguntó Eduardo Mallea [1] desesperado frente al confuso y trágico sino contemporáneo. A esta tradición —argentina, americana y universal— de la auscultación apasionada de las raíces culturales pertenecen los escritos de Ernesto Sábato sobre la literatura y la novela. Pero, a diferencia de su compatriota, Sábato no reniega de la razón —aunque sí de la razón pura— y tampoco va tan lejos como Mallea en insistir sobre valores nacionales intuidos a base de una exaltación ética de la vida espiritual.

---

[1] *Historia de una pasión argentina,* en *Obras completas* (Buenos Aires, Emecé, 1961), I, 331.

Sábato, fenomenalista, existencialista y, desde luego, pasca-
liano, es un pensador infinitamente más sistemático que su
coterráneo. Es un hombre que en otra época hubiera preferido ser pitagórico, pero se resigna a ser existencialista en la
nuestra porque entiende la futilidad de la tentativa —la cual,
sin embargo, no abandona— de aunar antinomias o aclarar
incoherencias en un mundo donde impera Lo Absurdo: «La
coherencia —advierte— debe buscarse en la matemática y
en la filosofía, no en la novela» [2]. El arte, en otras palabras,
a diferencia de la filosofía, es el testimonio del caos actual,
y, por ende, oscuro y misterioso. Pero, en sus observaciones
filosóficas sobre el género narrativo, Sábato busca la coherencia, o al menos la comprensión a través del estudio de
antecedentes históricos pertinentes —la auscultación ya mencionada— de la narrativa, que con el pasar de los años se
torna más polémica y, a la vez, heterogénea.

Sábato pertenece a un grupo de novelistas contemporáneos que se han revelado como excelentes críticos; analizan
su propia obra y la de sus coevales. La preocupación del
autor de *El túnel* por la teoría novelística no sólo es más
constante, en comparación con la de Fuentes, Vargas Llosa,
Cortázar, Lezama Lima, Benedetti o Roa Bastos, sino de
perspectiva más amplia —diríase universal— y, sin lugar a
dudas, de mayor envergadura. Pensamos no sólo en su libro
teórico *El escritor y sus fantasmas,* sino en sus artículos sobre aspectos de la novela —la objetal de Robbe—, Grillet [3],
o la novela de la crisis moderna [4] y el volumen *Tres aproximaciones a la literatura de nuestro tiempo* [5]. Espíritu complejo, huraño, pero sensible en extremo, Sábato deslinda con
escalpelo, planteando y solucionando aspectos prototípicos
de la problemática americana —el arte criollo, la expresión
americana— desde lo exterior y lo interior, alcanzando así

---

[2] *El escritor y sus fantasmas* (Buenos Aires, Aguilar, 1963), p. 25.
[3] «Algunas reflexiones a propósito del 'nouveau roman'», *Sur,* 285 (163),
42-67.
[4] «Crisis de la novela o novela de la crisis», *Eco* (Bogotá), XVII (1968),
627-638.
[5] Santiago de Chile, Editorial Universitaria, 1968.

el encuentro del alma artística con la realidad circundante en el sentido husserliano.

Estas incursiones ideológicas revelan lo que en Sábato es quizá la noción más fundamental: vivimos una época de crisis, de desmoronameinto de tradiciones y normas, proceso de derrumbe caótico que se refleja en la literatura en general, y en la narrativa en particular, pues ésta es el género que de modo más complejo describe la dinámica social. Refutando los conceptos de teóricos pesimistas, de Ortega en adelante, Sábato encuentra que el problema de la novela no es, como se ha afirmado, el de una forma artística en crisis, sino más bien una forma de arte que capta la crisis occidental. Y, desde esta perspectiva, bautiza la narrativa contemporánea «la novela de la crisis» [6]. Ésta, para Sábato, refleja una doble crisis: «si en cualquier lugar del mundo es duro sufrir el destino del artista —observa— aquí es doblemente duro, porque además sufrimos el angustioso destino de hombre latinoamericano» [7]. Este «angustioso destino» es, sin duda, una alusión a la constante necesidad de definirse y de caracterizar su cultura, producto de un complejo, si no colonial, al menos de inferioridad, el cual asedia al americano desde la independencia. Sin embargo, a pesar de su preocupación, tanto americana como nacional, Sábato no aboga por el cultivo de una literatura nacional, en el sentido más estricto o criollista: «No hay literatura nacional y literatura universal —afirma—: hay literatura profunda y literatura superficial... Si algo es profundo, *ipso facto* expresa el alma de su pueblo y de una manera o de otra está comprometido con su tiempo» [8].

Comprometerse con el tiempo quiere decir entender la crisis moderna. Hemos vuelto así al ya citado concepto de Mallea, o sea, al de comprender qué somos para saber qué buscamos y a dónde vamos. De allí el imperativo, en términos de la dialéctica de Sábato, de ver la novelística contemporánea y el quehacer del narrador contemporáneo, no a la

---

[6] Ver su ya citado estudio «Crisis de la novela o novela de la crisis».
[7] *El escritor y sus fantasmas,* p. 8.
[8] *Tres aproximaciones...,* p. 44.

luz sencillamente de la problemática americana, sino a la de
la hecatombe universal que empieza a notarse ya en el siglo XIII, en los momentos finales de la época medieval, y más
notablemente con la secularización renacentista de la cultura. El drama de la novela es el drama de la civilización
occidental cuyos ejes o sostenes ideológicos, en relación a la
narrativa y su desarrollo, son el cristianismo, el racionalismo, la revolución industrial, la inestabilidad social y la me-
canización de la palabra. Para Sábato el desquiciamiento de
la cultura que señaló Martí en el siglo pasado, o aquella «dis-
persión de las voluntades» y la «variedad inarmónica» [9]
que sintiera Rodó en plena época modernista, no son el producto de un mal que se transparenta por primera vez en el
siglo XIX, sino que, en sus palabras, se remonta al momento
de «la desintegración del Sacro Imperio... cuando el Papado
como el Imperio empiezan a derrumbarse desde su universalidad. Entre ambos poderes en declinación, cínicos y poderosos, las comunas italianas inician la nueva era del hombre profano, y todo el Viejo Mundo comenzará a ser de-
rruido» [10]. Así se inicia el proceso en cuyas etapas sucesivas
el hombre pierde su fe segura; la burla y el descreimiento
reemplazan a la religión; el hombre se cosifica como consecuencia del énfasis sobre el espíritu individual, emprendedor
y comercial; y predominan la razón y las ideas concretas o
pragmáticas. Liberado el ser humano de las jerarquías del
Medioevo, se ve obligado a enfrentar una desgarradora y
angustiosa libertad individual; sin Dios, sin ideales, experimenta la enajenación que ha convertido toda novela cum-
bre, desde Cervantes hasta nuestra época, en estudio y análisis de la condición del hombre. Éste, a lo largo de los siglos,
se ha debatido en una serie de arcos u olas, entre el *ethos* y
el *pathos,* entre lo dionisíaco y lo apolíneo. El proceso ha
sido largo y nada escueto en sus perfiles, pues Sábato reconoce que en épocas como la renacentista, frontera tempo-

---

[9] V. Martí, *Obras completas* (La Habana, Trópico, 1936-1953), XXVIII,
220. Para Rodó, v. «El que vendrá», *Revista Nacional de Letras y Ciencias
Sociales,* II (1896), 82.
[10] *Tres aproximaciones...,* p. 88.

ral de los Tiempos Modernos [11] y, a la vez, de la tragedia moderna, hay una combinación de elementos apolíneos y dionisíacos [12]. Frente a la cosificación extrema de nuestro mundo, a las abstracciones, a las dialécticas absurdas, y al espíritu destructivo y alienador, Sábato cree que hemos llegado, según su teoría de los arcos, al punto álgido, al momento de crisis mayor cuando ya no cuenta para nada el espíritu racional, ni tampoco son válidas las soluciones morales del individuo frente a una realidad [13] como la descrita por Mallea en su *Historia de una pasión argentina*. Se aproxima al cataclismo, y el ser humano se sumerge «en ese universo oscuro y enigmático que tanto tiene que ver con el universo de los sueños». La tragedia es irrevocable: «esas convulsiones sólo sirven para poner a la criatura humana frente a esas condiciones límites de la tortura o de la muerte... Y ese saber trágico... no sólo conmueve al lector sino que lo transforma misteriosa y entrañablemente, purifica sus pasiones, revelándole su sentido sagrado y, de ese modo, contribuye a la salvación del hombre» [14].

De tal modo vislumbra nuestro teórico los últimos momentos de los Tiempos Modernos. A Sábato le preocupa principalmente el hombre abocado al horror y a la tragedia de la raza humana. En medio del espíritu mercantil, del realismo anquilosado, de los trágicos resultados de la Revolución Industrial, o sea, frente a la civilización tecnolátrica, Sábato centra su atención en el hombre sacrificado y martirizado por la cultura que el ser humano creó. Aboga por una expresión novelística, en la tradición cervantista, totalizadora, y orientada hacia la exploración de la condición humana, por una novela crítica de nuestra civilización materialista, y por ende salvadora [15]. Esta posición constituye un compromiso personal, pero, a la vez, forma parte de una actitud generacional, pues semejante preocupación se patentiza en Mallea

---

[11] V. «Crisis de la novela o novela de la crisis», p. 635.
[12] V. *El escritor y sus pantasmas*, p. 135.
[13] V. el apartado «La cosificación del hombre» de *El escritor y sus fantasmas*, pp. 56-71.
[14] «Crisis de la novela o novela de la crisis», pp. 636-638, *passim*.
[15] *Ibid.*, pp. 629-630.

y en Octavio Paz. Otros ensayistas podrían citarse en cuya obra, tras examinar los aspectos externos de nuestra realidad, el escritor, decepcionado, se refugia en el hombre para partir desde allí en busca de nuevas soluciones, casi nunca bien definidas. Paz, por ejemplo, más pesimista en el fondo que Sábato, y desde luego menos apasionado, observa el derrumbe general de la Razón y la Fe, de Dios y la Utopía, y agrega: «no se levantan ya nuevos o viejos sistemas intelectuales, capaces de albergar nuestra angustia y tranquilizar nuestro desconcierto; frente a nosotros no hay nada» [16]. El único fulgor de esperanza, capaz de salvarnos del *néant* existencialista es la soledad; a través de ella, según el escritor mexicano, «empezaremos a vivir y pensar de verdad» [17], unidos los agonistas del universo.

La posición de Sábato es más dinámica; tiene fe en la eficacia de la palabra escrita, y como consecuencia comparte la actitud de Vargas Llosa expresada en Caracas en el momento de aceptar el premio Rómulo Gallegos. En su discurso, «La literatura es fuego», el peruano abogó por un concepto novelístico vital, pero crítico:

> ...la literatura es fuego... ella significa inconformismo y rebelión, que la razón de ser del escritor es la protesta, la contradicción y la crítica... Nadie que esté satisfecho es capaz de escribir, nadie que esté de acuerdo, reconciliado con la realidad, cometería el ambicioso desatino de inventar realidades verbales [18].

Cumpliendo con esta condición la literatura es, o debiera ser, funcional respecto a la sociedad en que es producida. Sábato, como Vargas Llosa, atribuye un valor pragmático a la literatura, a la novela; para el argentino la novela tiene un valor funcional de testimonio. El novelista de hoy es incapaz de abstraerse de la literatura social, pues según

---

[16] *El laberinto de la soledad* (México, Fondo de Cultura Económica, 1963), página 150.
[17] *Loc. cit.*
[18] *Mundo Nuevo,* 17 (noviembre, 1967), 94.

Sábato, toda creación literaria es social de un modo u otro; por tanto rechaza el concepto de una literatura social, independiente de otras expresiones, pues en todas se comenta el estado de una cultura o la condición del hombre. El novelista debiera aspirar a realizar, no tanto una posición crítica al modo de Vargas Llosa, sino sintetizar los polos opuestos de nuestra experiencia, unir ideas y pasiones, subjetivismo y objetivismo, darnos, en fin, la realidad desde el yo [19]. Pero esta síntesis se alcanza con la condición imprescindible de liberar al creador de los prejuicios cientifistas del siglo pasado —los del realismo y del naturalismo—, modas comprometidas con una civilización de la tecnocracia en cierne. En la crisis que vivimos hay que intentar de rescatar al hombre occidental de su propia enajenación del «monstruoso engranaje de nuestro tiempo» [20]. La novela como testimonio, y la novela como salvación. Orientado de tal modo es inevitable que rechace Sábato la novela objetal u objetivista de Robbe-Grillet y de otros de la caduca «nueva ola francesa», pues entronizar el Objeto (con mayúscula) equivale a aumentar el proceso de la cosificación; y promover la pasividad del individuo frente a su ambiente desespiritualizado constituye nada menos que una traición de la misión del novelista. Que la literatura tiene una misión, la de ennoblecer el alma, de enaltecer el espíritu, no cabe duda, pues Sábato afirma que «el arte contribuye a la elevación de la criatura humana desde su simple condición zoológica para permitirle el acceso a las cumbres de la realidad espiritual» [21]. La literatura, observó en cierta ocasión, tiene tres misiones o funciones: 1) la catártica, en la tradición aristotélica —de ahí la insistencia de Sábato sobre el testimonio de la tragedia del ser humano frente a su laberíntico destino—; 2) la cognoscitiva, o sea, la exploración de regiones de la realidad que sólo la novela es capaz de indagar; 3) la integradora, o

---

[19] «El mundo desde el yo» es la expresión que emplea Sábato en *El escritor y sus fantasmas*, p. 87.
[20] «Nota preliminar» de *Tres aproximaciones...*, s. p.
[21] *Ibid.*, p. 76.

sea el buceo de la realidad objetiva y subjetiva, uniendo lo
que la civilización moderna y abstracta ha desintegrado [22].

El homocentrismo de la teoría de Sábato se evidencia
en su insistencia sobre la importancia del alma como recinto
sagrado, como el último reducto en la pelea contra una civilización destructora de valores espirituales, y, en el fondo,
del hombre.

Adoptada esta postura, insiste que la gran novela «no
sólo hace al conocimiento del hombre sino a su salvación» [23],
concepto ya notado. Pero agrega: «lo que hay que salvar en
medio de esta hecatombe (es decir, la de la crisis moderna)
es el alma...» [24]. Así, entramos en un terreno que en gran
medida arroja luz sobre lo que algunos críticos han considerado los pasajes desorbitados, exagerados y hasta estrafala-
rios de su obra, en especial el «Informe sobre ciegos» de
Sobre héroes y tumbas. Es que se trata de un modo de concebir el alma como hogar de fuerzas maléficas contra las
cuales lucha y sucumbe —desgraciadamente— el hombre
moderno. La defensa de esta región sagrada, y a la vez, impura, refleja en cierta medida el rechazo del novelista de la
razón pura y del idealismo platónico como conceptos via-
bles y vigentes hoy:

> ...lo digno de una gran literatura es el espíritu impuro: es de-
> cir el hombre, el hombre que vive en este confuso universo
> heracliteano, no el fantasma que reside en el cielo platónico.
> Puesto que lo peculiar del ser humano no es el espíritu puro
> sino esa oscura y desgarrada región intermedia del alma, esa
> región en que sucede lo más grave de la existencia: el amor y
> el odio, el mito y la ficción, la esperanza y el sueño, nada de
> lo cual es estrictamente espíritu sino una vehemente y turbu-
> lenta mezcla de ideas y sangre, de voluntad consciente y de
> ciegos impulsos. Ambigua y angustiada, el alma sufre entre la
> carne y la razón, dominada por las pasiones del cuerpo mortal
> y aspirando a la eternidad del espíritu, perpetuamente vacilan-
> te entre lo relativo y lo absoluto, entre lo diabólico y lo divi-

---

[22] *Ibid.,* p. 77.
[23] *Ibid.,* p. 93.
[24] *Loc. cit.*

no. *El arte y la poesía surgen de esa confusa región...* (el énfasis es mío) [25].

Estamos frente a una posición teórica que enjuicia y, al mismo tiempo, explica la literatura de crisis en sus aspectos primarios, viéndola como el producto de la historia por un lado, y, por otro, del de las emociones turbias y contradictorias del ser humano refugiado en su alma y asediado por nuestra civilización moribunda. La nuestra, la que cultiva Sábato, es, por consiguiente, una literatura trágica, arbitraria en sus formas, amparada en las emociones y reveladora de una posición filosófica existencial e inestable. Es, en fin, una literatura que refleja la verdad social. Por medio de este proceso dialéctico llegamos al punto más sombrío de la teoría novelística de Sábato: al enjuiciar nuestra cultura observa que es una «civilización que nos ha despojado de todas las antiguas, sabias y sagradas manifestaciones del inconsciente», y que «en una cultura sin mitos ni misterios, sólo queda para el hombre de la calle la modesta descarga de sus sueños nocturnos y la catarsis a través de las ficciones de esos seres que están condenados a soñar por la comunidad entera» [26]. De ahí que abunden en sus propias creaciones seres sonámbulos, experiencias oníricas, mundos tenebrosos y simbólicos, si no alegóricos, que traducen la desesperación, la frustración, la culpabilidad y la angustia del ser humano de hoy. *El túnel* o el mundo fantástico del «Informe» son manifestaciones del alma humana reducida a tantear una realidad desconocida, aterradora o misteriosa, en la cual el individuo asume el papel del agónico. De hecho, es *otra* la realidad que persigue el novelista. A través de la desesperación su idea es alcanzar un mundo distinto. En esta tentativa está escondida una creencia ciega en las fuerzas del mal, o en la noción de que por la estética o la ética del mal se alcanza un ideal, un ideal en el cual, teóricamente, el novelista no debiera seguir creyendo. Pero Sábato es un optimista disfrazado de pesimista. Él mismo observó una vez que el pesimista es un

25 *Tres aproximaciones...,* p. 60.
26 *Ibid.,* p. 85.

optimista que ha sufrido una desilusión [27]. Así, él, frente a la cuestión de la unión del alma con sus misteriosas epistemologías: «La literatura importante es algo así como el reverso del mundo cotidiano, pues la creación es en muchos sentidos un acto antagónico similar al sueño, un intento de crear *otra realidad,* precisamente por el descontento hacia lo que nos rodea» [28]. La literatura, decididamente, es fuego. Por eso Sábato también considera la novela como un género romántico —rebelión contra la mentalidad utilitaria, la razón, el dinero y la máquina— y a Zola, Balzac y a los realistas, representantes de la mentalidad que él combate con el fin de salvar al hombre. En *El escritor y sus fantasmas,* resumiendo esta dimensión de su teoría nota: «Si la tesis general que sirve de base a este libro es correcta (fin del espíritu científico, insurrección del hombre concreto), el arco fundamental del nuevo arte, del arte verdaderamente revolucionario y futuro corresponde al espíritu romántico» [29].

Pero no sólo busca nuestro escritor la creación romántica; defiende la novela integralista capaz de conseguir lo que ni la ciencia ni la filosofía pueden hacer: percibir la realidad que para él es objetiva y subjetiva al mismo tiempo. Y la narrativa debe ser objetiva y subjetiva como la realidad, y asimismo femenina. Del siguiente modo define Sábato su concepto del espíritu femenino y masculino:

> Espíritu femenino: la tierra, la inconsciencia, la curva, lo barroco, el instinto, los símbolos, lo demoníaco, lo mágico.
> Espíritu masculino: la ciudad, la razón, el concepto puro, la línea recta, lo clásico, lo científico.
> Esta crisis es el fin de una civilización masculina, y ese fin anuncia claramente un renacimiento mágico, el ascenso de las culturas primitivas y religiosas: Asia, América, África [30].

Arte neorromántico, la novela, según Sábato,

    1.   Es una historia (parcialmente ficticia)...

---

27 V. *El escritor y sus fantasmas,* p. 145.
28 *Ibid.,* p. 36.
29 *Ibid.,* pp. 135-136.
30 *Ibid.,* p. 160.

2. Es un tipo de creación espiritual en que, a diferencia de la científica o filosófica, las ideas no aparecen al estado puro, sino mezcladas a los sentimientos y pasiones de los personajes.

3. Es un tipo de creación en que, también a diferencia de la ciencia y la filosofía, no intenta probar nada: la novela no demuestra, sino muestra.

4. Es una historia (parcialmente) inventada en que aparecen seres humanos, seres que se llaman «personajes»; aunque según la época, el gusto y la mentalidad de su tiempo, esos personajes o caracteres van desde corpóreos y sólidos seres que se parecen mucho a los que vemos en la calle hasta transparentes individuos a veces designados por misteriosas iniciales, que sólo parecen ser portadores de ciertas ideas o estados sicológicos (Kafka).

5. Es, en fin, una descripción, una indagación, un examen del drama, de su condición, de su existencia. Pues no hay novelas de objetos o animales sino, invariablemente, novelas de hombres [31].

Definición infinitamente superior a la de Cela [32]. La de Sábato es de mayor solidez ideológica y refleja la problemática contemporánea. La «oscura» novela nueva, como él llama la novela contemporánea, se caracteriza por el descenso al yo, el uso del tiempo interior, el subconsciente, la ilogicidad, el mundo concebido desde el «yo», la presencia del otro, la comunión, el sentido sagrado del cuerpo y, finalmente, el conocimiento, o sea, la dignificación cognoscitiva de la novela [33].

La nueva novela es, sin embargo, como el mismo Sábato lo confiesa, de lectura difícil a veces por el punto de vista, porque no existe un tiempo astronómico en sus páginas,

---

[31] *El escritor y sus fantasmas*, pp. 151-152.

[32] En *Mrs. Caldwell habla con su hijo* (Barcelona, Destino, 1953):
    He coleccionado definiciones de novela, he leído todo que sobre esta cuestión ha caído en mis manos, he escrito algunos artículos, he pronunciado varias conferencias y he pensado constantemente y con todo el rigor de que pueda ser capaz sobre el tema y, al final, me encuentro con que no sé, no creo que sepa nadie, lo que, de verdad, es la novela. Es posible que la única definición sensata que sobre este género pudiera decirse, fuera la de decir que «novela es todo aquello que editado en forma de libro, admite debajo del título, y entre paréntesis, la palabra *novela*» [p. 9].

[33] *El escritor y sus fantasmas*, p. 197.

porque es con frecuencia y necesariamente ilógica, o porque
en ella se utiliza lo consciente, inconsciente y subconsciente,
y, finalmente, porque los personajes no son referidos, sino
seres que se revelan caracterológica o ideológicamente ante
el lector.

Sin embargo, a pesar de ser el más fervoroso teórico de
la nueva, Sábato no es un apologista de sus excesos. En 1969
declaró en *Clarín* que, a su juicio, en América la novela pasaba por un período de neoculteranismo, neoconceptismo, bi-
zantinismo (o sea, señal de decadencia), por una era de laca-
yismo en el cual había una tendencia hacia el empleo de
meros juegos formales. Sábato ha levantado su voz en contra del «vicio decadente de una literatura literaria»[34]. Nada
de verbalismos, de retórica, ni de regodeo formal. A Sábato,
hoy como ayer, le preocupa infinitamente más que el lenguaje, la manera de cancelar la escisión del hombre por medio
de la unidad creadora; quiere que el escritor penetre el mundo de la vigilia donde se descubren los mitos y los recuerdos
soterrados, y que como existencialista y fenomenalista vaya
revelando los valores profundos de la existencia. Preside la
noética de Sábato una metafísica de la esperanza. Y, aunque
frente a los malabarismos narrativos de hoy que recuerdan
los de un barroquismo del pasado, es posible que no diga,
como en 1963, que la novela es más fértil, compleja, profunda y trascendente que nunca; sin embargo, queda en pie su
apasionada dedicación al arte novelístico como voz que guía,
y como atalaya que «despierta al hombre que viaja hacia el
patíbulo»[35].

---

[34] Citado en *La Gaceta* (México), agosto de 1969, 11.
[35] *El escritor y sus fantasmas*, p. 90.

*Lo arquetípico en la teoría
y creación novelística sabatiana*

Doris Stephens y A. M. Vázquez-Bigi

Sábato, debido a su temperamento así como a su singular independencia intelectual —y política, y artística—, se ha mantenido separado y libre de capillas literarias, y quizá por esta razón su nombre se oye menos frecuentemente que el de otros novelistas de menor mérito en las discusiones de autores y críticos de la «nueva novela»; al notable éxito internacional de *El túnel,* sucedieron las peripecias de la primera traducción inglesa de *Sobre héroes y tumbas* (Sábato no permitió su publicación por considerarla defectuosa), lo cual fue una inmerecida contrariedad que contribuyó a retrasar la fama extendida de Sábato. Con todo, el extraordinario éxito internacional de *El túnel* es notorio, y algunas de las críticas más serias fuera del ámbito de nuestra lengua han proclamado la excelencia de *Sobre héroes y tumbas:* así en Alemania, Günter Lorenz la aclamó como «la novela del siglo» [1], y Leo Pollman en la obra cuya traducción acaba de editarse en Gredos —*La* «nueva novela» *en Francia y en Iberoamérica*—, ha colocado a esta obra de Sábato y a *Rayuela,* nombradas en ese orden, a la cabeza de la ficción hispanoamericana —la cual a su vez por estos años está «por delante del 'Nouveau Roman'» y «en la 'cresta' de la novela internacional»— [2]. Agreguemos algo que nos parece de la mayor importancia: *Sobre héroes y tumbas,* para llegar a *best seller,* no ha necesitado la consagración ni los lectores de otras naciones, pues la cifra de ejemplares vendidos pasa ya de los 200.000, la mayor parte de ellos en su patria —hecho significativo tanto del éxito de la obra como de la importancia de ese público lector, más aún si se tiene en cuenta la complejidad artística y la «riqueza episódica y de pensamiento» (en términos de Pollmann) de esa novela.

La creación de Sábato ha sido considerada desde diversos enfoques. Los estudios se han ocupado del lenguaje y la forma novelística tanto como del sentido filosófico y el sustrato sicológico. En cuanto a este último, las interpretaciones se han centrado casi exclusivamente en la visión freudiana de los conflictos y mecanismos síquicos [3].

Apuntaremos un hecho, sin pretensión de asignarle una validez incuestionable: el mismo Sábato no está de acuerdo con esta interpretación de su propia obra, y mucho menos lo está con la limitación de la crítica sicológica. Ángela De-

---

[1] En *Die Welt der Literatur.* En castellano ha sido comentado por Tamara Holzapfel en *Revista Iberoamericana* (núm. 65, enero-abril 1968, pp. 117-121): «Lorenz califica tan altamente esta obra porque considera que ella es 'un testimonio sumamente asombroso de nuestro tiempo' y 'un hito que señala rumbos hacia el porvenir de la prosa del pensamiento científico'.» En su reciente libro *Dialog mit Lateinamerika* (Tübingen, 1970), Lorenz dedica la sección más extensa a Sábato (pp. 40-134).

[2] Pp. 266-7, 264.

[3] Por lo que sabemos, el único estudio considerable del elemento mítico en la obra del novelista argentino es el libro que acaba de aparecer en Buenos Aires y que acabamos de recibir por gentileza de su autor, Luis Wainerman, *Sábato y el misterio de los ciegos* (Losada, 1971), contribución valiosa a los estudios sabatianos.

llepiane, que como parte de su estudio integral aportó una interesantísima dilucidación sicoanalítica de los sueños del protagonista de *El túnel* —y conoce muy bien al novelista—, señaló al mismo tiempo la opinión de Sábato, tomándola de una conversación del autor con Emir Rodríguez Monegal y Severo Sarduy [4]. No hace falta traer al texto más testimonios de la crítica y la literatura ensayística ni de contactos personales [5], porque Sábato llevó a la novela, a través de sus personajes, la sátira a la ortodoxia sicoanalítica. Pablo Castel, el protagonista de *El túnel,* se pronuncia contra las sociedades y clubes —fenómenos tan argentinos— y las jergas, y elige como primer ejemplo el sicoanálisis; lo despiadado de la burla —que explaya en dos páginas— y la efectividad del argumento no permiten dudar de la conformidad entre el autor y su personaje. Basta una muestra: «una chica muy fina, mientras me ofrecía unos sándwiches, comentaba con un señor no sé qué problema de masoquismo anal» [6]. Castel habla con el «doctor Prato», quien se refiere a un grupo disidente como formado de charlatanes y puntualiza que «la única sociedad sicoanalítica reconocida internacionalmente es la nuestra», y acto seguido exhibe una carta confirmatoria de Chicago [7]; a la sátira de la ortodoxia freudiana se une la burla del esnobismo extranjerizante del «doctor Prato» —la intención de este pasaje se hace aún más evidente a todo aquel que conozca el ambiente y ciertos caracteres argentinos así como las constantes actitudes de Ernesto Sábato [8].

---

[4] *Ernesto Sábato — El hombre y su obra* (New York: Las Americas, 1968), p. 204. Reapareció posteriormente en el libro de Rodríguez Monegal, *El arte de narrar — Diálogos* (Caracas: Monte Ávila, 1968); a pesar de la actitud amplia y no dogmática de Sábato, en ese diálogo se hace evidente su natural reacción desfavorable y hasta burlona a las interpretaciones freudianas.

[5] Uno de los autores del presente estudio, A. M. Vázquez Bigi, volvió a escuchar directamente de Sábato, en recientes encuentros personales, sus juicios por lo menos escépticos con respecto al sicoanálisis.

[6] Sudamericana (ed. 1967), p. 21.

[7] *Ibid.,* p. 20.

[8] En Buenos Aires, allegados al ambiente literario creen reconocer a escritores y otras personas conocidas encubiertos en los personajes y situaciones de las novelas de Sábato.

En la primera parte de *Sobre héroes y tumbas,* Alejandra le pregunta a Martín si cree en el significado de los sueños. Éste replica: «¿Vos querés decir lo del sicoanálisis?» La respuesta de Alejandra coincide con las actitudes meramente tolerantes o antidogmáticas de su autor (la cursiva es nuestra): «No, no. *Bueno, también eso, por qué no.* Pero los sueños son misteriosos y hace miles de años que la humanidad viene dándoles significado»[9]. A continuación la heroína ríe —una risa inquieta, angustiada— y revela que sueña siempre, con fuego, con pájaros, con pantanos en que se hunde o con panteras que la desgarran, pero sobre todo con fuego; los calificativos que siguen se avienen tanto como los símbolos precedentes a la concepción de Jung: «¿No creés que el fuego tiene algo de enigmático y sagrado?»[10]. Más adelante Fernando —quien según su autor es «el personaje central y decisivo» de la novela, en el que se manifiestan hasta el delirio ciertos sentimientos que experimenta en germen su autor—[11] se encarga de reírse, como Castel en *El túnel,* de jergas y admiraciones presuntuosas y obsecuentes; en este caso el objeto de la burla es el ambiente y los tipos de las facultades de arquitectura, reconocidos centros de esnobismo intelectual y político en los países del Plata, cuya descripción en la novela no tiene desperdicio. En lo que sigue «cae en la volteada» (para usar el efectivo argentinismo) el sicoanálisis, término que como hemos visto Sábato usa en el sentido estricto de escuela freudiana: «Conversaron un buen rato en su jerga, jerga que por momentos hibridaba con la sicoanalítica, de modo que parecían por igual extasiarse ante una espiral logarítmica de Max Bill como ante el sadismo anobucal de un amigo que en ese momento se analizaba»[12]. Páginas abajo el mismo Fernando, en correcto, esquemático raciocinio que casa a la perfección con su orientación paranoide, observa las fa-

---

[9] Sudamericana (ed. 1968), p. 118.
[10] *Ibid.,* p. 119. El fuego se encuentra por toda la literatura mitológica y las leyendas, también como elemento purificador.
[11] *El escritor y sus fantasmas* (Aguilar, ed. 1964), pp. 19, 18.
[12] *Ibid.,* 369-370.

llas del razonamiento científico que no tiene en cuenta la totalidad de antecedentes: «Mecanismo en virtud del cual esos astutos inquisidores del sicoanálisis se quedan muy tranquilos después de haber sacado conclusiones correctísimas de bases esqueléticas» [13]. No se nos ocurre otra entidad de naturaleza intelectual que haya excitado en mayor grado la categórica crítica y efectiva sátira del mismo Ernesto Sábato como no sea las teorías literarias de Nathalie Sarraute con el pretendido a-sicologismo del *nouveau roman;* ahora que ha pasado esa otra moda, la independencia del primer momento y el valor intelectual de este novelista argentino se ponen una vez más de relieve [14].

Ya la cita de Alejandra nos ha evocado a Jung. Los temas y símbolos mitológicos y esotéricos, las coincidencias sugestivas o misteriosas, así como la visión antropológica de la sicología, han venido ocupando la atención del autor de *Sobre héroes y tumbas* desde hace muchos años. La década de 1930, en que el joven becario científico Ernesto Sábato exploraba el medio artístico y literario de París, coincidió con la divulgación de la moda intelectual de Jung, a la que correspondieron varias traducciones al francés y el comienzo de las traducciones al castellano, en Buenos Aires [15]. La extensa boga del surrealismo se fortalecía con la concepción junguiana del inconsciente y a la vez contribuía a su auge.

---

[13] *Ibid.,* pp. 369-370.

[14] Otro modelo de parecida actitud es Borges, con su olímpica independencia de opiniones y cultos en boga (como en sus declaraciones recientes sobre el *Martín Fierro*), lo que le ha valido más de un ataque injusto en la Argentina. El otro escritor de ese país más comentado en nuestros días, Cortázar, está en cambio, atento a las opiniones y actitudes de moda, resultado paradójico de lo cual es —a nuestro juicio— más de un anacronismo crítico que aparece en sus novelas.

[15] Con *Tipos psicológicos,* editada por Sur en 1936 y reeditada posteriormente por Sudamericana. En una rápida comprobación en *Biblio,* no aparece esta obra en francés hasta 1950; las traducciones en esta lengua, de acuerdo a la misma autoridad, se inician también en 1936. La «teoría de la novela» de Jung apareció en el mismo año en francés y español, 1946 —en francés como parte correspondiente de *L'homme à la découverte de son âme* (Mont-Blanc); en español como capítulo VIII de *Filosofía de la ciencia literaria,* colección de ensayos preparada por E. Ermatinger (México: F. C. E.)—. Estas fechas parecen indicar que la boga intelectual de Jung es más reciente de lo que suele asumir la crítica. En cuanto a la posible lectura de ciertas obras por parte de Sábato, no olvidar que ese autor lee también otros idiomas además de los latinos, como el inglés y el alemán.

El prolongado interés de Sábato en estas orientaciones no es, por cierto, uno de los casos corrientes de participación en las modas, sino una experiencia profunda con un proceso dialéctico.

Su inicial oposición, bien documentada en uno de sus primeros ensayos (1945), hizo blanco —con la efectividad sabatiana de siempre— en las pretensiones surrealistas de constituir un sistema total de vida y cultura que abarcaba desde Heráclito hasta el marxismo, así como las pretensiones específicas —que en la práctica fueron falsas— del automatismo.

> Aun admitiendo una objetividad de la belleza, como en Platón, se podría hasta admitir a los surrealistas que el alma arrebatada por el sueño, por el éxtasis o por el estado de gracia, podría entrever el reino fantástico e inmutable de las formas. Pero una cosa es soñar y otra expresar un sueño, y la poesía y el arte son expresión. Y en este momento es cuando se requiere toda la fuerza, la madurez, la plena inteligencia creadora [16].

Más abajo en el mismo ensayo cita *La filosofía de la composición* de Baudelaire —precisamente un precursor reconocido del surrealismo y del «plonger au fond du gouffre»—:

> La mayoría de los escritores —los poetas en particular— prefieren hacer creer que el éxtasis intuitivo o algo así como un delicado frenesí, es el estado en que se encuentran cuando realizan sus composiciones, y se estremecerían de pies a cabeza si dejaran que el público echara una mirada tras los bastidores y presenciase las escenas de la elaboración y las vacilaciones del pensamiento que ocurren en el proceso de la creación, que notara los verdaderos propósitos, captados sólo a último momento, los innumerables vislumbres de la idea que no llegó a madurar plenamente, las fantasías rechazadas por rebeldes, las cautelosas selecciones y exclusiones, las dolorosas raspaduras e interpolaciones... [17].

---

[16]   En *Uno y el universo. Obras-Ensayos* (Losada, 1970), p. 128.
[17]   *Ibid.,* pp. 129-130.

En sus más recientes consideraciones de la materia de pesadilla que se percibe con inusitada fuerza en nuestra época y se refleja naturalmente en la novela y el arte en general, Sábato jamás ha confundido (aun sin separar) esa materia de pesadilla en la obra de arte con el acto, la forma, el existir de la obra de arte. En el mismo sentido cita a Camus en *El escritor y sus fantasmas* (1963): «La creación es la más eficaz de todas las escuelas de paciencia y lucidez» [18].

Pero si por una parte Sábato rechazó ciertas posturas definidas del surrealismo —e igualmente no cayó en la profesión del culto del olvido, ni practicó «la collision flamboyante de mots rares»— [19] por la otra pueden señalarse inquietudes y experiencias vitales en las que Sábato coincidió con los escritores surrealistas, y su decepción de la ciencia y repulsa del racionalismo que marcaron el cambio fundamental de su vida, aunque no fueran actitudes exclusivas de esas décadas, coincidieron igualmente con el coro de voces surrealistas [20]. Del mismo modo, algunas predilecciones literarias y sicológico-antropológicas de Sábato son las mismas

---

[18] P. 227.

[19] El desdén de la memoria se encuentra por toda la literatura surrealista, junto con el pretendido intento de destruir el lenguaje lógico, y la práctica del automatismo (ver «Lettre aux voyantes» de Breton, en *Révolution surréaliste*, y Crevel, *L'Esprit contre la Raison*), hasta el extremo de atentar contra la composición alfabética de las palabras en el absurdo intento de leer olvidando la lectura (prólogo de Eluard a *Alphabet sourd aveugle* de Mesens). En la práctica, la derivación artística (con su necesaria dosis de arte y artificio) de esas declaraciones y actitudes fue la fórmula que ya desde un principio había acuñado Vaché: «Former la sensation personelle à l'aide d'une collision flamboyante de mots rares» *(Lettres de guerre,* 1918, p. 18). En nuestra literatura, el mejor ejemplo de este procedimiento artístico lo presenta Cortázar, tal como lo hace valiéndose de su personaje Pérsico en *Los premios;* este procedimiento puede alternarse o combinarse (y hay que deslindarlo) con el empleo de claves poéticas (nota 81, *infra).*

[20] Estas actitudes se reflejan por toda la literatura surrealista; basta buscar ejemplos en las obras de Mesens y Crevel citadas en la nota anterior. Ese espíritu se desarrolló sin cambios fundamentales entre las dos guerras mundiales, pues al terrible desencanto de la victoria anterior siguió la falsa prosperidad materialista, la crisis económica mundial y el advenimiento de Hitler y el nazismo (ver Gonzague Truc, *Une Crise intellectuelle,* 1919). Un estudio de Sábato en relación con el surrealismo debería investigar el aspecto «inspiracional» americano, así como la posibilidad de correspondencias con los movimientos argentinos —empezando por Aldo Pellegrini y el grupo de la revista *Qué* desde 1928—. Hay un excelente estudio general: *Proyecciones del surrealismo en la literatura argentina,* por Graciela de Sola (Ediciones Culturales Argentinas, 1967).

que las de los hombres del surrealismo: el lado «nocturno» del romanticismo francés con la experiencia «mística» y la «descente aux enfers» de Nerval, que apunta a los modelos alemanes [21]; la exploración del mal de Baudelaire; la reactualización de Charcot y el interés en la siquiatría, y especialmente el redescubrimiento de lo iluminativo y apocalíptico-revelador en la locura [22]; parejamente a lo anterior, los arquetipos del inconsciente colectivo de Jung, que se manifiestan en los sueños y las alucinaciones esquizofrénicas. Todos éstos ya son elementos presentes en la obra novelística de Sábato [23], especialmente en *Sobre héroes y tumbas.*

En este punto conviene recordar las consideraciones de Sábato sobre la «novela contemporánea» que aparecieron en *El escritor y sus fantasmas.* Sábato divide a la novela «del pasado», «la vieja novelística» de «nuestra novelística», «el novelista de hoy», y entre otras cosas nos habla de la actual «sumersión en zonas tenebrosas», «subsuelo» en que «no rige la ley del día y la razón sino la ley de las tinieblas», «mundo nocturno» y «abismal» que tiene sus propios va-

---

[21]   En la biblioteca de su casa en Santos Lugares, Sábato tiene a los poetas románticos alemanes, en alemán.

[22]   Hay que hablar de reactualización, porque Charcot y su *Iconographie de la Salpêtrière* habían llamado la atención de los hombres de letras desde las dos últimas décadas del siglo pasado. El interés en las manifestaciones anormales de la siquis ciertamente son comunes a todas las épocas. Ese interés ha influido en la producción del género fantástico en la Argentina, como lo señala Valentín Jacobo Gaivironsky en su estudio sobre la narrativa de Enrique Anderson Imbert en *Nueva Narrativa Hispanoamericana* (Vol. 1, núm. 2, septiembre de 1971): «la manifestación decisiva del género la hallamos en algunos integrantes de la generación del 80... Era una época en que los estudios de psicología y psicopatología alcanzaron difusión notable en Buenos Aires...» (p. 108). El mismo interés influyó décadas más tarde en las obras maestras del chileno Eduardo Barrios, y obsérvese cómo el mismo cuidado y acierto en la creación de personajes de análoga anormalidad paranoide en el fray Lázaro de Barrios y el Pablo Castel de Sábato, más el protagonista relator en primera persona, han producido en ambas novelas el mismo caso de punto de vista narrativo, y análogo resultado de narración engañosa (ver estudio de *El túnel* de Ángela Dellepiane, obra citada, esp. pp. 89-91; A. M. Vázquez-Bigi, «Los conflictos psíquicos y religiosos de *El hermano asno*», *Cuadernos Hispanoamericanos,* marzo y abril, 1968). La moda de Freud fue factor del renovado interés en su maestro Charcot y de que los surrealistas celebraran el medio siglo de la *Iconographie de la salpêtrière* —que les sirvió frecuentemente de modelo— en 1928; ese interés continuaba vivo cuando Sábato frecuentó por primera vez el medio artístico-literario de París. En este importante aspecto de Sábato hay mucho más que ecos de Dostoyevski.

[23]   Al cerrar esta breve exposición del efecto del surrealismo en relación con el de Jung en Sábato, es interesante observar que lo que dice Castel que los

lores alejados del «mundo de los objetos» y «su lógica» [24]. Esta parte de la presentación de Sábato recuerda la parecidamente limitativa teoría de la novela de Jung [25], y —coincidencia significativa— el nombre de Jung, que en el resto del libro más bien parece cubierto de silencio, surge en ese mismo subcapítulo como exponente de nuestra época:

> Es bastante singular que se pretenda valorar la ficción del siglo XX con los cánones del siglo XIX, un siglo en que el tipo de realidad que el novelista describía era tan diferente a la nuestra como un tratado de frenología a un ensayo de Jung (y por motivos muy análogos) [26].

No olvidemos que después de la última guerra mundial pesó sobre Jung la acusación de haber aportado bastante combustible espiritual al nazismo —tanto que Jung por un tiempo exigió de sus pacientes anglosajones una declaración en sentido contrario por escrito—, y muchos intelectuales y artistas de la zona liberal, exaltadores del inconsciente y la irracionalidad, tuvieron motivo para reflexionar; así lo hace el mismo Sábato en sus nuevos comentarios sobre el surrealismo, en los que al final llama a cordura mostrando el peli-

---

críticos dicen de sus cuadros (El túnel, p. 141 et passim) sugiere la pintura surealista de Chirico. Éste es también el pintor que Sábato cita más y con mayor significado en sus notas críticas: junto con Van Gogh y Rouault lo pone como ejemplo para la «común raíz de novelas como El proceso» e ilustración de la «novela contemporánea» enfrentada «con las regiones profundas del subconsciente y el inconsciente» (El escritor y sus fantasmas, pp. 86-87); en otro pasaje habla de «un efecto fantasmagórico semejante al que se logra en ciertas pinturas de Chirico y de los cubistas» (p. 115); habla de la fascinación más valiosa y original (que la de Robbe-Grillet) que ejerce Chirico —«algunos [cuadros] metafísicos» (121)—. Y en cuanto a la ventanita que tanto ha dado que pensar a la crítica, apuntaremos una coincidencia interesante: en el medio del estudio de Jung sobre el contenido arquetípico del Sigfrido de Wagner en el que más adelante marcaremos notables coincidencias con las figuras míticas del «Informe sobre ciegos», se lee el típico sueño de un esquizofrénico, en el cual éste está sentado en una habitación oscura que tiene solamente una ventanita, a través de la cual puede ver el cielo (The Collected Works of C. G. Jung, Pantheon, 1956. V, 368-369).

[24] El escritor y sus fantasmas, pp. 85 y ss. («El subconsciente», «La ilogicidad», pp. 86-87). Para formarse una idea completa y fiel de lo que opina Sábato habría que leer todo ese subcapítulo.

[25] Apareció en español y en francés en 1946 (ref. en nota 15, supra).

[26] El escritor y sus fantasmas, p. 85.

gro de que la irracionalidad lleve a la Gestapo [27]. (Jung por
su parte se encargó de asociar, en estimulante aunque extendida paradoja, la *hybris* racionalista con el hitlerismo [28].)
En una entrevista hace cuatro años [29], Sábato conversó con
conocimiento de este problema, no ocultándosele que la misma cautela recomendable al que se interese con el irracionalismo puede convenir al que se interne por la obra de
Jung y otras exploraciones del «subsuelo» de los mitos an-
cestrales, doctrinas esotéricas y «zonas tenebrosas» del inconsciente. Así y todo, por esa época Sábato divulgó esos
mismos temas en una revista popular porteña, y en una
nueva entrevista —septiembre de 1971— [30] reveló que el
tema de la nueva novela en que viene trabajando hace varios
años (prefiere que no se den a conocer sus planes de publicación, aunque será pronto) es lo apocalíptico. La consciencia que tiene el lúcido intelectual Sábato de los dos lados
de Jung —el claro y el oscuro, quizá también tenebroso—
da mayor peso a la importancia y valor que en último término confiere el novelista argentino al siquiatra de Basilea.
Obsérvese la cita que antecede: los cánones de la ficción
del siglo XIX son a los del XX como la frenología clásica es
al ensayo junguiano [31], es decir, para Sábato la siquiatría
antropológica de Jung es la concepción aplicable a la realidad de nuestro siglo, que a la vez constituye la materia con
que se plasma la novela contemporánea.

En cuanto a esa materia y al proceso creativo ha dicho
Sábato más específicamente en *El escritor y sus fantasmas*
—otro subcapítulo en que se nombra al más bien innom-

---

[27] *Ibid.,* pp. 50-53. La atención de Jung a representaciones telúricas fue
lo que más le valió aquella acusación.

[28] *Arquetipos e inconsciente colectivo* (Buenos Aires: Paidós, 1970), páginas 114-115.

[29] De uno de los autores, A. M. Vázquez-Bigi, en la residencia del novelista en Santos Lugares.

[30] Con el mismo autor, otra vez en Santos Lugares.

[31] Cita anterior, nota 26 *supra*. Obsérvese la aparente cautela con que Sábato se refiere a la obra de Jung como «ensayo» (Sábato, no olvidemos, sabe
lo que es ciencia). Con su opinión hubiera discrepado categóricamente el propio
Jung (*Arquetipos e inconsciente colectivo,* pp. 51, 54 y 103 y ss.).

brable Jung, en un contexto que revela la lectura de su obra (la cursiva no es del original):

> Y como en los sueños, nuestros instintos posesivos, de destrucción o de muerte, se manifiestan lateral o alegóricamente, las pasiones más hondas *del alma colectiva* se manifiestan en los mitos y en las ficciones de los *poetas* [en la misma acepción corriente en alemán que se encuentra en Jung], que sueñan por los demás [32].

En *Sartre contra Sartre* (1968) también ha precisado:

> ... al quedar libre la novela de los prejuicios cientifistas que pesaron en algunos escritores del siglo pasado, no sólo se mostró capaz de dar el testimonio del mundo externo y de las estructuras racionales sino también la descripción del mundo interior y de las regiones más irracionales del ser humano, incorporando a sus dominios lo que en otras épocas estuvo reservado a la magia y a la mitología [33].

Es decir, los arquetipos del inconsciente colectivo de Jung.

Hasta aquí las opiniones del creador Sábato sobre la creación literaria, y sobre la sicología y la novela actual. ¿Se reflejan esas opiniones en su obra novelística?

En *El túnel* haría falta un análisis detenido para descubrir si existen correspondencia con la concepción junguiana y para deslindarlas de otras correspondencias filosóficas y literarias [34]. En la última gran novela de Sábato en cambio

---

[32] Pp. 193-194.
[33] *Obras-Ensayos*, p. 929.
[34] Hay interesantes estudios que apuntan en diversas direcciones. Para el lado de Dostoyevski se ha señalado el carácter «intercambiable» de las metáforas *underground* (el crítico no consideró el término «ultratumba» de la traducción española) y «túnel»; la ventana que el personaje ruso abre en su cuarto se mencionó como antecedente de la ventanita del cuadro de Pablo Castel —pero ya hemos visto la ventanita de Jung, en un texto relacionado por otros motivos con la creación de Sábato (nota 23, *supra*)—. Con respecto a la imagen del túnel hay también un antecedente más significativo. A fines de 1946 se publicó en Buenos Aires *Una carta a Vera* de Georg Kaiser (Estuario), traducción de *Villa Áurea*. Una acción del protagonista transforma su vida de tal modo que queda irremediablemente separado de su joven esposa y condenado a una suerte de infierno en vida; cuando se encuentran casualmente años más tarde, ella no lo ve —aunque hablan y hasta se tocan—, ella no lo reconoce. Kaiser usa varias imágenes para expresar la separación, una de ellas el túnel (pp. 92-93), que por un momento cree el protagonista lo llevará a la amada (p. 182)

—particularmente en el «Informe sobre ciegos»— el empleo creativo de símbolos míticos se evidencia de inmediato, y el análisis revela la presencia de los arquetipos junguianos «del alma colectiva» en los sueños y fantasías de los personajes así como en las imágenes delusorias y las alucinaciones del protagonista del «Informe».

Desde el mismo principio —el título de la primera parte de la novela— nos sale al encuentro un símbolo arquetípico: el motivo del dragón y la princesa. El dragón, a pesar de su terrible naturaleza, tiene frecuentemente en las leyendas la función de guardar templos y tesoros [35], o de guardar o *cautivar* doncellas y princesas; la bella princesa durmiente puede significar el dormido inconsciente y es símbolo del

---

—como en un pasaje de la novela de Sábato (p. 144)—; en otra parte el personaje de Kaiser siente que pasa al lado de la que ha sido su mujer «como si pasara del otro lado de una mampara de vidrio; una mampara que era demasiado espesa y demasiado impenetrable para que mi voz la atravesare si llegaba a proferir un grito...» (p. 137) —en Sábato: «No, los pasadizos seguían paralelos como antes, aunque ahora el muro que los separaba fuera como un muro de vidrio y yo pudiese verla a María como una figura silenciosa e intocable...» (página 145)—. La novela de Kaiser termina con un descenso a un infierno de la imaginación. Agreguemos que Sábato ha leído prácticamente toda la obra disponible de Kaiser, la cual se encuentra en la biblioteca de su casa en Santos Lugares. Corolario de lo anterior: las interpretaciones meramente doctrinarias —entre las que se encuentra la visión «telúrica», no ajena a la influencia de Jung en su lado más flojo (nota 27, *supra)*— y las comparaciones sin base no ocurren cuando la crítica observa cuidadosamente el texto de acuerdo con la técnica literaria; la consideración de la literatura de Occidente también salva con frecuencia de caer en crasos errores. Al estudiar *El túnel* en la obra que acaba de editar Gredos que citamos al principio, el crítico alemán Leo Pollmann dice que «es *El túnel* una fórmula específicamente sudamericana en la que en último extremo domina el concepto mágico-telúrico del mundo», y que el título ya excluye una interpretación existencialista en el sentido sartriano: «En ninguna parte utiliza Sartre una de estas imágenes... Quien, por el contrario, habla de 'túnel' o de 'pozo' [Onetti] implica lo que siempre está presente en la literatura sudamericana: la tensión metafísica» (pp. 94-95). Jung creyó encontrar representaciones arquetípicas de pieles rojas en el más recóndito inconsciente de clientes americanos anglosajones; a lo mejor el alemán —y por añadidura ingeniero— Georg Kaiser debe sus túneles y su innegable tensión metafísica a haber vivido un tiempo en la Argentina.

[35]   Para referirnos a los textos de Jung que corresponden a los de Sábato, usaremos ediciones en español disponibles. En caso contrario dependeremos de la excelente edición en inglés de *The Collected Works of C. G. Jung,* dirigida por Herbert Read y otros (Pantheon y Princeton), tomos que aparecieron antes que la segunda novela de Sábato. Cotejaremos los textos con el original alemán. Las referencias al dragón son abundantes en Jung; ver *Aion* (tomo 9, 2.ª parte de obra citada), p. 234 *et passim,* y en *Symbols of Transformation* (tomo 5, donde se estudia la *dual mother), passim.* Cirlot, en su *Diccionario de símbolos tradicionales,* se refiere al mismo papel del dragón.

ánima en el sentido junguiano [36]. Martín siente cómo Alejandra se duerme, pero algo le impide dormir a él y poco a poco lo angustia:

> Como si el príncipe —pensaba—, después de recorrer vastas y solitarias regiones, se encontrase por fin frente a la gruta donde ella duerme vigilada por el dragón. Y como si, para colmo, advirtiese que el dragón no vigila a su lado amenazante como lo imaginamos en los mitos infantiles sino, lo que era más angustioso, dentro de ella misma: como si fuera una princesa dragón, un indiscernible monstruo, casto y llameante a la vez, candoroso y repelente al mismo tiempo: como si una purísima niña vestida de comunión tuviese pesadillas de reptil o de murciélago.
>
> Y los vientos misteriosos que parecían soplar desde la oscura gruta del dragón-princesa agitaban su alma y la desgarraban... [37].

La proyección del arquetipo del ánima siempre gira alrededor de la madre, y así la fantasía angustiosa de Martín en seguida alterna con la sórdida imagen de «su madrecama, pérfida y reptante». El dragón devorador como parte de la misma princesa en el relato de Sábato es una bellísima y efectiva representación de la «terrible madre» de Jung, el aspecto negativo del ánima —la vuelta al útero devorador que es descenso a los terrores de ultratumba y resulta en la extinción de la consciencia [38].

Uno de los aciertos literarios más notables del libro es el héroe legendario con que se identifica —Fernando—, acierto que evoca y define tanto su conflicto personal como el *asunto* de su drama y se extiende como un eco en el otro héroe, el joven Martín. Fernando se siente «héroe al re-

---

[36] Lo encontramos en la interpretación junguiana del sueño encantado de Brunilda, que como veremos puede relacionarse con esta novela también como elemento de la leyenda de Sigfrido (*Symbols of Transformation*, p. 362). Cirlot también menciona la princesa durmiente como símbolo del ánima en el sentido junguiano.

[37] *Sobre héroes y tumbas*, p. 124.

[38] Especialmente en *Symbols of Transformation*, pp. 328, 390, 397, 398, *et passim*. También en la presentación del arquetipo del ánima en *Arquetipos e inconsciente colectivo*. Explicación de Jolande Jacobi, *Complex, Archetype, Symbol in the Psychology of C. G. Jung* (Pantheon, 1959), p. 155.

vés, héroe negro y repugnante, pero héroe. Una especie de Sigfrido de las tinieblas...» [39]. También es Sigfrido el anhelo por su madre —su no resuelta proyección del ánima—, lo ha expuesto al peligro de mirar atrás, hacia su niñez (esto lo volveremos a señalar en el lugar preciso al analizar la secuencia de las pesadillas y alucinaciones de Fernando), hacia la madre de carne y hueso, que de inmediato se transforma en el mortífero dragón. Ha conjurado el aspecto maligno del inconsciente, su naturaleza devoradora, concretizada en el cavernoso terror del bosque —de los subterráneos de Buenos Aires en el caso del protagonista del «Informe»— [40]. Fernando —el reverso del héroe Sigfrido de las tinieblas, descendencia y consumación de la nefanda estirpe paterna de los Vidal— es a la vez Sigfrido y Wotan, y la guerrera Alejandra —esa Brünhilde argentina— está igualmente ligada a su padre en una relación incestuosa de hija-ánima [41], es una especie de desprendimiento de su padre, parte de su personalidad [42], y así ella también se convierte en madre espiritual o simbólica del héroe que trata de rescatarla —Martín, el joven príncipe, Sigfrido niño, Sigfrido «al derecho» pero igualmente malogrado— [43] confirmando la regla sicológica de que el primer portador de la imagen del ánima es la madre [44]. Pero la madre-ánima del héroe es ciega (se proyecta en una ciega de carne y hueso en el «Informe») y el fatal destino del héroe lo alcanzará tarde o temprano [45].

Las evocaciones legendarias corresponden al Sigfrido de Wagner —el héroe que analiza Jung en *Símbolos de trans-*

---

[39]   *Sobre héroes y tumbas*, p. 375.

[40]   *Symbols of Transformation*, p. 363. Los motivos de Sigfrido en el texto, correspondientes a esta nota y a las subsiguientes, son traducciones o paráfrasis fieles de los textos señalados de Jung. Tener en cuenta observaciones de notas 15 y 35, *supra*. De esta obra —tan importante en relación al símbolo central Fernando-Sigfrido— había también traducción francesa anterior: *Métamorphoses de l'âme et ses symboles* (Genève, 1954).

[41]   *Ibid.*, 388.

[42]   *Ibid.*, 359.

[43]   Martín como contrafigura de Fernando ha sido descripto efectivamente por Luis Wainerman, en su obra citada en nota 3, *supra*, pp. 49, 101, 107, 115, 126-7.

[44]   *Symbols of Transformation*, 388. *Arquetipos e inconsciente colectivo*, pp. 35, 61, 67; 3.ª parte: «Los aspectos psicológicos del arquetipo de la madre.»

[45]   *Symbols of Transformation*, p. 389.

formación— y los textos que preceden son traducciones o
paráfrasis fieles de los textos de Jung sobre Sigfrido a que
refieren las correspondientes notas al pie. Para Jung la imagen de la «terrible madre» —que informa la leyenda de
Sigfrido (y los conflictos de los personajes de *Sobre héroes
y tumbas)*—, tomada como una suerte de figura musical,
una modulación contrapuntística de emociones, es extremadamente simple y de obvio significado, pero presenta al intelecto una dificultad casi insuperable en lo que toca a la
exposición lógica, debido a que ningún elemento del mito
del héroe tiene un significado simple, y en un aprieto (o
conflicto que no se resuelve, u obstáculo en el ascenso) todas las figuras son intercambiables [46]. Para Jung lo único
cierto y seguro es que el mito existe y muestra inequívocas
analogías con otros mitos (y con el contenido de los sueños
y alucinaciones); para nosotros lo importante es que en la
obra literaria esas analogías aparecen en número que permite una razonable certidumbre de su existencia y nos señalan el camino de la interpretación.

Y la mejor prueba del paralelo que empieza a revelarse
entre la obra y el mito es el hecho de que se prolonga sin
esfuerzo, y símbolos y figuras que anteriormente resultaban incomprensibles se cargan ahora de sentido. Una de
esas figuras es el anciano que tiene un papel tan importante
en la primera gran pesadilla de Fernando, cuando se derrumba sin sentido al toparse con la Ciega. Aquí nuestra exposición deberá volver sus pasos para tomar el hilo de la historia.

Previamente Fernando nos ha relatado un sueño que se
le repetía mucho en su infancia:

> ...veía un chico (y ese chico, hecho curioso, era yo mismo,
> y me veía y observaba como si fuera otro) que jugaba en si-
> lencio a un juego que yo no alcanzaba a entender. Lo observaba
> con cuidado, tratando de penetrar el sentido de sus gestos, de
> sus miradas, de palabras que murmuraba. Y de pronto, mirán-
> dome gravemente, me decía: observo la sombra de esta pared
> en el suelo, y si esa sombra llega a moverse no sé lo que puede
> pasar. Había en sus palabras una sobria pero horrenda expec-

---

[46] *Ibid.*, 390.

tativa. Y entonces yo también empezaba a controlar la sombra
con pavor. No se trataba, inútil decirlo, del trivial desplazamiento que la sombra pudiese tener por el simple movimiento
del sol: era OTRA COSA. Y así, yo también empezaba a observar con ansiedad. Hasta que advertía que la sombra empezaba a moverse lenta pero perceptiblemente. Me despertaba
sudando, gritando. ¿Qué era aquello, qué advertencia, qué
símbolo? [47].

Al estudioso conocedor de Jung y del interés del novelista en el siquiatra no se le escapa que esos repetidos sueños —siempre con el chico (a la vez uno mismo y el otro),
la pared y la sombra— «contienen» el arquetipo junguiano
de la sombra. Y todo encaja: es la primera experiencia onírica en los recuerdos del protagonista; es la primera fase y
etapa, en la concepción de Jung, del largo viaje desde la consciencia del *ego* al inconsciente colectivo. El arquetipo de la
sombra se encuentra al primer contacto con el inconsciente personal [48], y el que lo experimenta se ve a sí mismo como
dos seres separados que se observan sin poder entenderse
el uno al otro. Por si a alguien le quedara una duda, Fernando, a quien el sueño resulta incomprensible, sabe sin embargo que se trata de un «símbolo» y de una advertencia.
La sombra que insistentemente se le aparece en sueños
a Fernando es en verdad un símbolo, que como un espejo
—en términos de Jung

nos hace ver ese rostro que nunca mostramos al mundo, porque
lo cubrimos con la *persona*, la máscara del actor... Esa es la
primera prueba de coraje en el camino interior; una prueba que
basta para asustar a la mayoría, pues el encuentro consigo mismo es una de las cosas más desagradables y el nombre lo evita
en cuanto puede proyectar todo lo negativo sobre su mundo
circundante. Si uno está en situación de ver su propia *sombra*
y soportar el saber que la tiene, sólo se ha cumplido una pequeña parte de la tarea: al menos se ha trascendido lo *inconsciente personal*. Pero la *sombra* es una parte viviente de la
personalidad y quiere entonces vivir de alguna forma. No es

---

[47] *Sobre héroes y tumbas*, pp. 268-269.
[48] La distinción junguiana de inconsciente personal e inconsciente colectivo se encuentra resumida en *Arquetipos e inconsciente colectivo*, pp. 9-10.

posible rechazarla ni esquivarla inofensivamente [para uno mis
mo y para el «mundo circundante»] [49].

Fernando llega a ver su propia sombra e interpretarla
como una advertencia, pero no soporta el saber que la tiene
—la viva insistencia del símbolo onírico— ni es capaz de
reconocerla como reflexión del lado oscuro de su propia
personalidad, la parte reprimida en obsequio del ideal del
ego [50], el estrato más bajo de la personalidad que no se distingue de lo animal instintivo [51]. Y al ser incapaz de sopor-
tarla e interpretarla, Fernando proyecta su propia sombra
—el mal y la responsabilidad del mal— en otros [52], y así se
convierte en «investigador del mal» [53] que siente la necesidad de idear un sistema

> que permita detectar la canallería en personajes respetables y
> medirla con exactitud...
>   Y después de realizada la medición exacta en cada individuo,
> el inmenso ejército deberá ponerse en marcha hacia sus esta-
> blos, donde cada uno de los integrantes consumirá su propia y
> exacta basura [54].

El que rechaza su sombra se niega a ver, es decir, se
queda ciego [55] y, como veremos, ése es el sentido del acto ritual en que los grandes pájaros prehistóricos perforan los
ojos de Fernando en la primera gran pesadilla, cuando fracasa en su intento de llegar a la gruta-ánima trascendiendo de
su inconsciente personal. Y así el espiritualmente ciego Fernando proyecta su propio mal en el fantasma delusivo de
la secta de los ciegos, «la raza maldita» que ejercita su poder

---

[49] *Ibid.*, p. 26. Ver esa parte correspondiente a la sombra.
[50] *Symbols of Transformation,* p. 183, y referencia de nota anterior.
[51] *Aion,* p. 234, y referencias de nota 49, *supra.*
[52] Jung describe este mecanismo de proyección de la sombra de acuerdo a
su concepción de la siquis en *Aion,* p. 9.
[53] *Sobre héroes y tumbas,* p. 301.
[54] *Ibid.*, p. 303.
[55] En términos de Jung, la comprobación de la propia sombra es aterrori-
zante, y en consecuencia «man turns a blind eye to the shadow-side of human
nature». Continúa Jung: «Blindly he strives against the salutary dogma of original sin, which is yet so prodigiously true.» (*Two Essays on Analytical Psychology.* Tomo 7 de *Collected Works,* p. 29).

en el universo «mediante la peste o la revolución, la enfermedad o la tortura, el engaño o la falsa compasión, la mistificación o el anónimo, las maestritas o los inquisidores» [56]. La elección de los ciegos como objeto de la proyección del arquetipo de la sombra es un genial acierto —tanto sicológico como artístico— y es también una tremenda burla de las paranoias, de los insanos productos del raciocinio, de «las tareas de la razón pura» [57], de esa «plena exactitud» con que se desenvuelve la «Razón en Occidente» aunque está «rodeada de Tinieblas» [58].

Hemos llamado a esa elección de los ciegos un genial acierto al descubrir su autenticidad y originalidad en la novela. Original es lo que se dice por única vez —en su forma existencial— pero muy difícilmente sería original lo que se dijera por primera vez (difícilmente lo insólito es auténtico). Ya en el simbolismo indio el *Dighanikaya* afirma que «'forgetting' is equivalent, on the one hand, to 'sleep' and, on the other, to loss of the self, that is, to disorientation, blindness...» [59]. Fernando nombra varias veces a Edipo —y a Tiresias—, y aunque en los conflictos síquicos del héroe de Sábato hay aspectos freudianos aún más allá de lo reconocido por Jung (ya lo señalaremos), conviene aquí recordar que los eruditos helenistas están en su mayor parte de acuerdo en que Edipo jamás muestra el socorrido complejo que lleva su nombre.

Oedipus, who solved the Sphinx'x riddle and now would open up the dark mystery of his own origin, is inwardly blind,

---

[56] *Sobre héroes y tumbas*, pp. 328, 263-264.

[57] *Ibid.*, p. 283. En éste y otros pasajes el paranoico Fernando intuye el mecanismo síquico, sólo que a la inversa. Igualmente ocurre en el pasaje citado anteriormente, p. 328, en que hay una alusión a la persecución de los judíos; Fernando, perseguidor que se figura perseguido, se reconoce un proceso de identificación con el «perseguidor» (que en este caso es en realidad el perseguido, los ciegos) —éste y parecidos mecanismos han sido observados y estudiados en las víctimas de la persecución nazi.

[58] Términos aplicables a Fernando así como a Castel —como lo hace acertadamente Luis Wainerman, p. 114—. Este aspecto de la obra de Sábato —mostrar los efectos de la paranoia de la cultura occidental y *demistificarla*— lo señala muy justamente Wainerman (pp. 13, 28, 30).

[59] Mircea Eliade, *Myth and Reality* (New York, 1963), p. 116.

as the blind visionary Tiresias tries to tell him, and in putting out his eyes after his dreadful self-discovery he completes the symbolic pattern [60].

Aquí llegamos a la primera gran pesadilla, que ocurre luego que Fernando, al encontrarse con la Ciega, pierde el sentido y cree despertarse en una realidad «que tenía esa fuerza un poco ansiosa de las alucinaciones» [61]. El héroe se desliza en una barca sobre un inmenso lago de aguas quietas, negras e insondables —el agua, «símbolo más corriente de lo *inconsciente*» [62] desde el punto de partida del *ego* consciente («el *espejo* del agua» [63] = sombra) hasta el encuentro con el ánima al pasar al inconsciente colectivo y al reconocimiento del sí-mismo— [64]; aquí la negrura, estancamiento y carácter lúgubre del lago simbolizan el aspecto desfavorable del arquetipo de la sombra [65], estancamiento que sabemos alcanza al mismo Fernando. Su no resuelta proyección del ánima lo ha expuesto (como lo observamos en Sigfrido) al peligro de mirar atrás hacia su niñez —que es precisamente lo que ocurre en este punto:

> Mas no podía pensar, aunque mantenía una especie de vaga conciencia y de pesada memoria de mi infancia. Pájaros a quienes yo había arrancado los ojos en aquellos años sangrientos parecían volar en las alturas, planeando sobre mí como si vigilaran mi viaje... [66]

Y aquí parecería presentarse un símbolo correspondiente al progreso normal de la experiencia síquica: la figura del

[60] Philip Wheelwright, *The Burning Fountain* (University of Indiana Press, 1954), p. 231.
[61] *Sobre héroes y tumbas*, p. 336.
[62] *Arquetipos e inconsciente colectivo*, p. 24.
[63] *Ibid.*, p. 26.
[64] Ponemos ya aquí el arquetipo del sí-mismo, de reconocimiento más tardío que la sombra y el ánima-ánimus en el sistema de Jung, como se expondrá más adelante. El sí-mismo está desarrollado en *Aion*.
[65] *Arquetipos e inconsciente colectivo*. La relación entre el simbolismo del agua y el arquetipo de la sombra se trata de p. 22 a p. 28.
[66] *Sobre héroes y tumbas*, p. 336.

anciano, que sugiere el arquetipo junguiano del significado [67].
A esta altura el lector todavía no se ha encontrado con la
evocación de Sigfrido, y las circunstancias de la aparición
del anciano —de evidente valor simbólico— antes que el
héroe se encuentre con el ánima, así como su aspecto fuertemente desfavorable (que no se describe en el estudio «Sobre los arquetipos del inconsciente colectivo»), le resultan
en principio desconcertantes; aunque intuye un sentido y
acepta el relato, la interpretación se le escapa. El héroe aún
se encuentra en «aquel inmenso piélago negro»; arriba y a
sus espaldas

> presentía un anciano, que lleno de resentimiento, también vigi-
> laba [como los grandes pájaros] mi marcha: tenía un solo y
> enorme ojo en la frente, como un cíclope, y sus dimensiones
> eran tales que su cabeza estaba más o menos en el cenit mien-
> tras su cuerpo descendía hasta el horizonte [68].

La barca toca fondo y el héroe echa a caminar dificulto-
samente por el fango hacia una montaña que se vislumbra,
e inexplicablemente piensa: «Allí está la gruta», y sabe que
debe llegar cueste lo que costare y que debe penetrar en
ella. El matiz heroico de la vuelta al útero, la mención de la
montaña, todavía insinúan la visión junguiana, pero ¿quién
es el «desconocido» que mantiene su «presencia colosal»
detrás del héroe, y que con su único ojo «fulgurante de
odio» intenta —aunado con los amenazantes pájaros que se
han convertido en enormes pterodáctilos o murciélagos gi-
gantescos— malograr su marcha? La fácil asociación con el
complejo de Edipo no agota el interrogante. El héroe sabe
que si logra penetrar en la gruta, la mirada del desconocido
«tendría por fin que ser impotente», pero continúa sintiendo a sus espaldas la «sonrisa siniestra del Hombre» y por
encima el vuelo pesado de los pterodáctilos que ahora lo
rozan con sus alas y que posiblemente se arrojen sobre él
y le arranquen los ojos, y sospecha que tan sólo lo estén

---

[67] *Arquetipos e inconsciente colectivo,* pp. 39-44.
[68] *Sobre héroes y tumbas,* p. 336.

dejando agotarse en un esfuerzo inútil para enceguecerlo de todos modos al final. En la última mención del perseguidor desconocido, el héroe

> siente que el rostro del Anciano irradiaba una especie de feroz alegría al hacerme yo estas reflexiones. Comprendí que todo era verdad y que ahora me esperaba la peor de las calamidades de aquella marcha [69].

Finalmente, uno de los grandes pájaros, sin ojos en sus cuencas vacías, se posa en el barro y —en un pasaje que excita nuestro horror como el que más en la literatura— perfora con su agudo pico dentado los ojos del héroe, quien se presta sin resistencia a la operación como en un sacrificio ritual.

Más abajo Fernando cuenta cómo se despierta en la misma habitación de la Ciega, y su mente maníaca (y el relato, en unas treinta páginas) deambula sobre supuestas venganzas de la Secta de los ciegos —en un caso tergiversa con efectiva lógica el asunto de *El túnel,* en otros se trata de racionalizaciones elaboradas sobre anécdotas históricas— [70], hasta que retoma el hilo de la experiencia onírica en el episodio más significativo y rico de asociaciones míticas del «Informe». Es al comenzar esta exploración del subsuelo de Buenos Aires cuando Fernando evoca a Sigfrido y se nos revela un paralelo entre la historia y el mito —que ya analizamos— lo cual ilumina y define el aspecto legendario y el sentido épico de la novela. Y es también en ese punto cuando símbolos y figuras, que hasta entonces no se nos descubrían totalmente —como el anciano de la primera gran pesadilla—, se quitan los velos y aparecen grávidos de significado (lo cual a su vez, como lo señalamos más arriba, refuerza la interpretación a que se acaba de arribar). El an-

---

[69] *Ibid.,* p. 338. Nótese que Sábato pone «Anciano» con mayúscula. Ocurre que ésa es la única figura arquetipal que en las traducciones de Jung también aparece ordinariamente con mayúscula.

[70] Como el episodio relatado a p. 370, de Víctor Brauner, que hacía su autorretrato con un ojo vaciado y posteriormente perdió un ojo en un accidente. Este episodio impresionó mucho al mismo Sábato, quien lo narró a uno de los autores.

ciano de «presencia colosal», del único ojo «fulgurante de
odio», que se cierne a espaldas de Fernando, no es otro que
el paternal-numénico Wotan de un solo ojo (también el de
la relación de Jung en *Símbolos de transformación* donde
hemos hallado las correspondencias con el héroe), el Wotan
que en la apariencia de Hagen hiere a Sigfrido en su único
punto vulnerable (en Fernando-Sigfrido los ojos) [71], el Wotan
que guarda el acceso a la princesa-gruta-ánima. De acuerdo
con la concepción junguiana, el héroe del «Informe» anhela
llegar a su ánima (la gruta) encontrándose con su propio sí-
mismo (la montaña), pero al haberse negado a ver el significado de su propia sombra no logra arrancarse de las ataduras del inconsciente personal —que lo ataca en la figura de
Wotan y los enormes pájaros prehistóricos, los cuales al per-
forarle los ojos meramente celebran un rito que simboliza y
reconoce la ceguera espiritual de Fernando. Éste en su pesadilla sigue arrastrándose hacia la gruta, pero (a diferencia
de lo que ocurrirá en la última exploración onírico-alucina-
toria del «Informe») al llegar no se origina símbolo alguno
del inconsciente colectivo y el héroe sólo tiene una experiencia «personal» de inmersión en una paz de sueño.

Al ampliar nuestra búsqueda por Jung, encontramos
más adelante el arquetipo del anciano sabio vinculado a la
figura del padre —de quien provienen las decisivas prohi-
biciones tanto como el consejo—, y nos enteramos de que
Jung ha reconocido posteriormente un aspecto negativo también en este arquetipo, el cual en ese caso significa la sombra infantil [72]. Todos los elementos encajan naturalmente en
su sitio, pero, nos asalta la duda, ¿por qué Jung, del mismo
modo como lo hizo con su figura de la «terrible madre»,
no derivó y designó más directamente un «terrible padre»
con el aspecto negativo del anciano en lugar de unirlo tan-

---

71 *Symbols of Transformation*, p. 389.
72 *The Archetypes and the Collective Unconscious* (tomo 9, 1.ª parte de
The Collected Works), donde se encuentra «The Phenomenology of the Spirit
in Fairytales», p. 215. Así, pues —como se deduce también de otros pasajes y
se desprende de todo el sistema de Jung—, el orden positivo de la exposición,
sombra-ánima-anciano, no es irreversible y por tanto no excluye, de acuerdo
con ese sistema, nuestra primera identificación del arquetipo.

gencialmente con la sombra? Es claro que el arquetipo de la sombra contiene elementos del *superego* freudiano, pero entonces parecen descubrirse contenidos inconscientes no resueltos en el mismo Jung. Más adelante en su obra —en *Aion*— el arquetipo del anciano va cambiando de importancia y significado hasta que parece desdibujarse (en un principio se precisa como *cuarto* elemento en el inconsciente del varón que corresponde a la madre-ctónica en la mujer, pero luego se lo identifica en el sueño de una joven, y más adelante se explica que en ese caso corresponde al ánimus del inconsciente femenino) [73]; al mismo tiempo Jung olvida la secuencia central sombra-ánima-anciano de sus estudios anteriores sustituyéndola por otra de sombra-ánima-sí mismo [74], en que el último término —de concepción más reciente y relativamente tardía en su sistema— es una figura de Dios [75]. Sobreviene la tentación de analizarlo a Jung de acuerdo con Freud; da la impresión de que el inconsciente que llamó personal no le hubiera parecido importante o suficientemente profundo porque no llegó a aprehenderlo [76].

¿Nos estamos apartando de nuestra materia literaria? Así parece momentáneamente, pero en seguida caemos en la cuenta de que la disquisición del párrafo que antecede y el hecho de que hayamos echado de menos la designación de una figura de «terrible padre» en las obras de Jung que hemos considerado, se debe probablemente a que con anterioridad ya se nos reveló esa misma figura en el símbolo poético de Sábato. Aquí se ejemplifica una vez más el principio que enunciamos al comentar el acierto de la elección de los ciegos como objeto de la proyección del arquetipo de la sombra: lo original no resulta de lo nuevo. Los elementos junguianos no le impiden a Sábato ser profundamente original y hasta trascender de la misma sicología de Jung, porque la visión arquetípica inspirada en el siquiatra suizo, a

[73] *Aion*, pp. 22, 152, 210.
[74] *Ibid.*, p. 23 *et passim*.
[75] *Ibid.*, p. 22 *et passim*.
[76] Es la tesis de Edward Glover, con otros ejemplos, en su libro —requisitoria de indispensable lectura, particularmente a los junguianos— *Freud or Jung* (1956). Hay traducción española (Buenos Aires: Nova).

través del portentoso filtro poético, se ha hecho carne en esos neuróticos y locos argentinos —tan humanos, y tan argentinos a pesar de su extrema excepcionalidad— que tienen su propia vida y determinan la acción de *Sobre héroes y tumbas.*

Los antecedentes de todo orden, las fórmulas científicas y las ideas filosóficas, los artificios estructurales, la materia de motivos y asuntos de la literatura universal, son nuestro acervo inajenable y todos, desde Esquilo y Shakespeare y Cervantes hasta Sábato, nos beneficiamos sacando de ese acervo *la materia* a que daremos nueva forma, nueva realida en nuestra creación —así como las originales obras maestras de la escultura renacentista se hacían con los elementos y hasta con el mármol arrancados de los monumentos clásicos—. Eliot lo expresa con gran fuerza al decir que es más probable que el buen poeta robe que no que imite[77]. Northrop Frye también «nos impacta» (como se oye decir ahora):

> It is hardly possible to accept a critical view which confuses the original with the aboriginal... [esto se puede entender en más de un sentido]. Poetry can only be made out of other poems; novels out of other novels...

---

[77] Citado por Northrop Frye, *Anatomy of Criticism* (Atheneum), p. 98. «Jurídicamente» no es «robo» sino derecho de uso (la distinción de «consciente» e «inconsciente» que tanto preocupa a algunos críticos es imposible de probarse y últimamente insustancial). Y no es lo mismo usar elementos existentes que seguir modelos (moda > modelo = el «imitar» que condena Eliot) —cualquiera sea la antigüedad o modernidad del modelo—, a menos que se trate de una total recreación (como el procedimiento alegórico-metafísico de *The Man Who Was Thursday* que se encuentra después en Kafka y en Borges). El modelo y la moda (como un *intento* de escribir *nouveau roman* o «nueva novela») afectan más el proceso creativo mismo y suelen resultar en lo meramente imitativo e inauténtico, aun bajo el aspecto de lo insólito. Un novelista reciente —de extraordinarias condiciones— a quien muchos críticos erigen en epítome de lo nuevo y original (en obsequio de lo primigenio americano), es por el contrario quien muestra de modo más notable esta presencia de modelos literarios: su relato suena súbitamente como Rulfo (no un elemento que empleó Rulfo y que necesita del análisis para revelarse, sino del tono y el procedimiento de Rulfo, no lo extraído sino lo imitado) luego Rabelais, de vuelta Rulfo, luego algún otro; a lo mejor esa crítica está tomando por «primitivo» lo que es la marca de la inmadurez artística: la coexistencia de tonos o de pastas diversas en la misma obra —como esos cuadros de principiantes en los que se descubren juntos diversas maneras y recursos artísticos.

All this was much clearer before the assimilation of literature to private enterprise [«the copyright law, and the mores attached to it»] concealed so many of the facts of criticism [78].

Por algo Hemingway dijo que para un escritor, hoy en día, reconocer una fuente señalada por un crítico es como declararse culpable ante una corte marcial [79]. Sábato —*homo universalis* del siglo XX, quizá el más auténtico humanista en el sentido clásico de los novelistas contemporáneos en nuestra lengua— sabe mejor que nadie lo que estamos señalando:

> Todo se construye sobre lo anterior, y en nada humano es posible encontrar la pureza. Los dioses griegos también eran híbridos y estaban «infectados» de religiones orientales y egipcias. También Faulkner proviene de Joyce, de Huxley, de Balzac, de Dostoievski. Hay páginas de *El ruido y el furor* que parecen plagiadas del *Ulises*. Hay un fragmento de *El molino de Flos* en que una mujer se prueba un sombrero frente a un espejo: es Proust. Quiero decir, el germen de Proust. Todo lo demás es desarrollo. Desarrollo genial, casi canceroso, pero desarrollo al fin. Lo mismo pasa con *Bartleby,* que prefigura a Kafka. Para qué vamos a hablar de nosotros: Sarmiento está «infectado» de Fenimore Cooper, Shakespeare, Chateaubriand y Lamartine; pero a pesar de todo es capaz de asimilar todo ese material extranjero para darnos una gran obra americana [80].

Es el legítimo y provechoso —fecundo— derecho de uso, como el de la idea de *As I lay dying* que no impide la

---

[78] *Ibid.,* p. 97. Justamente, en la época en que se llegó al extremo del uso a mansalva de motivos y asuntos ajenos, se llegó a la vez al extremo del genio literario, quintaesencia de lo original e inconfundible. Al lado de las apropiaciones literarias de Shakespeare, las que señalamos como posibles en los autores nombrados en este trabajo son en verdad poquita cosa.

[79] Citado por Charles A. Fenton, *The Apprenticeship of Ernest Hemingway. The Early Years* (New York: Viking, 1954), p. 157. ¿Será casualidad que Freud tuviera en su biblioteca todas las obras de Carus menos *Psyche* en que éste trata del inconsciente; que el discípulo Jung haya reparado la falta de reconocimiento de su maestro en lo que toca a Carus pero a su vez no se acuerde de Bachofen que se le anticipó a designar tantas figuras telúricas y en la definición central del mito como exégesis del símbolo; que Sábato tenga en su biblioteca todas las obras de Georg Kaiser menos *Una carta a Vera (Villa Áurea,* ver nota 32 *supra)* en la que aparece el símbolo del túnel del mismo modo que en su novela —novela original por excelencia?

[80] *El escritor y sus fantasmas,* pp. 31-32.

mexicanidad y la universalidad de *La muerte de Artemio Cruz;* como la *femme perdue, femme retruovée* —eterna *femme enfant*— de *Arcane 17* que parece haber contribuido algún rasgo a los de la eterna Maga, tan americana y tan argentino-uruguaya, y los tipos de Merejkovski que han informado a los criptogramáticos cronopios, famas y esperanzas ¡tan característicamente argentino! de Cortázar...[81]. En esta cadena universal sin principio visible *reside* la historia de las letras —que la sucesión de nombres y rótulos, antiguos o nuevos, tan sólo indica.

En nuestro análisis del contenido mítico de *Sobre héroes y tumbas* ciertamente no hemos tenido la pretensión de hacer una cabal investigación de fuentes[82]. Pero asimismo, al mostrar las numerosas correspondencias con el texto y la concepción de Jung, hemos intentado comprobar una base firme para la interpretación de la obra, que no sólo no limita sino que amplía nuestra comprensión de su múltiple significado.

La extensión razonable de este artículo no permite considerar con el detenimiento que merece la totalidad del contenido mítico del «Informe sobre ciegos» —el estudio completo de lo arquetípico en la creación de Sábato requeriría la extensión de un libro—. Queden las siguientes anotacio-

---

[81] Tesis de uno de los autores de este trabajo, discutida en el Primer Congreso Internacional de la Nueva Narrativa Hispanoamericana celebrado en Stony Brook en julio de 1971 (*La caracterología y la escritura con clave en la creación de Cortázar*), que aparecerá en forma de artículo en *Cuadernos Americanos.*

[82] Algún lector quizá tema que pudiéramos tender a justificar la anticuada «crítica de fuentes» que se declaraba «satisfecha con la mera averiguación de las dependencias en cuanto al asunto» (Wolfgang Kayser, *Interpretación y análisis de la obra literaria,* Gredos, 1961, p. 74). La cuestión está resuelta para la crítica actual: una cosa es la investigación de fuentes y otra la crítica literaria, pero ésta puede beneficiarse de aquélla —y a veces, según el problema de que se trate, necesita de aquélla—. Kayser —a quien la última generación universitaria alemana ha confirmado como principal autoridad en teoría literaria (aun negando el mérito de sus ejemplos en la literatura de su lengua)— lo expone claramente: «El cuidadoso análisis del modo en que se aprovecha una fuente, total o parcialmente, la observación detenida y la interpretación de todas las modificaciones prometen, por un lado, profundos conocimientos de la obra, más aún, de la esencia poética, y, por otra parte, favorecen el conocimiento del poeta, de la corriente, de la época» (p. 75). La observación de fuentes —o la simple consideración de la literatura de Occidente (cuando no la universal)— también ayuda a desechar erróneas suposiciones de diversa índole.

nes: el episodio que empieza con la entrada a los laberintos
subterráneos de Buenos Aires —una sucesión ininterrumpida de símbolos arquetípicos que se corresponden sin esfuerzo con los descritos por Jung— es una experiencia con fases oníricas, alucinatorias y fantasiosas experta y artística-
mente desarrolladas, que paralelamente a la primera gran
pesadilla consiste en el típico descenso-ascenso del héroe en
dirección a su ánima; en este episodio el protagonista llega
por fin a la meta anhelada y asciende por el vientre de una
deidad en la que se sumerge en el inconsciente colectivo
—es decir, el conocimiento del ánima—. Pero los contenidos del arquetipo se exteriorizan nuevamente al encontrarse
Fernando por tercera vez ante la Ciega, lo cual representa
una reversión desfavorable —nótese que la experiencia síquica delirante que acompaña el acto sexual con la ciega es
una repetición aproximada de la anterior experiencia onírica o alucinatoria al penetrar en el vientre de la deidad símbolo del ánima—. En cuanto a la identidad de la misteriosa
«Ella» que reconoce el protagonista en la Ciega después del
descenso al inconsciente colectivo, no se trata de una alternativa excluyente y rígida como la que ha preocupado a la
crítica; recordar que también «para llegar hasta el centro
de ella [Alejandra, como lo intuye Martín] habría que marchar durante jornadas temibles, entre grietas tenebrosas,
por desfiladeros peligrosísimos, al borde de volcanes en
erupción, entre llamaradas y tinieblas» [83], y que Alejandra
«tenía una espantable y casi milenaria experiencia» [84] y su
alma era de proveniencia misteriosa y «parecía sin edad, parecía venir desde el fondo del tiempo» [85] —como la «Ella»
de Rider Haggard, en la que Jung vio el arquetipo del ánima— [86]. (Esa novela, tantas veces mencionada por Jung, se
publicó en forma de larga historieta ilustrada en revistas

---

[83] *Sobre héroes y tumbas,* p. 75.
[84] *Ibid.,* p. 403.
[85] *Ibid.,* p. 164.
[86] *Arquetipos e inconsciente colectivo,* p. 34 *et passim.* En otros trabajos,
y especialmente en su teoría de la literatura (ref. en nota 15, *supra*).

argentina.) En «Ella», la Ciega, Fernando reconoce en un
relámpago intuitivo al ánima que acaba de revelársele en
el símbolo numinoso —ahora transformada en su aspecto
terrible y demoníaco— un verdadero súcubo. Y «Ella» está
proyectada en el recuerdo que tiene Fernando de Ana María, y es «Ella» quien al final del «Informe» lo espera igualmente carnalizada en Alejandra.

La multiplicidad del significado de esta extraordinaria
novela no se encuentra tan sólo en el asunto, la idea, los
planos sicológico y épico, las grandes líneas estructurales,
sino en sus mismos motivos y elementos de todo orden, y
así ni siquiera un elemento como el incesto —por ejemplo—
agota su significado en su relación con los símbolos y mecanismos arquetípicos que hemos analizado en este estudio.
Otra vez las asociaciones literarias pueden iluminar nuevos
aspectos de la obra: para comprobarlo basta fijarse un tanto
en uno de los escritores elogiados por el mismo Sábato, especialmente en la novela que éste menciona en la extensa
cita que corresponde a la nota 80, *supra, El ruido y el fu-*
ror (cuya descendencia literaria, en particular la del *Ulises*
de Joyce, señala Sábato acertadamente) y se podría agregar
¡Absalom, Absalom! y alguna otra por si no bastara con la
anterior. Es claro que en estas novelas el incesto es también un símbolo de estancamiento y regresión de una sociedad, lo cual nos hace pensar en una analogía histórica entre el sur de los Estados Unidos con el fracaso de su dependencia de una rica y por mucho tiempo exitosa agricultura
y la desviación política resultante, y la última Argentina
con una parecida crisis no resuelta. Quizá eso explique el
escrúpulo que parece revelarse en la abundancia de pasajes
en que diversos personajes de la novela de Sábato se extra-
ñan de la rareza y excepcionalidad de la familia de Fernando y Alejandra en la circunstancia social de Buenos Aires
—cómo se comportan, cómo viven, dónde viven, etc.— y
que los señalen como bichos raros; eso explicaría asimismo
que casi al final de la novela, Bruno —ese otro-«yo» parcial
del autor— observe lo «inverosímil» y la «absoluta falta de

realismo» de «aquella estirpe antigua» [87] usando esos términos esencialmente literarios, con lo cual el autor mismo pudiera estarse cubriendo contra la posibilidad de que alguien,
en ese sentido limitado, pudiera achacarle una falta de «realismo». Lo cierto es que si nos fijamos más atentamente en
esas novelas de Faulkner nos encontramos con tantos temas
comunes a ambos novelistas, que aun cuando en este caso
se trata de coincidencias más generales (que las de Jung anotadas más arriba), comienza a parecernos que las situaciones
y personajes sureños de los Estados Unidos han informado
de alguna manera al mundo de los Vidal bonaerenses y porteños [88] y este enfoque comparativo se nos revela como otro
fertilísimo campo de interpretación crítica de la obra misma
de Sábato, merecedor de un estudio especial.

¿Hay que recordar aquí que esa obra ya ha sido comparada provechosamente a la de Camus, Sartre y otros? Todavía quedaría por hacerlo con la literatura de la posesión
y del «descenso al infierno»; por lo menos Kaiser y Hesse
(en quien se ampliaría la visión arquetípica) justificarían sendos estudios. El hecho es que Sábato, a la lectura de sus novelas, no se parece a nadie, y en parte esto quizá se deba a
que se trata de un infatigable lector y que, de acuerdo con
la fórmula de Balzac, leer a todos es la mejor manera de no
parecerse a ninguno. Al final comprobamos que —tal como
afirma Northrop Frye— las novelas se hacen con novelas (o
también con novelas y con mitos y leyendas), y que *Sobre
héroes y tumbas* es gran literatura y como tal está en el
medio de la mezclada corriente de la gran literatura, por la

---

[87] *Sobre héroes y tumbas,* p. 413.
[88] Como decimos, las semejanzas son sólo aproximadas o lejanas. Pero la
lista merece atención crítica. En una de las dos novelas nombradas, o en las
dos, encontramos: incesto; suicidio —suicidio de dos por el fuego, ocasionado
por una mujer, en *¡Absalom, Absalom!*—; decadencia de una familia y crisis de
un país (o región separatista); personajes degenerados, idiotas y locos; guerra
civil; estirpe fatal —los Compson en *The Sound and the Fury*— que produce
la ruina de los que se asocian con ella; la mujer-«basura» —Candace y Quentin, en la misma novela—; el hombre-«demonio» que destruye a todos los que
lo rodean —Thomas Sutpen en *¡Absalom, Absalom!*—. Hay también elementos
estructurales semejantes, especialmente en *The Sound and the Fury*. Asimismo
la creación de Sábato resulta absolutamente original con relación a la de Faulkner.

que descienden los arquetipos de tiempos inmemoriales.
Pero la razón primera y última de su fuerte originalidad reside —como ya lo dijimos— en la sustancia de vida de esos
personajes que esperan, luchan y mueren en esas páginas, esa
cálida sustancia de vida por la que nacen de nuevo en el
épico relato de su pueblo y de todos los pueblos.

«Sobre héroes y tumbas»:
Mito, realidad y superrealidad

Lilia Dapaz Strout

Una opinión es creer, despectivamente, que el mito se opone a la realidad, a la razón, a la verdad. Para M. Eliade los mitos expresan historias verdaderas, se ocupan de realidades. Es innegable que el mito está más cerca de la imaginación y de la poesía que de la razón y de la ciencia y que nace y se desarrolla en el inconsciente. Pero desde Freud éste ha sido elevado a una categoría tan poderosa como la inteligencia. Jung dice que el mito es una realidad síquica y que el mundo mítico es una realidad igual sino superior al mundo material. No nos sorprenda, pues, que para escribir una novela realista, Sábato se valga del mito como recurso.

La realidad es susceptible de variadas interpretaciones. Reflejar la realidad para Sábato significa hundirse en el misterio que esa realidad encierra. Hay una transformación mágica de la realidad por medio de referencias a elementos invisibles, a fuerzas desconocidas que vienen del exterior y del interior, que rigen las cosas y los acontecimientos. Trata de interpretar la realidad concreta mediante una búsqueda de lo que está más allá de las apariencias que nos ofrece el mundo amorfo que nos rodea. El mundo no se limita a lo percibido por los sentidos. El hombre percibe sólo una pequeña proporción del mundo con sus sentidos. Hay conocimientos extrasensoriales o transracionales que nos relacionan con el misterio de los seres y de las cosas. Realidad no es sólo la del mundo físico ni la de lo que se aprehende por la razón. Parte de ella son los sentimientos, las emociones, los sueños, las alucinaciones, lo inconsciente, lo mórbido, lo absurdo, la incoherencia, la oscuridad, el misterio, lo impenetrable, en fin, lo suprarreal. Es necesario buscar el rostro oculto, invisible de la realidad, su cara nocturna, por medio de la imaginación. Para ilustrar su tema, Sábato se vale de los sueños, la exploración del inconsciente, de la magia, del misterio y del mito. La fascinación del mito surge del misterio que lo rodea. Sábato franquea las barreras visibles de la realidad, deserta del realismo tradicional y se zambulle en la superrealidad. Comparte con los superrealistas su interés por el misterio, lo maravilloso, el azar, los sueños, las reflexiones sobre la esperanza, la importancia de la mujer y el amor, el problema del destino humano y la atracción por el mito.

Sobre héroes da la impresión de ser una novela histórica con hechos históricos y gente real. Los personajes, por turno, contribuyen a dar un panorama de la Argentina desde el tiempo de las invasiones inglesas hasta los incendios de las iglesias en 1955. Si bien hay elementos autobiográficos, hechos y personas verosímiles, una lectura atenta o repetida saca a la luz el fondo mítico que subyace con ropajes históricos. Euhemero de Mesania dice que los mitos son narraciones sobre caracteres históricos muy idealizados. A veces la historia se ha fundido con el mito como ha ocurrido con la figura de Alejandro. En Sobre héroes no es necesaria la referencia concreta a mito alguno, ya que esto puede no ocurrir, y sin embargo el mito está allí, sólo sugerido debajo de la trama. La historia no se sale de su marco humano, pues se apoya en la realidad inmediata; pero hay una serie de elementos extraños, mágicos, que crean una atmósfera que podríamos llamar mítica.

En algunas de las grandes novelas contemporáneas representativas de Hispanoamérica se puede observar la presencia de las grandes culturas aborígenes y los mitos creados por ellas. Ello no ocurre en *Sobre héroes* porque en la Argentina, país de inmigración, los mitos pertenecen al conjunto de las tradiciones de occidente. Los numerosos mitos divinos y heroicos de los griegos u otros pueblos mediterráneos no han desaparecido completamente a pesar del triunfo del cristianismo, especialmente los relacionados con los arquetipos que se dan en todos los tiempos y que los escritores usan consciente o inconscientemente. *Sobre héroes* es una novela muy rica en alusiones mitológicas. Muchos de los ecos míticos que aparecen provienen de cosmogonías tanto occidentales como orientales. Posee también símbolos, imágenes y arquetipos tomados de grandes obras literarias, de la sicología de los sueños y de los estudios sobre la religión comparada. Las innumerables lecturas del autor se relacionan con la mitología clásica, las ciencias esotéricas y ocultas, el orientalismo y las sociedades secretas de tendencias iniciáticas. Algunos de los personajes reflejan héroes o arquetipos mitológicos, aunque a veces el mito aparece invertido o usado con ironía. Fernando nos recuerda a Edipo o Prometeo, pero es una versión diferente del prototipo original. Sábato establece un diálogo constante con sus fuentes y las modifica hasta obtener el efecto deseado. El superrealismo, con su interés por el inconsciente y el sicoanálisis, ha abierto las puertas a los temas míticos y a los símbolos primordiales o arquetípicos. Con el «Informe sobre ciegos» Sábato busca penetrar profundamente a través del inconsciente del hombre, en el mundo de la suprarrealidad dominada por los arquetipos simbólicos, de manera que aunque el *descensus ad inferios* que realiza Fernando se inscribe en la tradición de los viajes imaginarios míticos emprendidos desde Homero o Virgilio, se compone de elementos tomados del siconanálisis y de las religiones orientales. Sábato se acuerda o toma de los mitos que le sirven para desarrollar su ficción. Busca en los mitos una especie de apoyo, de testimonio al cual referirse. Son numerosos los elementos de mitos que aparecen en la novela, aunque a menudo sólo fugazmente, un trazo ligero, sin descripción ni narración del mito, sin la historia. Usa mitos orientales, en especial egipcios, babilónicos, griegos, latinos, órfico-pitagóricos, platónicos, apocalípticos, mitologías sobre Dios, la creación, el diablo, el mal, leyendas medievales y otros. Hay elementos que provienen de mitos tradicionales y otros derivados de grandes obras literarias o figuras literarias (la Celestina, Nerval, Rimbaud y Lautréamont —ellos mismos como mitos—). La cantidad enorme de las fuentes no le resta originalidad. Hay, sobre todo, elementos relacionados con lo que podríamos llamar lo nocturno, *chthónico* o fúnebre, vinculado con la muerte, pero también los relativos a la vida, la fecundidad, la fertilidad y el ciclo anual de la naturaleza.

La obsesión más profunda de Sábato es la muerte. La noticia preliminar, que simula una noticia periodística, nos informa sobre la muerte de Fernando y Alejandra y da comienzo a la novela. Quiere hablarnos de la muerte y por contraste nos presenta la vida.

El título de la obra es muy significativo, así como los nombres de los personajes y los títulos de los capítulos. Con el título intenta resumir el tema central al insinuar el contenido desde un plano simbólico. «Héroes» se asocia con vida y «tumbas» con muerte, aunque también con mujer. Sugiere la inevitable asociación entre la vida y la muerte, la idea de que la vida y la muerte son términos de la misma ecuación y no términos contradictorios. El misterio de la muerte y de la vida sobrenatural se asocia íntimamente con el misterio de lo femenino.

Para hablarnos de esos misterios, crea un mito: el de los Olmos. El «árbol» familiar se remonta hacia el período de las invasiones inglesas de 1807: «Olmos es la traducción de Elmtress. Porque el abuelo estaba harto de que lo llamaran Elemetri, Elemetrio, Lemetrio y hasta capitán Demetrio»[1]. La genealogía de los Olmos se compagina a la manera de un mito sobre los orígenes. Un antepasado mítico comienza la historia. Patrick Elmtrees, personaje histórico con el nombre de Patrick Island, deviene personaje novelesco cuando se convierte en Patricio Olmos. Luego el error o *hamartía* de un miembro de la familia produce la caída y el comienzo de la decadencia.

Con la etimología así dada nos encontramos con un apellido que se asocia con Deméter. De esa manera se las arregla para enlazar la familia con la tierra (Deméter → Olmos), es decir, que si bien el apellido se relaciona con el árbol —que es un símbolo de lo masculino— la tierra en la cual esta masculinidad está enraizada y que vive en las profundidades del principio masculino, es la Tierra Madre, madre de toda vegetación. El árbol es el centro del simbolismo vegetal, establece una relación entre el cielo y la tierra, representa la vida, se apoya en la realidad pero se lanza verticalmente hacia arriba. Sugiere los movimientos y los miembros de la forma humana. La tierra significa una base sólida para la vida, así como también profundidad y sustancia. La tierra, como la mujer, es sustancia. Al llamar Olmos a la familia y derivar el apellido de Deméter, las intenciones del autor son múltiples. Por una parte, quiere asociar la familia profundamente a la tierra mediante la fusión de la diosa y el árbol. De ese modo presenta el nombre de un antepasado que reúne en sí lo masculino y lo femenino. Patrick, como Patricio, se relaciona con *pater,* padre y patria. En segundo lugar, al elegir un árbol que Virgilio había colocado en el dominio subterráneo e infernal de Plutón o Dite *(ulnus,* Vergilius, *Aeneida* 6.283) del cual colgaban los sueños falsos, justifica la decadencia e irrealismo que padecían los Olmos. Al cerrarse el ciclo de los Olmos, ciento cincuenta años más

---

[1] Ernesto Sábato, *Sobre héroes y tumbas* (Buenos Aires: Ed. Sudamericana, 1969, décima edición), p. 73. Las citas textuales pertenecen a esta edición y el número de las páginas aparecerán entre paréntesis. La primera edición de la novela es de 1961.

tarde, Fernando y Alejandra son seres subterráneos, infernales, demoníacos. Alejandra, hija ilegítima [2] de Fernando, con sus apariciones y desapariciones, tiene todas las características de Perséfone, hija de Deméter y diosa del mundo subterráneo. Perséfone se asocia con la fertilidad de la tierra pero también con el mundo de los muertos por su viaje hacia abajo o adentro de la tierra. En tercer lugar, la reminiscencia vegetal le sirve para asociar el árbol con el fuego que consumirá finalmente a la familia, si recordamos que la madera de los árboles sirve para el fuego. El árbol representa una cosa natural, un aspecto de la naturaleza que muere lo mismo que los seres humanos. Cuando padre e hija mueren en el incendio de la casa de Barracas, el mito ha completado su ciclo. La ironía que produjo la decapitación de Bonifacio Acevedo en la víspera de la entrada de Urquiza, llega a la culminación cuando Alejandra Vidal Olmos (el Vidal sugiere vida) lleva a la familia a la extinción total y se acaba para siempre, con el incesto, el patriciado que sugiere Patricio. Finalmente, el olmo puede ser un símbolo concentrado de la naturaleza toda. Ahora, si volvemos al título, la mujer se identifica con la naturaleza, que reviste una forma femenina y cumple una función maternal. La tumba que recibe al muerto se asocia con el simbolismo de lo femenino, que es al mismo tiempo vida (matriz y cuna) en su aspecto positivo, y muerte (tumba) en su aspecto negativo, destructor. En el *Libro de los muertos tibetanos,* la tumba es lo femenino devorador. De ahí la relación que los binomios vida-muerte y muerte-vida tienen con mujer. La mujer está profundamente unida a la naturaleza, a la vida, a la tierra. La tierra, como la mujer, tiene dos aspectos. Uno como fuente de vida y de la vegetación y otro como receptáculo de los muertos. La tierra es símbolo de fecundidad y de maternidad, pero también tiene su infierno dentro de ella. Junto a Deméter está Perséfone, su aspecto nocturno y fúnebre como diosa de la muerte.

---

[2] Los romanos llamaban al hijo ilegítimo *terrae filius.* Alejandra, además, es producto de un casi incesto entre Fernando y su prima carnal Georgina. El incesto de Fernando y Alejandra se insinúa al nivel inconsciente en el «Informe».

Pero la tierra se vuelve diosa de la muerte porque es la matriz universal, la fuente inagotable de toda creación. La muerte no es un fin definitivo, una aniquilación absoluta, la muerte es como una semilla que se planta en el seno de la tierra para dar nacimiento a una nueva planta. Esta idea de la muerte que da vida, un sentido optimista de la muerte, la pone Sábato en boca de Lavalle: «Lo que en mí se corrompía, tú lo estás arrancando y las aguas de este río lo llevarán lejos, pronto ayudará a una planta a crecer, quizá con el tiempo se convierta en flor, en perfume. Ya ves que no deberías entristecerte» (p. 460).

La creencia en una posibilidad de una renovación y renacimiento está implícito en la elección del 24 de junio, día de la celebración del solsticio de invierno en el hemisferio sur, como el fin de los Vidal Olmos. Al hacer coincidir esas muertes con la festividad en que el sol, fuente de vida, hijo de la tierra, empieza un nuevo recorrido, el autor expresa la esperanza de una vida nueva para la Argentina, y emplea, aunque disfrazado, el mito del nuevo comienzo, del eterno retorno, del eterno proceso de la vida y de la muerte, de la vida en la muerte y la muerte en la vida, en el cual la renovación se consigue ya por medio de la lucha, de los conflictos y la conquista interior (Martín), ya por medio de un viaje a la noche oscura del alma (Fernando), un retorno a la madre, una entrada en el seno materno. El ciclo humano completo va desde la tumba de la matriz (nacimiento) hasta la matriz de la tumba (muerte). Para hablarnos de ese ciclo, la novela presenta un héroe, Martín, que movido por el impulso vital marcha hacia la vida, y un anti-héroe, Fernando, que movido por el impulso mortal se dirige hacia la muerte. Por caminos diferentes, uno y otro, al final, buscan refugio en la naturaleza.

El mito del héroe

En las grandes novelas modernas, las dificultades por las que deben pasar los héroes están prefiguradas en las aventuras de los héroes mitológicos, que por lo general siguen este modelo: separación de la familia y del mundo, iniciación y adquisición de ciertos poderes y conocimientos, retorno a una vida mejor[3]. La serie de pruebas que Martín debe padecer se corresponden con una iniciación heroica y la novela resulta una transposición narrativa de esa iniciación. Las fuentes son tanto mitológicas como iniciáticas y sicológicas. Martín, de Marte, puede significar guerrero, combativo, valeroso. Este «héroe de nuestro tiempo» encarna el principio heroico en el hombre, la gran fuerza vital y creadora de la naturaleza que se impone a pesar de los obstáculos y la desesperación. Pero para que Martín adquiera ese simbolismo, el camino que debe recorrer es muy duro. Su iniciación va desde la ignorancia e inmadurez de la adolescencia hacia la vida espiritual del adulto.

El nombre del primer capítulo, «La princesa y el dragón», nos orienta inmediatamente hacia el mundo de los cuentos de hadas o las narraciones mitológicas de las luchas de los héroes. La batalla entre el héroe y el dragón es un tema muy extendido en la mitología y se repite en el cristianismo. El título presenta el dualismo que se da en el ser humano (el ángel y la bestia, la luz y la oscuridad, el espíritu y la materia). Martín necesita combatir con el dragón, pero esa lucha Sábato la trata con elementos de la vida diaria, en la que cada uno es un héroe en la batalla diaria de vivir. El movimiento de Martín es hacia la vida. Desde antes de su nacimiento ha luchado con la muerte. Nace a pesar de los esfuerzos de su madre de abortarlo cuando saltaba la cuerda y se golpeaba el vientre porque temía la deformación de su cuerpo o la pérdida de su libertad[4].

Al comenzar la novela, en mayo de 1953, Martín está solo, alejado de la gente, en un parque. Con una madre que se le ha negado y un padre fracasado al que odia, crece sin lazos de dependencia, sin pasado. Es más que un huérfano, es un desamparado, sin amor, con una vida estéril e ideas de

---

[3]   Joseph Campbell, *The hero with a Thousand Faces* (New York, Princeton University Press, second edition, 1968). p. 30.
[4]   Algunos héroes mitológicos desde niños eran separados de sus padres, temerosos de un hijo poderoso que los pudiera destruir.

suicidio. Está frente a la estatua de Ceres, diosa de la fertilidad y vegetación [5], cuando siente algo detrás de él. El espíritu tutelar aparece y comienza su iniciación. La sacerdotisa de esa ceremonia es Alejandra (Alejandro, «que ayuda a los hombres») Vidal (vida) Olmos (Perséfone, que se relaciona con la vida pero también con el mundo subterráneo de los muertos). El iniciado sale de un mundo monótono, común, para entrar en una región de misterio donde debe enfrentarse con fuerzas ocultas, desconocidas, invisibles. El encuentro es una especie de epifanía, una revelación luminosa de algo que estaba dentro de sí desde siempre, un encuentro con alguien poderoso y significativo. Aunque no se hablan, por primera vez la existencia de Martín toma sentido, tiene una experiencia de reconocimiento del amor. Alejandra lo rescata del mundo de los muertos y lo distrae de sus ideas de suicidio (por un tiempo). Cuando Martín la ve, siente algo inquietante, un miedo súbito, que al mismo tiempo transforma a la joven en una diosa, en un daimon. Dios momentáneo, ella se le aparece como un ser superior. Martín se da cuenta que ella tiene poderes extraordinarios, algo de «portentoso» (p. 23)[6], mágico, brujo o misterioso. Alejandra, con quien se encuentra por casualidad (azar objetivo de los superrealistas) aparece como la guía, el mistagogo, que marca el despertar de una *vita nova,* un llamado a la aventura, una etapa decisiva, un pasaje espiritual tan importante como el nacimiento o la muerte. Como en los cuentos de hadas, la casualidad («no hay casualidades, sino destino» dice Fernando en p. 413) es el comienzo de un mundo insospechado. Así se inicia una relación, movida por fuerzas que no comprende, pero que no puede evitar. La presencia de Alejandra es un signo del poder del destino, un mensaje que él capta inconscientemente. Él no será el mismo aunque no vuelva a verla más. Poco después se va de su casa y de su familia, de la que siempre estuvo alejado, y D'Arcángelo

---

[5] Lo que podría indicar que se halla bajo su protección. Alejandra representa en cierto modo a la madre cósmica. El héroe que cae bajo su protección no puede ser dañado.
[6] Perséfone es un dios Cabirio, lo que significa portentoso.

(arcángel) lo ayuda. La ruptura o separación de la familia es necesaria en las iniciaciones. Cuando más tarde Alejandra le pregunta por su madre, él le contesta que es una «madre-cloaca» [7].

Vuelve a ver a Alejandra («Parecía habérsela tragado la tierra», p. 24) en febrero de 1955. Se convierte en una Beatriz o Laura (Alejandra se llamaba Laura en los primeros manuscritos) demoníaca, no paradisíaca, en esta historia de iniciación y amor, porque el amor de Alejandra y Martín no es el amor luminoso, que da la felicidad, sino el doloroso. Martín, ser puro, víctima del amor, no lo vive como los otros adolescentes que todavía no saben explicarse qué es el amor. Lo vive con todo el patetismo y fatalismo posible. Este sufrimiento es parte de las duras pruebas por las que necesita pasar. Como un daimon, ella a veces es benéfica, a veces maléfica. Es protectora y peligrosa —tentadora— a la vez. Su comportamiento enigmático tortura a Martín. Alejandra es viril y la mujer fálica posee el aspecto terrible de lo femenino. En la mitología, la naturaleza terrible de lo femenino puede tomar dos formas: o la diosa misma se convierte en un animal terrible o su aspecto terrible se convierte en el animal que la acompaña y la domina (Alejandra: princesa-dragón) [8]. Alejandra, como Perséfone que guía las almas hacia el Hades, busca a Martín y lo guía a través del infierno de la ciudad moderna, devoradora y demoníaca donde el sol ha muerto. La aventura del héroe se convierte en un viaje hacia la oscuridad, el horror, lo desagradable. Necesita pasar por una gran tortura moral y a veces hasta física, cuando vomita [9] de asco por las palabras de un «amigo» de Alejandra. En las primeras etapas lo lleva a la carcomida y fantasmal casa de Barracas, en donde en medio de la oscuridad asciende la escalera de caracol. Entrar en la casa es inicirse, los cuatro personaje principales han estado en

---

[7] Entre los hotentotes se permite al iniciado insultar a su madre como signo de emancipación de su tutela.

[8] Erich Neumann, *The Great Mother: An Analysis of the Archetype*, trans. Ralph Manheim (New York, Pantheon, 1955), p. 183.

[9] En algunos ritos iniciatorios se da al novicio una poción nauseabunda que los hace vomitar.

ella. La escalera es el símbolo del pasaje de un modo de ser a otro. Cuando Martín sube la escalera se está enfrentando con una experiencia decisiva por la que se convertirá en otro, además, el desarrollo interior es siempre en espiral. Alejandra lo lleva a ver a su abuelo [10] que le cuenta sobre la historia argentina. Alejandra lo deja solo y el miedo que padece Martín en ese escenario de locos y espectros es como una guardia nocturna iniciática. Los pasos que siguen en los días posteriores conducirán a la terminación de la adolescencia de Martín, la muerte de la ignorancia y de la asexualidad[11].

Como todo héroe mitológico, Martín debe abandonarlo todo, y también ser abandonado. El amor doloroso con Alejandra lo lleva hacia las puertas de la desesperación, de la muerte, pues las ideas de suicidio reaparecen cuando Alejandra lo abandona. Con Alejandra reaparece en su vida la figura terrible de lo femenino destructor, el único que Martín conoció con su madre que quiso abortarlo. La tarea de Martín consiste en vencer el elemento femenino devorador que conoció tan bien por su madre negativa. Alejandra es una mujer enigmática, inescrutable. Como la Esfinge, es el resultado de un incesto. El enigma de la Esfinge, que Edipo no reconoció como aviso de peligro, era *ella misma,* la imagen de la Madre Terrible, devoradora. Martín descubre el misterio cuando la última vez que habla con Alejandra, refiriéndose a Fernando, sin saber la relación que los une le dice: «Puede que no lo quieras, pero estás enamorada de él» y más adelante, en la misma p. 224, Alejandra le dice: «¡Imbécil, imbécil! ¡Ese hombre es mi padre!» Entonces se produce la catástrofe. Alejandra, como la Esfinge, cuando se le descubre su secreto, se suicida. El dragón aposentado en su corazón es su padre y sólo la muerte podrá dominarlo. El fuego del dragón consume a ambos. La muerte de Ale-

---

[10] Entre los kurnai, en Australia, el misterio central de la iniciación se llama «Mostrar al abuelo».

[11] La iniciación de Martín a la sexualidad se estructura a la manera de un rito babilónico en honor de Ishtar, vinculada con la fertilidad y el mundo subterráneo.

jandra completa el período de pruebas por el que debe atravesar Martín. Cuando quiere suicidarse por la doble pérdida de Alejandra, otra figura femenina lo reconcilia con la vida: Hortensia Paz. La figura de Hortensia (otro elemento del mundo vegetal vincula a *hortus* y *ortus, de orior,* nacer) representa en la etapa final de la iniciación de Martín el poder benigno y protector del destino. Reconoce en la presencia de Hortensia un signo sobrenatural, de la misma manera que antes, frente a la aparición de Alejandra, comprendiera que ya no sería el mismo. Frente a Hortensia que es madre, que es vida, que representa la vida, lo elemental, lo humano, lo sencillo, lo que vive del milagro diario del amor a su hijo, Martín descubre al prójimo, al otro. Sale de sí para ir hacia el otro y en el otro halla integración y plenitud. El anillo que le da a Hortensia indica ese movimiento hacia el otro, hacia afuera y sella un pacto de continuidad de la vida, elige vivir, sobrevive al cataclismo que para él ha sido su relación con Alejandra, pero que sin embargo le ha enseñado mucho.

Martín posee dentro de sí, desde siempre, las cualidades que lo conducen al éxito de su empresa. Cuando se encuentra por primera vez con Alejandra está listo, maduro, para poner a prueba sus virtudes, su poder y someterse a un proceso de transformación espiritual. En la mitología, la mujer representa la totalidad de lo que puede conocerse. El héroe que puede aceptar a la mujer como ella es, es potencialmente el rey de su mundo, porque la mujer es la vida. Pero Martín era un puro, un incontaminado. Sólo cuando concilia esa dicotomía, esa dualidad que le hace creer que las mujeres se dividen en prostitutas (mujer como objeto carnal) o vírgenes (mujer en el pedestal), cuando experimenta los efectos del amor con una mujer como Alejandra y reconoce que otros seres también sufren, que son capaces de dar, entonces se convierte en un ser concreto, se salva para la vida y puede proyectarse hacia el futuro. Poco a poco se da cuenta que en el individuo residen simultáneamente la luz y la oscuridad, el espíritu y la materia y que el hombre no necesita elegir entre esos dos principios, sino establecer un equilibrio y síntesis entre ambos. Lo consigue por medio de la *caritas* y el descubrimiento del otro. Cuando gana finalmente la batalla, regresa de esa aventura misteriosa y está en condiciones de reencontrarse con el prójimo y enfrentar la vida. Martín, el niño feo y despreciado desde la infancia, se convierte en el poseedor de poderes extraordinarios que contribuirán a la regeneración de su sociedad: es un héroe.

La novela ritualiza el fin de una época y el nacimiento de otra en la Argentina. La destrucción del viejo mundo por medio del fuego y el nacimiento de Martín como el héroe de una nueva clase de hombres. Con la novela, Sábato realiza la transformación de una obsesión personal y la incertidumbre de la clase media argentina en un gran mito de regeneración individual y colectiva. Lo que al principio es vacilante y fragmentado, se convierte en heroico y seguro en la persona de Martín, que se redime al dramatizarse su martirización como paso necesario para un renacimiento heroico a una vida nueva. La novela, que empczó en desorden, con la noticia periodística de la muerte de Alejandra y su padre, termina en orden por la reconciliación de Martín con la vida. Cuando Martín recibe el té que Hortensia le da, alimentarse, más que tomar alimento, significa recepción, en un sentido amplio de apertura, en una actitud infantil de confianza [12].

---

[12] En el mito frigio de la Gran Madre, Salustio refiere que el iniciado recibe alimento (leche) como si renaciera. Sallustius, *De Diis et Mundo,* 4.

*El dilema del hombre moderno
en «Sobre héroes y tumbas»*

Catherine Vera

Al hablar de la misión del novelista, Ernesto Sábato ha dicho que «un novelista es un testigo; un gran novelista puede convertirse en el más importante testigo de una época» [1]. Su novela *Sobre héroes y tumbas,* publicada en 1961, es sin duda la declaración de quien escribe como testigo penetrante de la situación política y social de la Argentina moderna. Es una declaración que abarca «temas universales, temas nacionales, temas porteños» [2] juntos con el tema del individuo que se enfrenta, según Sábato, con «el enajenamiento que sobre el ser humano han producido las estructuras del mundo contemporáneo», en la ciudad de Bue-

[1] Carmelina de Castellanos. «Aproximación a la obra de Ernesto Sábato», *Cuadernos Hispanoamericanos,* XLI (marzo 1965), p. 489.

[2] Castellanos, p. 489.

nos Aires, una de las ciudades modernas que «no son otra cosa que monstruosas yuxtaposiciones de soledades» [3].

Definir *Sobre héroes y tumbas* como una declaración de un testigo, es decir, de quien ve pero ni juzga ni saca conclusiones, sería hacer una definición parcial. Esta novela no sólo describe la actualidad argentina en términos del presente y pasado, sino también ofrece una solución al dilema del hombre que se ve enfrentado a la situación descrita. La introducción de una solución a este dilema, y la cualidad positiva de ésta, denotan una intención didáctica de parte de Sábato.

No es sorprendente que en *Sobre héroes y tumbas* Sábato haya tenido un propósito edificante. En un artículo suyo de 1950, la época de su vida en que él empezaba a dar forma a su complicada novela [4], muestra creer que el escritor tiene el deber de ayudar a la sociedad. En dicho artículo dice que «no nos basta ahora con destruir: tenemos que comprender... no basta con divertirse ni aun con volverse loco; hay que acometer la tarea dura de una nueva construcción, aunque sea en medio de la desesperanza» [5]. La idea de que el novelista por medio de su obra puede servir de guía al hombre para su propia reconstrucción ha permanecido en escritos de Sábato aun posteriores a la publicación de *Sobre héroes y tumbas*. En 1968 comenta que «la gran novela no sólo hace al conocimiento del hombre sino a su salvación», y añade que la obra novelística «es una clave para el rescate del hombre triturado por la siniestra estructura de los Tiempos Modernos» [6].

---

[3] Ernesto Sábato, «Sartre contra Sartre, o la misión trascendente de la novela», *Sur*, núm. 311 (marzo-abril 1968), p. 37.

[4] César Tiempo, «41 preguntas a Ernesto Sábato, de físico a escritor», *Índice*, XXI, núm. 206 (1966), p. 17. Sábato dice que le llevó unos diez años escribir *Sobre héroes y tumbas*.

[5] Ernesto Sábato, «Trascendencia y trivialidad del surrealismo», *Número*, II, núm. 10-11 (septiembre-diciembre 1950), p. 474.

[6] Sábato, «Sartre...», p. 44.

El problema del caos

En *Sobre héroes y tumbas,* Ernesto Sábato presenta como el gran problema del hombre moderno la necesidad del individuo de acomodarse al caos que le rodea, y que le marea. Él describe este caos en términos del presente histórico-social de la Argentina, y en términos de la misma sicología de los individuos que componen esta sociedad. Para Sábato, lo social y lo sicológico son dos manifestaciones de la misma complejidad del universo, pues ha declarado que «ha perdido vigencia el antiguo dualismo de literatura sicológica y literatura social, pues la nueva novelística encara la totalidad del fenómeno sicosocial» [7].

Sábato coloca a un personaje, Martín, ante el caótico «fenómeno sicosocial» presentado en la novela. Martín ve que la realidad contiene contradicciones y dualismos que son, aparentemente, irreconciliables. Ve que la sociedad contiene individuos que aman y son buenos como Vania y D'Arcángelo, pero también ve al canalla Molinari, que le es tan repugnante que le hace vomitar [8]. Ve en Alejandra el dualismo del dragón y la princesa, y después de su primer encuentro con el mundo de contradicciones que representa la familia de Alejandra, la cabeza de Martín «era un caos» (página 99). Martín siente en su propia vida un dualismo irreconciliable de odio hacia todo lo que él asocia con su madre, su «madre-cloaca», y de atracción hacia el frío limpio y solitario de la Patagonia.

Martín, hasta las últimas páginas de la novela, no consigue acomodarse ante la inquietante realidad que le rodea, y los dualismos que están encerrados en su propia vida. Durante el curso de acontecimientos que Sábato presenta en *Sobre héroes y tumbas,* Martín consigue ver cómo otros personajes intentan adaptarse al caos por medio de cami-

---

[7] Ernesto Sábato, «Realidad y realismo de nuestro tiempo», *Cuadernos Hispanoamericanos,* LX (octubre 1964), p. 19.

[8] Ernesto Sábato, *Sobre héroes y tumbas* (Buenos Aires: Ed. Sudamericana, 1968), p. 151. Referencias futuras a este libro se indicarán entre paréntesis en el texto.

nos distintos que son, a su vez, inadecuados. Él ve a Alejandra, que sigue el camino del suicidio; a Fernando, que sigue el de la locura; y a Bruno, que sigue el de la razón. Todos estos caminos, excepto el que finalmente escoge Martín, están condenados por Sábato en sus escritos teóricos, y están presentados en la novela como caminos inadecuados. Martín se siente atraído por cada uno de ellos, pero no encuentra en ninguno una solución satisfactoria.

La locura

Fernando vivía en un mundo de contradicción. Él hacía atrocidades, cegando animales (p. 424), y humillaba a su amigo Bruno (p. 440), pero a la vez sufría horriblemente (página 441). La locura de Fernando, aunque no porezca evasión por lo desagradable que resulta, es una manera de evadir las contradicciones o el caos de su vida por medio de la simplificación. En su locura, Fernando simplemente reducía el universo a una serie de leyes exactas. Él veía un mundo dominado por las fuerzas de una secreta secta que obraba con lógica. Para entender este mundo, sólo hacía falta seguir las reglas de ESPERAR y OBSERVAR (p. 279), porque en este mundo de locura, «no hay casualidades» (página 371).

Martín, cuando se enfrenta con el loco Bebe (igual que Bruno al abrir la puerta y verse cara a cara con Escolástica), se asusta ante la locura (p. 96). Martín no hace como Fernando, que al abrir la puerta y ver a la Ciega, entra en vez de huir (p. 335). Martín, sin embargo, aunque la presencia de la locura le asusta, intenta refugiarse en un mundo simplificado que es muy parecido a los mundos de Fernando, de Bebe (que toca y retoca la misma melodía) y de Escolástica (que vive y revive el pasado). Martín, cuando sus relaciones con Alejandra entran en crisis, quisiera vivir en un mundo simplificado al querer revivir el pasado, «aquella paz al lado de la ventana», aquella paz que servía de «pequeño pero poderoso refugio» (p. 220). Martín sabe que se van a terminar sus relaciones con Alejandra, y al volver con ella al sitio de uno de sus primeros encuentros, los hechos del presente que se parecen a los del pasado «constituían para él motivo de felicidad» (p. 213).

Al final de la novela, después de la muerte de Alejandra, Martín otra vez intenta encerrarse en un mundo simplificado del pasado, pero entiende que es imposible. Lo feo del pasado, representado por la revelación de Bordenave (p. 478) y lo remoto que le parece toda su relación con Alejandra (p. 483) hacen la vuelta a un pasado bello y simple imposible, y convierte la foto de Alejandra en «símbolo de la imposibilidad» (p. 483). Ante la imposibilidad de refugiarse en el pasado, él ve tres caminos abiertos: la razón, el suicidio o una fe en Dios, la cual daría sentido a su vida.

El suicidio

El pensar en la posibilidad de suicidio como solución del caos no es nuevo para Martín. Ya pensó en ello anteriormente, y creyendo que Alejandra siente como él le lleva a pensar que aquel «algo profundo que los asemejaba» quizá sea deseos de suicidio (p. 27). También es Martín quien sugiere el suicidio cuando Alejandra dice que no quiere volver a verlo más (pp. 222-223). Cuando al final, después de la muerte de Alejandra, él vuelve a pensar en suicidarse, decide hacerlo únicamente si no encuentra una «razón de ser» para el universo, y así fija un plazo de tiempo para que Dios se presente ante él para mostrar que «el universo tenía alguna razón de ser» y que «la vida humana tenía algún sentido» (p. 485). Como en respuesta a su petición, recibe ayuda cariñosa de Hortensia Paz, y esta bondad le hace cambiar de camino (p. 492).

La razón

A través de todo el libro se ve que Martín es incapaz de encontrar una solución satisfactoria con el uso de la razón, ni con la razón poner orden en su vida ni en lo que le rodea. Es su deseo de saber más de Alejandra que le lleva a hablar con Bordenave, pero ante este hombre, le abandona la facultad de razonar, y para Martín «todo se volvía un caos» (p. 477). El querer saber más de Alejandra le lleva a las ruinas de la casa quemada, pero es incapaz de razonar: «¿Qué buscaba, para qué quería entrar? No habría podido responder» (p. 472). La ansiedad de saber más de Alejandra también le lleva a frecuentes visitas a Bruno, aun después de su viaje al sur (p. 404).

Bruno tampoco consigue solucionar nada con el pensamiento: «me sentía solo o desajustado con el mundo en que me había tocado nacer. Y pienso si no será siempre así, que el arte de nuestro tiempo, ese arte tenso y desgarrado, nazca invariablemente de nuestro desajuste, de nuestra ansiedad y nuestro descontento» (p. 468). Bruno reflexiona que los animales, puesto que no tienen cultura, no tienen la angustia del ser humano que es «ese ser dual y desgraciado que se mueve y vive entre la tierra de los animales y el cielo de sus dioses» (p. 469). Este mismo uso de la razón, que analiza la situación, pero que no da consuelo ni razón de ser al hombre, también lo tiene Martín al pensar en lo feliz que sería vivir la vida de un perro (p. 484).

La esperanza, y el animal metafísico

El camino que toma Martín al final está presentado como un bien positivo dentro del contexto de la novela. Desde el principio, lo bueno para Martín se asocia con el sur: *Irse lejos, al sur frío y nítido* (p. 35). Los acontecimientos que le llevan a su decisión de ir al sur son positivos. Ante la idea del suicidio y su mente caótica, se le presenta Hortensia Paz, como en respuesta a su oración. Ella es buena y cree que la vida es buena, y goza de ella con el amor que siente hacia su hijo (p. 491). Su nombre, Hortensia, tiene una relación simbólica con la esperanza porque es nombre de flor, y se relaciona con las reflexiones del alma de Lavalle que dice: «Lo que en mí se corrompía, tú lo estás arrancando y las aguas de este río lo llevarán lejos, pronto ayudará a una planta a crecer, quizá con el tiempo se convierta en flor, en perfume» (p. 499). Su apellido también es simbólico, porque Martín, una vez emprendido el camino, «sintió que una paz purísima entraba por primera vez en su alma atormentada» (p. 505).

Martín en su viaje al sur con el camionero Bucich ha dejado atrás tanto el suicidio como la locura. En sus escritos teóricos, Sábato muestra que él aprueba esta acción, al decir que «no basta ahora con destruir... no basta con divertirse ni aun con volverse loco» [9]. Para él estas dos alternativas son negativas, y él cree que «hay que acometer la tarea dura de una nueva construcción» [10]. También Sábato muestra creer en sus escritos teóricos que la razón no es una solución para el hombre moderno. Él ha dicho que «la lógica vale para los entes estáticos a los que se puede aplicar el principio de identidad; no para la vida... un ser humano es algo infinitamente más complejo para obedecer a normas lógicas» [11]. También ha dicho que la lógica no vale para encontrar la «verdad humana» porque «para el hombre de carne y hueso, a menudo dos más dos es igual a cinco. Y esta verdad es mucho más importante que la otra» [12], es decir, la verdad científica. La razón no entra en la relación que tiene Martín con Bucich. Martín escucha la conversación poco inteligente de Bucich, sin esforzarse a analizar ni a discutir con él. Bucich habla con mucha ignorancia acerca de la radioactividad y Martín pregunta cómo él sabe todo esto. Explica que su cuñado «es alemán y basta» (página 502). Martín ni intenta razonar con esta lógica.

Martín disfruta de paz cuando está con Bucich en el camino hacia el sur. El dualismo entre lo físico y lo espiritual que tanto mareaba a Martín, el dualismo presente en Alejandra, en todo lo que le rodeaba a Martín, y en

---

[9] Sábato, «Trascendencia...», p. 474.
[10] Sábato, «Trascendencia...», p. 474.
[11] Sábato, «Realidad...», p. 16.
[12] Tiempo, p. 15.

Martín mismo como el contraste entre «aire caliente y turbio, baño caliente, cuerpo caliente» y «un mundo limpio frío cristalino» (p. 36) por fin ha dejado de ser un dualismo irreconciliable para Martín. La unión de lo físico y lo espiritual es expresado así en el último capítulo del libro cuando Bucich «se alejó unos pasos para orinar. Martín creyó que era su deber hacerlo cerca de su amigo. El cielo era transparente y duro como un diamante negro. A la luz de las estrellas, la llanura se extendía hacia la inmensidad desconocida. El olor cálido y acre de la orina se mezclaba a los olores del campo» (p. 504). En estos momentos, Martín «sintió que una paz purísima entraba por primera vez en su alma atormentada» (p. 505).

Sábato en otra parte alude al dualismo físico-espiritual como condición básica en el ser humano que «no es él sólo cuerpo, ya que por él apenas pertenecemos al reino de la zoología; ni tampoco es él sólo espíritu» [13]. También habla Sábato de «la perpetua lucha entre la carnalidad y la pureza, entre lo nocturno y lo luminoso» [14]. El personaje Martín, por no escoger el suicidio, la locura, ni la actitud científica-filosófica, ha podido encontrar paz en el caos de dualismos porque ha sabido enfrentarse con su «duro, trágico pero noble destino de animal metafísico» [15], y el libro termina con una nota de esperanza, la palabra «mañana».

[13] Sábato, «Sartre...», p. 44.
[14] Sábato, «Sartre...», p. 45.
[15] Sábato, «Sartre...», p. 44.

«Sobre héroes y tumbas»

Baica Dávalos

Dos advertencias previas. Primera: pretender decir algo más del libro de Sábato, después de haberse ocupado de él a raíz de las ediciones italiana, francesa y alemana, personalidades como Maurice Nadeau, Salvatore Quasimodo, Guido Piovene, G. W. Lorenz, sería desmedido si no se tratara de rendir fraternal homenaje al genio creador de un hombre con quien se han compartido inolvidables horas de locura y alegría. Pues Ernesto Sábato no sólo es un escritor de talla colosal. También es y de modo no menos remarcable un endemoniado niño travieso que se divierte en colocar bombas de mal olor en los asientos de los profesores. Y aunque terriblemente solitario y aislado, no es ajeno a la franca hilaridad que despierta en sus camaradas de clase. Por eso está tan hondamente compenetrado del carácter de la obra de un Witold Gombrowicz que siente toda madurez como un desafío y a quien le hace el prólogo de su *Ferdydurke*. Segunda: No se trata aquí de decir simplemente algo más, se trata de rendir modesta obediencia a esa mala costumbre que tanto se ha difundido con las revistas literarias entrometiéndose de tercero en una actividad que por fuerza debe constar sólo de dos términos, el del autor y el lector.

En ese prólogo a Gombrowicz, Sábato lanza una teoría digna de su originalidad de pensamiento: la de que existen culturas marginales, que quedaron en la periferia del mundo que fue conmovido por las transformaciones renacentistas. De que esos mundos *bárbaros,* entre los que se hallan el ruso y el escandinavo, el polaco y el español, nos son más accesibles a los *bárbaros* latinoamericanos, porque están emparentados con nuestras formas irracionales o arracionales de aprehender la realidad. Así se explicaría que Kierkegaard fuera tan bien asimilado por Unamuno, o que un filósofo argentino preceda a Sartre en sus planteamientos existencialistas; así que «una novela como *Ana Karenina,* con sus criadores de toros de raza y sus gobernantas francesas» o «las *Memorias desde el Subterráneo,* puedan ser mejor interpretadas en Argentina», según lo dice en el Prólogo a *Ferdydurke.*

Fruto de ese pensamiento arracional —si se puede permitir una contradicción tan patente— es esta novela en donde tal vez el único personaje *europeizante* sea Bruno Bassán, un contemplativo, convertido en un paralítico del espíritu a causa de su indagación racional de la existencia. Su opuesto es Alejandra, que vive de la percepción de sus sentidos, en una especie de sabiduría corporal muy cara a las ideas de un Lawrence, a quien curiosamente en ningún caso se ha tratado de comparar a Sábato. Quizás, aunque exista una relación muy directa, no se lo ha tomado en cuenta por no ser el escritor inglés un hombre de un solo libro, como lo son Lautremont, o Lowry, quienes más frecuentemente fueron citados por la crítica europea. Y es que en Sábato como en Lawrence, si bien por distintos caminos, se ha llegado a esa negación de las corrientes racionalistas de nuestra civilización mecanicista. Por distintos caminos porque, mien-

tras en el inglés las convicciones han crecido con él por medio de un don innato, en Sábato ha debido producirse una
suerte de rito iniciático extremamente doloroso. Su experiencia como hombre de ciencia que a los treinta años trabaja
con los Joliot-Curie y es considerado aún por los científicos
que fueron sus compañeros en Francia o Estados Unidos,
como un renegado, marca un destino singular. No en vano
es de cabezas degolladas que tratan dos importantes temas
del libro. Una de ellas es la de un exilado de la época de
Rosas que paga con ella su desafío a la terrible Gestapo de
esa época turbia, La Mazorca; la otra, es la del General
Juan Galo de Lavalle, el héroe a quien llevan al degüello las
tramas tejidas por los *doctores* que le hacen fusilar a Manuel Dorrego. Con su cabeza paga Lavalle haber desobe-
decido a las instigaciones de esas otras cabezas que se es-
conden detrás de bastidores en la tragedia de una guerra
civil sangrienta y absurda. Encerrado entre estos dos cabezas degolladas, una que viene del exilio y otra que huye
al exilio para no ser presa de los federales de Oribe, el libro
es, como Sábato lo reconoce en una nota preliminar, una
ficción «mediante (la cual) el autor intenta liberarse de
una obsesión que no resulta clara ni para él mismo». Confesión trágica de la presión a que se ve sometido el creador
por su creatura. Dividida en cuatro partes, la novela consta
de: I) «El Dragón y la Princesa»; II) «Los rostros invisibles»; III) «Informe sobre ciegos»; IV «Un Dios desconocido». En una quinta edición en la Colección Piragua de
la Editorial Sudamericana, el libro trae un «Apéndice» donde Sábato explica de qué modo fue cambiando sus personajes y la forma de la obra, a medida que se internaba en ella.

En alguna parte Sábato declaró que se veía «forzado a
narrar como si estuviera en una especie de galería de espejos». Ésta es quizás la mayor innovación formal a que acude
el novelista. Es lógico. Un suicida no se detiene a pensar si
el calibre 44 es más mortal que el 32. Simplemente se mata
porque está obsesionado con la idea de matarse. Lo hace
con una corbata o un par de medias atadas, pero lo hace.
Mas tal vez de modo oscuro, en esa final elección, tal como

el novelista, el suicida da el sentido total a su vida, ese absoluto que perseguía al garrapatear las primeras cuartillas o cavilar sobre el valor de sobrevivir. Ahogado por el vacío que se hace frente al conjunto de su creación que percibe ilimitada, un novelista de la vitalidad de Sábato no puede detenerse a comparar la acción del atributo sobre el sujeto o la redondez de una frase. Las frases más brillantes de *Sobre héroes y tumbas* son también las más abruptas y si la belleza se da, es por añadidura, por un compuesto agregado en que primero que todo estaba el vigor de una pasión absurda, llevada hasta la tirantez más insoportable. Así escribe Sábato ese «Informe sobre ciegos». De una simple indagación en ese mundo, viscoso y frío cuya presencia le asquea, surge un caos en el que el lector va adentrándose junto con el narrador como si descendiera a un infierno, pero no guiado por un espíritu puro que contempla a distancia ese vórtice, sino aferrado frenéticamente por la mano temblorosa de uno de los que allí sufre y quiere mostrarle cómo es ese sufrimiento.

En otros capítulos el autor llega a permitirse hasta el humor corriente y las apelaciones a nombres bien conocidos en la realidad argentina. Es su terreno de descanso. Atormentado por la visión del túnel sicológico en que se debaten a ciegas sus personajes, la chanza o la broma se pintan en sus párrafos, no *a pesar* de los otros temas turbios que resuenan aún en medio de esos otros capítulos de reposo, sino *precisamente* porque el único que sabe reír de un modo metafísico es el que acaba de experimentar la inicua gratuidad de la catástrofe.

Con Vallejo —a quien se le puede comparar a causa de su honda compasión humana— Sábato «quiere escribir pero le sale espuma, quiere decir muchísimo y se atolla». Un rato es él quien habla, otro rato, en esa galería de espejos surge la voz de Alejandra, la de Bruno, la de Martín, Fernando. De este último tiene en un párrafo la completa seguridad de que es un canalla y pocas líneas más adelante defiende su ascetismo o su capacidad de sufrimiento para en el «Apéndice» observar: «Desdoblamiento: lujuria y ascetismo... Obsesión de la muerte y del absoluto.» Lo mismo le ocurre con Alejandra, a quien Nadeau ve como una bruja y a otros impresiona como la víctima de poderes ocultos que trabajan sobre su espíritu, más una médium que una bruja si es que se debe recurrir a los términos espiritistas para designarla, cuando lo que más se revela en su personalidad es una sensualidad brutal del cuerpo, combatida por ese mismo ascetismo que hay en el carácter de su padre, bárbaros ambos, hechos con la pasta de Dimitri Karamazoff, de Fedor Paulovitch, de Aliosha y Vania.

Con estas gentes de carne y hueso unamuniano y dostoievskiano, a través de episodios nacionales tales como la quema de las iglesias por las muchedumbres peronistas o ese trozo de vibrante evocación de la gesta del general Lavalle retirándose al norte, *Sobre héroes y tumbas* ofrece una imagen de Argentina que no se detiene en Buenos Aires a pesar de que gran parte de la acción esté centrada en la capital. Ese final en que el joven Martín, después de la muerte de Alejandra, va a buscarse a sí mismo en el sur, entreverado al despiadado relato de la retirada de la Legión, parecen afirmar que si el pasado del país estaba en el norte y sigue estándolo, el futuro se encamina hacia las grandes praderas del sur.

Pero considérese la segunda advertencia previa de esta nota para juzgar hasta qué punto es posible, describir a alguien cómo es el libro de Sábato. Así como Martín sólo tiene palabras balbucientes para revivir ante Bruno la imagen de Alejandra, este libro necesita de una segunda o tercera lectura con el espacio de mucho tiempo de por medio, para entregarnos toda su monstruosa belleza. Le ha sucedido a quien esto escribe: Tras la primera lectura voraz de una edición de 1964, publicó una nota en la Revista Nacional de Cultura. A tres años de esa nota, luego de una segunda lectura, el material que encuentra entre sus manos se le hace inaprehensible. Así le resulta que después de esta lectura sólo pueda decirlo todo con un vocablo: bárbaro. Y se hubiera ahorrado escribir tanta palabra vana.

Así —«para terminar»—, como suelen decir a mitad
de su perorata esos ofertores de homenajes en discursos que
suelen comenzar: «No soy el más indicado para ofrecer este
homenaje», frase que no les impide sentirse los más in-
dicados, bueno será dar una sucinta topografía de la novela.

En «El dragón y la princesa», Martín Castillo, de die-
cisiete años, recuerda el día que conoció a Alejandra. Un
tiempo después se lo está contando a Bruno, quien ha estado en una época enamorado de Alejandra, solo que por error
pues su verdadero amor debió ser la madre de Alejandra,
Georgina. Entonces comienza un terrible enigma que se
irá acumulando posteriormente. Después lo sabremos. No
es Martín quien ama a Alejandra. Es Bruno quien ama a
Georgina, la madre de ésta, quien a su vez en las perplejidades de Martín descubre su amor por Fernando. Estos
son los cinco personajes de la novela. De ellos, Georgina
es la que menos cuenta y fuera del cuarteto quedará Fernando, el canalla que, como Bruno, reflexiona «no ha amado a nadie en su vida». Él escribirá el «Informe sobre
ciegos», marcado por una locura que desde niño le hace
quitar los ojos a los pájaros. Pero antes de este capítulo
conoceremos a la familia de los Olmos que viven en Barracas, un lugar donde las fábricas han desplazado a las quin-
tas de un remoto pasado de terratenientes. En el segundo
capítulo «Los rostros invisibles», se muestra a Buenos Aires tal cual es, donde no falta un Borges ironizado por un
padre jesuita literato y rebelde. En El túnel, libro que en
cierto modo constituye el Esteban el héroe, de Sábato, un
paso hacia la concreción de su novela mayor, Allende, el
marido de María, la protagonista, a quien el pintor Juan
Pablo Castel asesina, es un ciego. Aquí Fernando Vidal
vive obsesionado con la idea de desenmascarar a la secta
de los Ciegos, una especie de hermandad internacional de-
dicada al Mal. Para hacerlo cae en un túnel de pesadilla, del
que surge para declarar que la secta espera su muerte. Éste
es el «Informe». Luego vendrá, un 24 de junio, el desenlace de un enigma que no por eso se hará más claro. En una
fecha sagrada, de un modo sagrado, por el fuego que todo

lo purifica, desaparecen los Olmos. Alejandra se ha encerrado en la casa de Barracas, ha matado a su padre a quien amaba, se ha prendido fuego. Sobrevivirá Martín que será por un tiempo un muerto civil vagando a la ventura por la ciudad, hasta el día en que decide que si Dios no se le presenta en su habitación de hotel, se matará. Dios no llega. Aparece una mujer del pueblo que ha recogido al suicida y lo cuida hasta que se restablece. Cuando lo hace, encontrará una nueva esperanza. Quizás viviendo mucho llegue un día a saber quién era Alejandra, qué cosa lo unía a ella. Una y otra vez regresará del sur a reiniciar una conversación absurda con Bruno, el testigo sempiterno. Ese será su porvenir. No será ni peor ni mejor que el del último héroe del libro, el general Juan Galo de Lavalle, «Cid de ojos azules», cuyo cadáver putrefacto debe trozar su ayudante militar, para llevar a Bolivia la cabeza y el corazón. Con este acto termina el libro, cuando Martín, recobrado de la impresión que le causara el suicidio de Alejandra, decide irse a buscar fortuna al sur con su amigo Bucich, camionero.

Sobre Ernesto Sábato

Jorge Campos

Para conocer a Ernesto Sábato contamos con dos novelas. Una, *El túnel,* publicada en 1948, y que ha visto ya varias ediciones, y otra, más reciente, *Sobre héroes y tumbas* [1], que es quien nos hace volver la vista sobre la primera, confirmando los perfiles del escritor y de su obra.

El túnel ya hace tiempo que logró una consideración internacional. La edición norteamericana, de Knopf, y la francesa de Gallimard, llamaron fuera de su país la atención sobre un autor que se decía había sido apadrinado por Albert Camus para la versión francesa, y del que Graham Greene escribió: «He sentido una gran admiración hacia

[1] *El túnel.* Buenos Aires. *Sur,* 1948; 2.ª edición. Emecé. Novelistas Argentinos Contemporáneos, 1951. *Sobre héroes y tumbas.* Buenos Aires. Compañía General Fabril Editora. Colección Anaquel, 1961.

El túnel. No puedo decir que lo haya leído con placer, pero sí completamente absorbido por sus páginas.»

Esto bastó para que se estableciera la doble consecuencia de que el libro era de altura y resonancia internacionales y para que se le catalogara en eso que, un poco vaga y confusamente, se llamaba existencialismo, extendiendo un concepto más preciso, antes de entrar en un examen más detallado. De hecho, como en un radar literario, se recogía el reflejo de la preocupación europea del momento. En un pasaje de la novela cruzaba por la escena la obra de Sartre en manos de una mujer, como representación física de un hecho espiritual.

Persistencia de «El túnel»

En primer lugar hay que considerar *Sobre héroes y tumbas* como una continuación de *El túnel*. No continuación en el sentido de una acción que sigue a otra, sino de algo que en los trece años que han pasado entre la creación de una y otra obra ha insistido en la meditación y exploración de «ese oscuro laberinto que conduce al secreto central de nuestra vida». Si en el primero de sus relatos daba suelta a pensamientos recónditos, no muy claros para él mismo, que no sabía si se daban a conocer en su verdadera imagen, en este segundo, más voluminoso, más ramificado, más extravertido, nacido como natural consecuencia de alguna cosa existente con anterioridad. Sábato, en una especie de advertencia previa, nos dice cómo sigue cumpliendo la misma irrefrenable tarea, ya que «cierto tipo de ficciones son las únicas que puedo escribir».

Hasta el extremo de que Sábato hace el juego —o la necesaria memoria— de que el tema y argumento de *El túnel* aparecen, como si de un hecho real se tratara, en las páginas centrales y más profundas y desconcertantes de su nuevo libro: es una interpretación del suceso fondo de aquella novela desde la desvariada mente de un hombre que ve el universo humano en los invisibles tentáculos de

una secta. Es como si nos quisiera decir que la primera de
sus ficciones ha podido ser considerada como clave, o al
menos prueba y ejemplo, de la existencia de esa fantástica
asociación de ciegos. Y como no tardamos en advertir lo
que de interpretación de nuestro mundo actual tiene el
largo manuscrito atribuido a un enloquecido ciego, deduci-
mos que en menores dimensiones ya allí teníamos esa visión
angustiada y difusa de nuestra actual existencia colectiva y
síquica. Y la idea de encerrar en un túnel esa configuración
de lo que nos envuelve se repite en las páginas finales del
manuscrito; un túnel de paredes pegajosas, inmundo, ago-
biador, oprimente, como el de esos sueños que reviven experiencias prenatales. Mientras, no lo olvidemos, arriba está
la ciudad, Buenos Aires, material para sucesos periodísticos,
crímenes, amores, incendios.

Borges

¿Por qué cuando leemos a Sábato pensamos en Borges?
Nada más alejado, casi a distancia polar, de la precisión expresiva y la exposición austera en elementos de los relatos
de Borges, que esta narración larga, a trechos aparentemente difusa, trazando estados sicológicos con pinceladas ne-
blinosas. Sin embargo, se podía investigar algo de común.
En los dos existe el laberinto. De distinta traza y material,
pero laberinto.

Por eso resulta graciosamente sorprendente que en un
momento en que los dos protagonistas —Bruno y Martín—
van caminando por la calle, «Bruno le señaló a un hombre
que caminaba delante de ellos, ayudado con un bastón.

—Borges.

Cuando estuvieron cerca, Bruno lo saludó. Martín se
encontró con una mano pequeña, casi sin huesos ni energía.
Su cara parecía haber sido dibujada y luego borrada a medias
con una goma. Tartamudeaba...».

«Levantaba las cejas, lo observaba con unos ojos celestes y acuosos, con una cordialidad abstracta y sin destinatario preciso, ausente.

Bruno le preguntó qué estaba escribiendo.

—Bueno, caramba... —tartamudeó, sonriendo con un aire entre culpable y malicioso, con ese aire que suelen tomar los paisanos (lector español, lee 'campesino') argentinos, irónicamente modesto, mezcla de secreta arrogancia y de aparente apocamiento, cada vez que se les pondera un juego o su habilidad para trenzar tientos—. Caramba..., y bueno..., tratando de escribir alguna página que sea algo más que un borrador, ¿eh, eh?...»

A la estampa siguen comentarios, esos comentarios que se producen después de la marcha del amigo común, o del conocido encontrado en la calle. Los comentarios plantean problemas esenciales de la literatura y la cultura argentinas; alguno de ellos ha motivado reflexiones del propio Borges: qué es lo argentino, qué debe ser lo argentino en la literatura del país.

La conversación —no podemos dedicarle aquí cuanto espacio merece— vale por un coloquio sobre las letras americanas, generalizando a partir de la argentina.

Bruno no cree que para ser argentina una obra haya de tratar de gauchos necesariamente. Sustituye el argumento de que en el *Corán* no hay camellos, grato a Borges, con el paralelo de que en Shakespeare, «el escritor más representativo de la Inglaterra isabelina», muchas de sus obras ni siquiera se desarrollan en Inglaterra.

Esa literatura fantástica de Borges, ese europeísmo —que podríamos apoyar en las revistas de vanguardia, en *Sur*...— es «nacional» (léase argentina). «Hasta su europeísmo es nacional. Un europeo no es europeísta: es europeo, sencillamente.»

Bruno —¿Sábato?— no quiere dejar sin decir de Borges que «su prosa es la más notable que hoy se escribe en castellano», acibarando el cálido elogio con otro convencimiento: «Pero es demasiado bizantino y preciosista para ser un gran escritor. ¿Lo imagina usted a Tolstoi tratando de deslumbrar con un adverbio cuando está en juego la vida o la muerte de uno de sus personajes?» Concepto duro, meditable, que se comprende perfectamente, y vuelve a ser paliado: «Pero no todo es bizantino en él, no vaya a creer. Hay algo muy argentino en sus mejores cosas: cierta nostalgia, cierta tristeza metafísica...»

Pero dejemos a Borges, a ese Borges tan discutido hoy, no sólo por razones literarias, a quien un tercer personaje —Sábato no quiere que sea Bruno— acusa de conferenciante para señoras de la oligarquía.

Lo anterior

Sábato ha leído a Faulkner. («También Faulkner leyó a Joyce y a Huxley, a Dostoievski y a Proust», podía contestar él, como contesta su personaje Bruno, cuando hace comentarios en torno a Borges.) Ese Bruno en algún momento podía ser el propio Sábato: «Todo se construye sobre lo anterior.» «Hay un fragmento de *El molino de Floss* en que una mujer se prueba un sombrero frente a un espejo: es Proust. Todo lo demás es desarrollo.» O, «lo mismo pasa con un cuento de Melville, creo que se llama *Bertleby* o *Bartleby* o algo por el estilo. Cuando lo leí me impresionó cierta atmósfera kafkiana».

Estas frases eximen de explicar que en Sábato, en esta segunda novela de Sábato, encontramos a Faulkner, pero lejos, en un fondo, como podía encontrarse a George Elliot en la saga de Proust.

Una ráfaga de aire faulkneriano, del aire cerrado, mefítico, al tiempo que con el romántico aroma desprendido de una flor seca, de *Una rosa para Emilia,* hay en la breve estampa de la mujer enloquecida, sin salir de su cuarto, mirando fijamente la momificada cabeza de su padre.

Pero es más faulkneriano ese volver a sonar dentro de nuestros oídos el eco de la galopada en busca de la salvación al otro lado de la frontera, ya en espera de la única y dudosa victoria de salvar los mondos huesos del general. De todos los personajes creados por Faulkner, de toda su construcción de un supuesto pedazo de Norteamérica, resalta y no se olvida, aquel hombre que regresa, pobre, acompañado de un grupo de negros desnudos, para reanimar su hacienda. *¡Absalón, Absalón!*, hace surgir cada pocas páginas la repetición del relato de aquella menuda y mísera, al tiempo que grandiosa, epopeya. De igual modo aquí, en varias ocasiones, nos hace saltar de la desorientada y confusa actuación de los seres de hoy a la tenaz —y clara en su objeto— gesta de los jinetes, escasos en número, con el admirado jefe convertido en un manojo de mal descarnados huesos, pero que todavía se sienten la «legión de Lavalle».

La diferencia es clara. Para Faulkner es más bien un recurso, un reiterado recurso orquestal que mantiene la tónica y explica en gran parte la vida del país y la acción posterior de los personajes. En Sábato hay un elemento nuevo: eso que llamamos Historia. Existió Lavalle y existió la legión y la realidad de unitarios y federales, y el hecho de que la actual Argentina si es como es se debe a un resultado de acontecimientos históricos que hoy no podemos borrar.

También ha leído a Joyce, y a Kafka. Y, por supuesto, a Dostoievski, y a muchos más. Cosa que debe darse por supuesto en cualquier novelista ávido de conocer lo que le rodea y el modo en que los grandes de la novela han visto ese contorno de lo humano. Por eso ofrece un curioso ejercicio al comparar las semejanzas, que en algún recoveco ofrece esta novela con otra de las que ya hemos hablado: *La región más transparente,* de Carlos Fuentes —captación de una sociedad, con su *argot,* utilización de técnicas, sentido del peso de la historia—, escrita al mismo tiempo que la suya.

Sentido de la historia

La «ubicación», como dirían en la América hispana, no debe desorientarnos. Aun tratándose de una situación muy actual, y de unas gentes y unas mentalidades muy de su momento, todo el pasado de Argentina, el pasado que la ha hecho, con sus tragedias, quiere estar presente. La nación salió de la independencia y de las guerras civiles, del cruel y bárbaro gobierno de Rosas, de la derrota de éste por Urquiza. Cada hombre, cada familia de hoy, es una cadena de olvidados eslabones. Aquí no se olvidan gracias a esa «familia de locos», que es la de Alejandra, la cabeza de uno de sus antepasados, arrojada dentro de su casa desde una ventana, por un grupo de la Mazorca. Su hija, enloquecida, no salió más de su habitación, donde guardó la cabeza, sin que nadie encontrara el escondite, hasta su muerte, en 1932. Entonces la hallaron, y allí seguía, en cualquier lugar de la casa.

Más atrás, en los inicios de la nación, formándose de la masa hispánica trasplantada, cuando la invasión inglesa —1806—, un tenientito, Patrick Elmtrees, avanzando con los invasores, mientras los habitantes reaccionan como lo harían los madrileños dos años después. Desde las azoteas tiraban de todo, «es decir, aceite hirviendo, platos, botellas, fuentes, hasta muebles. También baleaban. Todos tiraban: las mujeres, los negros, los chicos. Y ahí lo hicieron».

Al teniente herido lo recogen en una casa. Se enamora de él «la amita». Dos años después se habían casado. Él va siendo ganado por el campo, y el gringo se va convirtiendo, en boca de los argentinos, en Elemetri, Elemeterio, Demetrio, y, de repente, Olmos. «Y al que dijera inglés o Demetrio, leña.» Hecho aislado, de razón idílica, novelesco, pero también generalizable, constitutivo. Ese Olmos, antecesor de una familia ya puramente argentina, es el mismo caso de los Isla-Island, o los Reinafé-Queenfaith.

Después, la lucha de federales contra unitarios, la lucha, sin asomos de cuartel en caso de derrota, contra Rosas. Y la cabalgada, de días y días, de la tropilla del general Lavalle, diezmada por el enemigo y las deserciones, reduciéndose con el galopar y la fatiga, ya sin otra meta que el paso de la frontera boliviana. Todos los hombres de la casa en la legión, fieles a Lavalle, acompañándole en la agotadora galopada, siguiendo, como en un ciego destino, aun después de la muerte del general, mientras su cuerpo se va pudriendo, puesto encima del caballo. De los seiscientos derrotados, ya sólo doscientos traicionados, luego, «ni siquiera doscientos hombres, y ni siquiera son soldados ya», el jefe que envejece por horas, la bala ignorante que le mata, el cadáver envuelto en el poncho, un vivac de ciento setenta y cinco hombres, ciento setenta galopan furiosos —«Nunca Oribe tendrá la cabeza»—. El cadáver se hincha, huele, se pudre, destila los líquidos de la podredumbre. Una retaguardia, escalonándose, va cayendo para proteger la marcha hacia el norte. Ya no se puede soportar la presencia del fétido cadáver. «Descienden el cuerpo, lo depositan a orillas del arroyo, es necesario rajarle la ropa a cuchillo, tensa por la hinchazón». El cuchillo va arrancando los trozos de la carne descompuesta, que se va llevando un arroyo. Uno de sus coroneles, con lágrimas en los ojos y temple de hierro, va realizando la tarea con su cuchillo de monte. Lo que fue un poncho azul, ya un trapo sucio, destruido, muerto como su dueño, los acoge. La petaca de cuero del general, el lomo de su tordillo los llevan al norte.

Actualidad

La narración tiene una localización concreta: en el tiempo y en la geografía. Apenas comienza y seguimos a un muchacho, alto y encorvado, que camina por un parque de Buenos Aires, que se sienta en un banco, que, semidistraído, recoge del suelo un trozo de periódico y lee, al pie de una foto: *Perón visita el Teatro Discépolo.*

El detalle está pintado con cuidadosa exactitud. Ya podemos seguir la historia de un amor, que sigue, sin que podamos perder la noción de la Argentina, y del momento en la vida de la Argentina, en que nos vamos a mover. Más adelante, inesperadamente, como en esos cuadros a los que se mezclan fotografías, pedazos de periódico, de un carnet de identidad, o trozos de mosaico de cocina campesina, culos de botella, etc., volvemos a dar con trozos de la realidad incluidos en la imaginada trama del texto. La verdad, o la construcción con elementos reales es el artificio preferido por el novelista. A semejanza del cubismo y de la pintura abstracta, que han utilizado ese procedimiento, la aportación del objeto real no viene a dar sensación de realidad, sino a todo lo contrario, a llevarnos al mundo de la fantasía, a la sensación de angustia, a confirmar el sentido de lo que el artista imagina. Así se alude a una Imprenta López, a Molinari, que, con toda mi ignorancia, me suenan a reales.

Tengo, en cambio, la seguridad, cuando aparecen, no sólo Saint-Exupéry, sino argentinos conocidos: Martha Mosquera, Wilcock, Gonzalo Rojas... Puntos reales donde enganchar la realidad, como los vértices soportan la enmarañada madeja de las diagonales en un polígono estrellado.

Epopeya de ayer y epopeya de hoy. En la de hoy no hay galopadas, nada queda de brillantez, de heroísmo externo, de actitudes claras —justas o no, buenas o no, crueles o no—, sino dos, tres personajes, moviéndose en el Buenos Aires actual, en sus calles, en sus cafés, con sus distintos moldes sociales, mientras la política los rodea y brilla o cae Perón, se lanzan las gentes a la calle, prenden unos fuego a una iglesia, salvan otros con riesgo un crucifijo o un objeto del culto...

No es novela en la que se oriente al posible lector hablándole del argumento. Lo que interesa al autor, y lo que a aquél ha de interesarle es el movimiento, moroso, contradictorio, ambiguo, de hombres y reacciones mentales. Toda una parte del libro es un «Informe sobre ciegos», entre paranoico y simbólico —me viene al recuerdo *El lobo estepa-*

rio, de Hesse—. De nada vale que hablemos de una pareja, de un incendio.

En todo caso, nos es muy fácil sintetizar lo que Sábato pretende. Lo hemos encontrado en el temario de un curso, enunciado por él:

«El examen de la condición humana, el experimento metafísico, el testimonio trágico de su tiempo.»

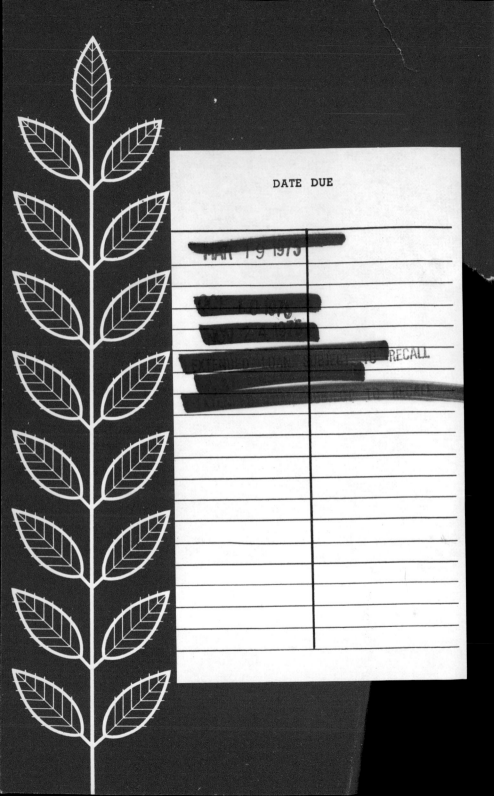

DATE DUE

MAR 1 9 1975

EXTENDED LOAN SUBJECT TO RECALL